DU MÊME AUTEUR

Aux Éditions Gallimard

LE LECTEUR, *récit*, 1976

CARUS, *roman*, 1979 (Folio 2211)

LES TABLETTES DE BUIS D'APRONENIA AVITIA, *roman*, 1984 (L'Imaginaire 212)

LE SALON DU WURTEMBERG, *roman*, 1986 (Folio 1928)

LES ESCALIERS DE CHAMBORD, *roman*, 1989 (Folio 2301)

TOUS LES MATINS DU MONDE, *roman*, 1991 (Folio 2533)

LE SEXE ET L'EFFROI, 1994 (Folio 2839)

Chez d'autres éditeurs

L'ÊTRE DU BALBUTIEMENT, Mercure de France, 1969

ALEXANDRA DE LYCOPHRON, Mercure de France, 1971

LA PAROLE DE LA DÉLIE, Mercure de France, 1974

MICHEL DEGUY, Seghers, 1975

ÉCHO, *suivi* d'ÉPISTOLÈ ALEXANDROY, Le Collet de Buffle, 1975

SANG, Orange Export Ldt, 1976

HIEMS, Orange Export Ldt, 1977

SARX, Maeght, 1977

LES MOTS DE LA TERRE, DE LA PEUR ET DU SOL, Clivages, 1978

INTER AERIAS FAGOS, Orange Export Ldt, 1979

SUR LE DÉFAUT DE TERRE, Clivages, 1979

LE SECRET DU DOMAINE, Éditions de l'Amitié, 1980

LE VŒU DE SILENCE, Fata Morgana, 1985

UNE GÊNE TECHNIQUE À L'ÉGARD DES FRAGMENTS, Fata Morgana, 1986

ETHELRUDE ET WOLFRAMM, Claude Blaizot, 1986

LA LEÇON DE MUSIQUE, Hachette, 1987

ALBUCIUS, P.O.L., 1990 (Livre de Poche 4308)

Suite de la bibliographie en fin de volume

VIE SECRÈTE

PASCAL QUIGNARD

VIE SECRÈTE

nrf

GALLIMARD

Il a été tiré de l'édition originale de cet ouvrage cinquante exemplaires sur vélin pur chiffon de Lana numérotés de 1 *à* 50.

CHAPITRE PREMIER

Les fleuves s'enfoncent perpétuellement dans la mer. Ma vie dans le silence. Tout âge est aspiré dans son passé comme la fumée dans le ciel.

En juin 1993 M. et moi vivions à Atrani. Ce port minuscule est situé le long de la côte amalfitaine, sous Ravello. C'est à peine si l'on peut dire que c'est un port. À peine une anse.

Il fallait monter cent cinquante-sept marches sur le flanc de la falaise. On entrait dans un ancien oratoire édifié par l'ordre de Malte et doté de deux terrasses en angle qui donnaient sur la mer. On ne voyait que la mer. On ne percevait partout que la mer blanche, mouvante, vivante, froide du printemps.

Tout droit, en face, de l'autre côté du golfe, dans l'aube, parfois, de très rares fois, on apercevait la pointe de Paestum et les colonnes de ses temples qui cherchaient à s'élever, sur la ligne fictive de l'horizon, dans la brume et dans l'inconsistance.

En 1993 M. était silencieuse.

M. était plus romaine que les Romains (elle était née à Carthage). Elle était très belle. L'italien qu'elle parlait était magnifique. Mais M. allait avoir trente-trois ans et je me souviens qu'elle était devenue silencieuse.

Il y a dans toute passion un point de rassasiement qui est effroyable.

Quand on arrive à ce point, on sait soudain qu'impuissant à augmenter la fièvre de ce qu'on est en train de vivre, ou même incapable de la perpétuer, elle va mourir. On pleure à l'avance, brusquement, à part soi, dans un coin de rue, en hâte, pris par la crainte de se porter malheur à soi-même, mais aussi par prophylaxie, dans l'espoir de dérouter ou de retarder le destin.

Argument est un mot ancien qui veut dire la blancheur de l'aube. C'est tout ce qui s'éclaircit et se discerne dans cette pâleur qui survient en quelques instants. Péremptoire est l'argument : il n'est jamais possible de détourner le fleuve juste à l'instant de sa crue.

Pas plus qu'il n'est facile d'arrêter le jour dans son aube.

On attend.

On attend sans pouvoir rien faire, tout à coup, dans une contemplation devenue malheureuse.

Ou bien l'amour surgira de la passion, ou il ne naîtra jamais.

Il est vrai qu'il n'est pas aisé de désensorceler ce moment pétrifié. Chacun doit franchir cette passe étrange où tout ce qui était découverte au fond de l'âme découvre qu'il ne découvrira plus.

Où tout se met à reconnaître.

*

Tout ce qui a été étalonné dans la dépendance première tend à refluer vers l'empreinte qui l'attire sans finir. Nous ne nous éloignons jamais complètement de nos mères. Nous restons dans les jupes du temps, de la langue des premiers jours, des nourritures découvertes alors, des formes des corps et des expressions des visages subis dans ces premiers moments du monde en nous. Nous sommes comme les tortues — mais à l'égard non pas des îles du Pacifique mais des voix sopranos. Nous sommes comme les saumons aussi. Nos vies sont fascinées par l'acte où elles ont pris naissance. Par leur source. Par l'aurore. Par la première aurore qui nous découvrit la lumière et qui nous éblouit. Il est vrai que nous sommes arrivés si humides et si anciens devant elle.

*

On n'aime qu'une fois. Et la seule fois où on aime on l'ignore puisqu'on la découvre.

*

Découvrir et reconnaître ne déterminent pas des régimes semblables. Il en va de découvrir et de reconnaître comme de naître et de vieillir. À partir de cet instant maximum que j'évoque comme un débordement de fleuve (comme une sortie hors du lit) tout ce qui est sur le point de survenir ne dénude plus rien, mais se souvient de tout.

Reconnaître est un régime aussi bouleversant mais encore plus fasciné que peut l'être la fulguration du coup de foudre et plus despotique qu'elle.

Passer de la passion à l'amour est une ordalie.

Cette traversée est périlleuse puisque le choix auquel elle expose est radical : soit chanceuse, soit mortelle. En face — en face de la terrasse, de l'autre côté de la baie d'Amalfi — le plongeur du promontoire de Paestum, mains jointes tendues en avant, il y a deux mille huit cents ans, avait plongé dans la mort. C'était un peu d'eau verte. Moi, au moindre cahot, je plonge dans l'autre monde. Je vivais immergé dans l'autre monde. J'écrivais dans l'aube, dans le souvenir des rêves et des périples en voiture de la veille, profitant des vieilles images qui nous entouraient pour y leurrer mes désirs et pour y interroger le lien inquiet qui m'attachait de plus en plus à la part stupéfiante qui échoit à tous les hommes et à toutes les femmes sous le nom en latin assez niais et entièrement puéril de l'amour.

Amour vient d'un vieux mot qui cherche la mamelle.

Mot de la Rome ancienne qui curieusement hèle l'attribut qui caractérise la classe des mammifères vivipares, apparus au cours de l'ère tertiaire, où se sont formées les conditions les plus singulières de notre destin. *Amor* est un mot qui dérive de *amma, mamma, mamilla.* Mammaire et maman sont des formes presque indistinctes. L'amour est un mot proche d'une bouche qui parle moins qu'elle ne tète encore spontanément en avançant ses lèvres dans la faim.

Le long du golfe, au-dessus de la côte, ces fresques anciennes sur les murs ou sur les couvercles des caveaux de pierre, solennelles, rêvant l'amour, terrorisées, au rouge et au jaune intenses, elles aussi attendaient. Attendaient absolument. Attendaient sans qu'elles acceptassent de figurer leur désir. Toutes se tenaient immobilisées au-devant de l'événement inévitable qui allait se produire et qu'elles ne manifestaient jamais sur la paroi nue qui avait été offerte à la main du peintre.

Les héros regardaient éternellement leur propre peintre, qui les avait vus préalablement en lui-même dans la nuit située à l'arrière de ses yeux avant de répercuter leur reflet sur la paroi.

C'est dans le regard qu'on voit ceux qui s'aiment.

*

Je levai les yeux. M. lisait. Nous nous regardions. Je repoussai la table couverte de livres.

Nous fermions les portes-fenêtres pour que les papiers ne s'envolent pas. Nous nous prenions la main pour descendre les cent cinquante-sept marches en pierre si raides qui menaient à la mer.

À midi nous déjeunions sur la plage.

Après les cafés (que M. consommait par dizaines) nous prenions la petite Fiat rouge. Nous suivions la route montagneuse. Nous allions à Naples, à Paestum, à Misène, à Stabies, à Baïes, à Herculanum, à Pompéi, à Oplontis. Nous contemplions un à un des héros qui étaient sur le point d'être engloutis par la scène où ils étaient depuis longtemps partie prenante. Je prenais des photos médiocres, noir et blanc, dans des musées qui étaient déserts.

CHAPITRE II

Le nom de Némie Satler est faux. C'est ainsi que je vais nommer une femme qui a existé, qui n'est plus, que j'ai aimée. Il est difficile de dire sa pensée quand sa pensée, c'est sa vie. Ce qui provient du passé vers lequel on tend désespérément la main non seulement s'échange aux heures nouvelles mais est gagné par les émotions qui y naissent. Pourtant ce qui nous meut, issu de ce qui nous a émus, ressent encore dans le passé lui-même. Il nous semble parfois que toute notre vie d'autrefois n'est en aucune façon ni un nuage de poussières ni une vase qui sont retombées au fond de nous : elle consiste en un muscle vivant et impatient au fond de notre corps. Cette femme que j'ai aimée il y a des années, il y a même des dizaines d'années, ne vit plus dans ce monde — ni dans aucun autre — mais quelque chose qui est son corps circule encore dans le mien. Cette trace vivante (puisque je suis vivant à l'instant où j'écris cette phrase) est *domiciliée* dans le corps qui répond à l'appel de mon nom. Plus encore que l'âme qui s'en détache peut-être comme un écho, tout corps aimé est à demeure dans le corps où il n'a fait, dès le premier instant où sa forme s'est consentie dans l'emprise, que retrouver la place qui le guettait. Ce que je cherche à penser ne se discerne en rien de ce que j'ai vécu et surtout de ce que je vis et que je veux poursuivre de vivre. Ceux qu'on appelait les philosophes autrefois éprouvaient du bonheur à réfléchir en public aux yeux de tous. Ils affectaient de dire que la première personne du singulier choquait leurs lèvres. Ayant en vue le bien de la cité, leur corps ne leur était pas propre, leur adresse ne pouvait être soustraite à l'enquête publique, ils ne pouvaient être suspects d'indiscrétion ni susceptibles d'anecdotes. Rien de leur vie personnelle n'avait été touché par ce qu'ils avaient contemplé du plus loin possible qu'ils l'avaient pu. L'éloignement était leur technique, le langage leur chiffon rouge. Ils préféraient un leurre ou un écran ou un drapeau plutôt qu'un filet ou un épieu. Ils disaient ce que la communauté voulait entendre. Un peu comme les prêtres qui les avaient précédés. Un peu comme la télévision le fait de nos jours. L'association des hommes entre eux y est plus intéressée dans son avenir que le corps de chaque homme qui médite. Par malheur pour celui qui me lit, la famille, la langue où elle se reflétait, ou la langue qui lui imposait sa tyrannie (la famille de ma mère était composée de grammairiens, comme la famille de mon père comptait, sur cinq générations, une soixantaine de musiciens), la plupart des proches et le lieu, à la source, quand ils se plurent à me rejeter comme une surcharge qui posait trop de problèmes au regard de ce qui pouvait en être attendu, ne m'ont pas incité à me lancer la tête la première dans l'âme du groupe. Dès l'instant où l'individu trouve sa joie à se séparer de la société qui l'a vu naître et qu'il s'oppose à ses chaleurs et à ses effusions, aussitôt la réflexion devient singulière, personnelle, suspecte, authentique, persécutée, difficile, déroutante et sans la moindre utilité collective. Il n'est même pas exact de ma part de prétendre retranscrire ce que j'éprouve actuellement comme s'il s'agissait d'un enseignement profond et fourmillant de conséquences que je devrais à une femme — même si je dois intégralement ce que je vais rapporter à celle que j'ai décidé de nommer Némie Satler — parce que je ne l'éprouvais pas un instant comme tel alors que je le vivais. Ce souvenir est remonté dans ma pensée comme une foudre qui a pris plusieurs milliers de jours pour trouver le chêne exact qu'elle allait enflammer. Nous donnons souvent l'impression d'être des effets qui attendons leur cause. C'est le mot désabusé de Toukârâm à Déhou en 1640 : «Je suis venu de loin. J'ai souffert des maux effrayants et j'ignore ce que me réserve encore mon passé ! » Il y a trente ans de cela j'avais bien conscience que Némie m'enseignait quelque chose, mais j'estimais qu'il s'agissait de la musique. J'ai le soupçon maintenant qu'elle m'enseignait peut-être alors tout simplement ce que je cherche, avec un tel entêtement, à chercher.

*

Pensait-elle que l'adultère était le lien le plus intense ? Et le secret absolu plus grave, plus dense que le mensonge lui-même ? Que l'infidélité était la brèche possible dans le langage humain, dans la contiguïté impérieuse, totalement asservissante, des relations et des échanges au jour le jour et de la parole donnée ? Une brèche dans cette muraille, dans cette montagne qu'est à proprement parler toute durée, tout accomplissement quotidien des repas, des nuits, des tâches, des maladies, des jours ?

*

Je pourrais intituler ce chapitre le conte des lèvres mordues.

Elle disait sans cesse de tout ce qu'elle faisait, quoi qu'elle fît, qu'elle s'en mordait les lèvres.

*

C'est une joie de découvrir devant soi un être dont les yeux s'illuminent devant le plat qu'on lui sert, qui cesse d'écouter ce qu'on est train de lui dire, dont le regard fuit, qui porte irrésistiblement sa fourchette sur le ruban de cèpe, sur l'encornet noir, sur le foie de la bécasse, sur la crête crénelée et grise du coq, sur le morceau de lotte tout blanc ;

qui est déjà dans l'autre monde de forêt, d'océan, d'animalité, de chasse où la faim l'a reconduite ;

qui prend soudain avec les doigts l'os dépouillé au

couteau du morceau de lièvre pour arracher le peu de chair noire qui y est demeurée attachée ;

qui saisit une ultime fois, après qu'elle a bu son café, la petite cuillère posée dans la soucoupe pour gratter un reste de coulis ou de crème anglaise qui s'est regroupé dans le bord de l'assiette en suivant l'inclinaison de la table ;

dont les joues se colorent, dont le globe des yeux s'écarquille au point de refléter ce qu'il désire et de le répercuter sur sa substance comme sur la surface d'un miroir ;

dont la langue pointe, humectant les lèvres très vite ;

qui n'avale pas d'un coup le verre de côte-de-nuits qu'elle a saisi ;

qui suce un peu l'arête ou la vertèbre de l'anguille avant de la recracher ;

qui sourit au cuisinier quand il sort de sa cuisine, qui se lève brusquement quand il s'approche de la table, qui le retient pour s'assurer d'avoir bien reconnu chacun des composants de ce qu'elle a savouré.

Je l'ai décrite.

*

Pourquoi l'âme tremble-t-elle quand le coude effleure par hasard le bras d'une femme qui est encore complètement inconnue ?

*

Dans la rue, c'était une porte marron. Le vestibule carrelé de losanges noirs et blancs donnait, directement à droite, sur les deux salons de musique. Tout au fond était confinée une chambre dont la fenêtre s'ouvrait sur le jardin de derrière et sur le fossé qui était resté des fortifications normandes où coulait l'Iton ou l'un de ses bras. Le premier salon de musique était tout simple et peint en jaune d'œuf. Il contenait un piano droit, une longue bibliothèque noire pleine de partitions et de biographies de musiciens que Némie Satler me permit de lire toutes, un piano à queue entouré de tout un régiment de pupitres. Le second était beaucoup plus magnifique, lambrissé sur deux mètres de hauteur de chêne clair aux moulures pas trop chargées, datant du début du XIXe siècle, une belle cheminée devenue plus jaune que blanche surmontée d'un trumeau, deux grands pianos à queue.

Dans le vestibule, sur la gauche, il y avait la salle à manger, puis la grande cuisine — la salle de bains (qui se résumait à deux vasques en faïence blanche, deux brocs en faïence blanche et un tub en fer-blanc puisqu'il n'y avait pas plus de chauffage central que d'eau chaude et qu'il fallait faire bouillir l'eau sur la cuisinière) qui donnait sur le jardin de derrière et dont l'écoulement se déversait, à partir de l'évier de la cuisine, dans les fossés, ce qui posait des problèmes à Némie.

À l'étage il y avait toutes les chambres.

Je ne suis jamais monté à l'étage de la villa de Némie. Je n'en ai jamais eu le droit.

*

La première fois que Némie Satler m'entendit jouer du violon, elle me dit :

— Vous n'y allez pas de main morte !

Elle ajouta que j'avais raison parce qu'il y avait beaucoup trop de mains mortes en musique.

Elle se tut.

Je comprenais mal ce qu'elle voulait me signifier.

Une main molle et hésitante m'inspire de la peur.

En langue russe on dit, lorsqu'une main molle vous est tendue par une femme, qu'elle vous offre un enfant mort.

*

Némie ne disait pas seulement : « ne pas y aller de main morte », elle disait aussi : « ne pas y aller avec le dos de la petite cuiller ».

Ces expressions françaises courantes dont je n'avais pas l'usage alors m'importaient comme si elles étaient les clés qui déverrouillaient le monde.

Leur étrangeté me semblait d'un prix inestimable.

Le prix du cru.

Précieuse comme lorsqu'on découvre pour la première fois le sens exact d'une grossièreté ou d'un mot d'argot.

Le malheur est que je cherchais, aussitôt que je les avais découvertes, à déchiffrer la façon dont l'image avait été composée sinon à en percer le sens. D'où venaient ce dos d'une petite cuillère, cette main de mort pour signifier à peu près la même chose : aller fort, faire sonner avec une énergie non retenue ?

*

Nous terminions le morceau. Je tenais mes yeux baissés.

La musique suscite à son terme pour le véritable musicien un silence solide et précis qui est à la limite de l'envie de pleurer.

Je pense que c'est un silence qui écrase l'interprète exactement comme l'eau pèse sur le plongeur dans l'océan.

C'est pendant ce silence que je levais mon regard sur elle.

Ouvrir finalement les yeux, lorsqu'on joue par cœur, c'est comme respirer. Comme un phoque qui pointe le museau hors de son allu.

Les Esquimaux en langue inuit appellent « yeux » ces trous que les phoques creusent dans la banquise pour survivre en reprenant leur respiration dans l'air atmosphérique.

Ces trous obscurs sont sur le fond blanc de la banquise comme des étoiles inversées sur le fond noir du ciel.

Les yeux de Némie étaient tout blancs. Ils ne voyaient plus. Je murmurais :

— Vous êtes une prodigieuse pianiste.

Elle ne répondit pas.

Ce fut elle qui m'apprit la musique.

*

Sa voix était insidieuse et basse. Toujours douce, posée, placide, nullement séductrice, très articulée, sans grande inflexion, toujours déterminée, toujours sensée, explicative, elle ouvrait simplement l'âme, argumentait ou plutôt entraînait en moi ses propres raisons, déposait ses indications, pénétrait en moi avec une évidence que j'étais incapable de contrecarrer.

À cette voix, j'obéissais.

Du moins j'y obéis dès que je l'entendis.

Il est possible que la naissance de l'amour soit l'obéissance à une voix. À l'intonation d'une voix.

La voix de Némie happait en ne cherchant pas à moduler et en rejetant toute rhétorique. Elle commandait, ne laissant aucun choix, revenant sans cesse sur les mêmes points, les mêmes faiblesses, ou plutôt les mêmes oublis, et, en se faisant toujours attendre, provoquait la mémoire de ce dont on se doutait bien qu'elle répéterait, s'anticipant elle-même dans l'âme, basse, paisible, désintéressée, absolue. J'attendais le retour de cette voix dès que j'avais levé l'archet, ou que je le laissais pendre au bout de mon bras, j'attendais ce qu'elle allait prescrire et qui illuminait la musique sans une seule fois prétendre lui assigner une signification.

Un seul soupir de Némie devant son clavier, sans qu'elle jetât un regard sur moi, me blessait le cœur.

J'avais déjà compris ce qu'elle voulait dire.

J'attendais cependant, avec appréhension, quels

allaient être les adjectifs cruels dont elle allait user. Enfin ils venaient en moi, toujours là où je les avais attendus, et y trouvaient leur place lourde, douloureuse ; ils se déposaient chacun comme une goutte d'acide. En me parlant elle s'adressait à l'ensemble du grand corps que composaient nos deux instruments et nos deux corps, au volume de la pièce peinte en gris, aux moulures, au courant même qui passait directement entre nous dès l'instant où nous jouions.

*

Elle n'était pas femme à s'incliner devant quoi que ce fût ni qui que ce fût.

Pourtant elle était catholique et pieuse. Même, obstinément pieuse.

Je l'imagine peut-être d'une fierté excessive — dont elle n'était sans doute pas investie aussi totalement que je le suppose plus de trente années plus tard.

Mais c'est ainsi. Je l'imagine ainsi. Elle devait être ainsi par quelque biais.

Le sérieux, la haine de la coquetterie, la beauté conçue comme haine de la coquetterie, comme non séduction, l'emportement inexplicable, l'hallucination toujours muette, l'unité de l'inspiration ou des violences, l'authenticité méticuleuse, sourcilleuse, allant jusqu'à la fierté de déplaire, l'examen de conscience sans pitié, le catholicisme aussi, telles étaient les valeurs qu'elle mettait plus haut que nous-mêmes.

Elle était irascible, terriblement sèche, plus sèche

que cinglante (mais cela revenait à peu près au même), tenace en tout. L'apprentissage de la musique avec Némie poussait la concentration jusqu'à la torture. Qui ne s'y pliait pas entièrement, surtout dans l'effort de mémoire que son enseignement supposait, était écarté du jour au lendemain, poliment, mais fermement.

Savoir un morceau par cœur était pour elle la moindre des choses.

La musique n'était même pas concernée par l'analyse, par l'apprentissage, par la technique. Son enseignement était celui d'une espèce d'autohypnose de la pièce à jouer qui devait porter sur le corps, et s'empreindre à l'intérieur du corps. C'était un voyage sans retour. Je me souviens que l'expression — qui peut passer parfois pour laudative — de « retomber sur ses pieds » était dans sa bouche la pire insulte qu'elle pût trouver pour critiquer votre jeu. Les ailes de son nez frémissaient. Ses narines délicates, un peu camuses, retroussées, s'entrouvraient alors qu'elle disait méchamment :

— Ce que vous avez joué, ce n'était en aucune façon un chant. Vous n'implorez rien. Vous ne vous êtes pas élancé. Vous... *retombez toujours sur vos pieds !*

Elle expulsait cette dernière phrase de ses lèvres avec mépris.

*

Ce qui donnait toute sa force à l'enseignement éreintant de Némie Satler, je le découvris plus tard, caché dans une confidence que Mozart a faite à Röchlitz : tout arrive en bloc, d'un seul coup, non déplié, presque panoramique, en tout cas co-rythmique. Cela fatigue énormément le cerveau aussi bien que le corps du compositeur, qui doit avoir le courage alors de le noter.

Sinon il n'est pas du tout compositeur, il est simplement assailli.

Subir l'assaut de la vision, faire le voyage n'est pas l'essentiel de l'art : il faut ce petit courage supplémentaire de revenir et de noter.

*

Noter à partir de cette synopsie interne, ouverte, laissée béante, suppose un petit courage, un pas en arrière, un courage d'yeux qui clignent qui est incroyablement fastidieux.

*

Le mot si simple de Mozart à Röchlitz est plus précis qu'il ne semble : il s'agit de poser ensemble le vu ensemble. De composer la panoramie. Il faut tout prendre tout entier, à bras-le-corps, en une seule fois.

Noter un « tout ensemble » en une seule fois.

Le prendre de vitesse, c'est le pleurer dans le même temps.

Il faut le prendre dans son adieu.

Ouvrir les deux battants de la porte : ce sont les pages qui se succèdent sans qu'on les voie. Elles ouvrent à un espace que celui qui note ne voit pas. Un compositeur, un écrivain ne voit jamais la feuille où il écrit ni ne rencontre jamais, sous ses yeux, durant toute sa vie, son écriture quand il écrit.

Il n'y a jamais eu de page blanche.

Il n'y a que les professeurs ou les journalistes qui parlent de page blanche.

Jamais je n'ai vu ma main écrire.

*

Apprendre était un plaisir intense. Apprendre ressortit à naître. Quelque âge qu'on ait, le corps connaît alors une sorte d'expansion.

Le sang circule mieux tout d'un coup dans le cerveau, à l'arrière des yeux, au bout des doigts, au haut du torse, dans le bas du ventre, partout.

L'univers s'accroît : une porte s'ouvre soudain là où il n'y avait pas de porte et le corps s'ouvre avec la porte elle-même.

Le corps ancien devient un autre corps. Un pays inconnu s'étend où on avance à toute allure et même on s'agrandit dans ce qui s'agrandit. Tout ce qui était connu prend un sens nouveau, s'attache une nouvelle lumière et tout ce qu'on a quitté fait retour soudain dans la nouvelle terre avec un nouveau relief encore inexprimable parce qu'il n'a pas pu être anticipé.

Cette métamorphose est décrite pour chaque héros dans chaque conte ancien et c'est ce qui peut susciter l'attrait irrésistible que tous les trois ou quatre soirs la lecture d'un de ces petits mythes présente à mes yeux : dans la lecture du conte comme dans le conte lui-même des forces sont libérées. Quelques mots soufflés par des fées ou des bêtes deviennent des gestes ou des regards sémantiques puissants. Ces mots deviennent presque des mains qui inventent véritablement leur proie en inventant une préhension elle-même toute neuve : un bâton, un arc, un lacet, un briquet, une fronde, un bateau, un cheval.

Les armes neuves, en inventant leurs proies neuves, engendrent des ruses neuves, donnent naissance à des chasseurs nouveaux.

Des défis qui ne concernent personne peuvent être relevés tout à coup par le hasard d'une conséquence qui n'était pas recherchée. C'est apprendre. Des barrières tombent et, comme elles tombent, des distances tombent. C'est apprendre. La forêt se désobscurcit. Le voyage accroît son parcours.

Qui n'éprouve pas de joie quand il apprend ne doit pas être enseigné.

Se passionner pour ce qui est autre, aimer, apprendre, c'est le même.

*

La singularité de Némie sautait aux yeux de tous. Son attention silencieuse et intense confinait à la beauté. Ses petits yeux noirs implacables, la lenteur de son débit intimidaient ses élèves et aussi les serveurs dans les restaurants. La douceur de sa voix et la lenteur de son élocution nécessitaient le silence. Son débit pour ainsi dire suisse et le besoin de développer jusqu'au bout des phrases dont on avait compris depuis des siècles l'objet qu'elle prétendait décrire ou le jugement auquel elle allait aboutir exaspéraient.

Il arrivait que cela m'exaspérât.

*

Ce temps était un autre monde. J'ai vécu dans un autre monde. Mais le vrai monde a toujours ignoré toute synchronie. Je me souviens qu'un jour on livra des pains de glace. Il faisait chaud. J'étais là pour ma leçon et je ne sais pourquoi Némie se trouva seule ce jour-là dans la maison. Le livreur déposa les pains dans le grand tub, qui avait été posé sur le carrelage rouge de la cuisine. Némie me demanda de l'aider à ranger les pains, à les tailler un peu, à les envelopper de serviettes propres avant de les déposer dans les cases du buffet qui faisait office de glacière. Les cases étaient recouvertes de zinc gris, avec une très nette odeur de bois moisi, au-dessus du long tiroir d'où partait l'écoulement. J'avais les doigts ankylosés par la glace. Je crois me souvenir encore de la difficulté que j'eus pour me remettre à jouer ensuite. Mais à la vérité je suis en train de l'inventer. J'invente pour faire vraisemblable. J'invente des événements qui me donnent l'impression que j'ai vécu. Je jette des choses vraisemblables comme des appeaux qui tentent ce qui fut.

*

Je pense que c'est le même jour.

J'en suis presque sûr parce que je revois les bras nus et blancs qui sortaient des manches longues de sa robe qu'elle avait relevées pour ranger les pains.

Il faisait chaud. Ses jambes étaient sans bas.

Elle portait des espadrilles de corde à ses pieds.

Mes doigts étaient en sueur et je les essuyais sur mon pantalon de flanelle gris dès que la partition m'en offrait le temps. La touche du violon était glissante. C'était une sorte d'huile noire.

C'était à la fin du cours, nous étions debout.

Némie me tendait une liste de livres qu'elle avait notée pour moi afin que je les acquière.

Je ne pris pas la liste écrite (comme tout ce qu'elle écrivait) avec un crayon à papier.

Ce fut sa main que je saisis.

Je cherchais à tirer son corps vers moi. Je la serrais très fort contre moi. Je sentis brusquement ses seins, qu'elle avait très volumineux et beaux, qui s'appuyaient sur moi. Les seins de Némie me touchaient, entraient en contact avec mon torse, je me souviens que je trouvais cette sensation complètement invraisemblable. Mon corps croyait à cette sensation. C'est moi qui ne parvenais pas à croire à ce que j'avais désiré.

Je sentis son odeur, l'odeur qui montait de son chemisier et qui est le plus doux parfum que j'aie jamais senti. Elle me disait à ce moment qu'il fallait cesser que je vienne chez elle, qu'il ne fallait plus que nous nous retrouvions à l'auberge pour déjeuner, que son âge, la vie qu'elle s'était faite...

Mais je ne prêtais pas l'oreille à ce qu'elle disait. Je sentais la chaleur et le poids de ses seins sur mon torse, je sentais le parfum inimaginable qui montait d'elle. Alors je posai mes lèvres sur le début de son sein. Elle se tut. J'entrouvris son chemisier et approchai mes lèvres. Mais à cet instant elle me serra plus fort encore contre elle, m'étreignant, m'empêchant de rien faire davantage. Je relevai la tête.

Je posai mes lèvres sur ses lèvres entrouvertes. Son souffle tiède passait. Elle détourna son visage presque aussitôt. Nous restâmes ainsi, l'un contre l'autre, Némie conservant son visage détourné de moi, à sentir nos cœurs qui battaient à rompre. Nous ne sentions que ces grands coups étranges qui ne semblaient pas provenir de nous-mêmes tant ils étaient à contretemps de la douceur que nous éprouvions. Ces battements n'avaient aucune espèce d'harmonie. C'était un chaos de sang qui nous unissait. C'étaient des rythmes cardiaques très brusques, pulsés, avec d'invraisemblables syncopes. Soudain elle s'éloigna de moi et me supplia de partir. Son regard était triste, louvoyant. Je partis. Je ne me souviens plus du tout de la façon dont je partis ni de ce que je fis dans la journée qui suivit cette étreinte spontanée et ce bouleversement du temps et de ma façon de vivre qu'elle déclenchait.

*

Voici comment je traversais Verneuil : je marchais comme un petit enfant qui tient un bol de lait brûlant rempli à ras bord et qui traverse la cuisine pour aller le poser — le plus vite possible tant il brûle le gras de ses doigts, le plus lentement possible pour ne pas verser — sur la table de la salle à manger.

Je poussais la porte de la maison de Sylviane. Je montais l'escalier de pierre grise, je pénétrais dans la salle à manger, je pénétrais dans la fumée du tabac Scaferlati mêlé de Prince Albert.

Je les regardais dîner. Je ne savais qui d'eux ou de moi étaient passés dans un autre monde et n'en reviendraient jamais plus.

*

Lorsque nous nous revîmes, le premier sermon qu'elle m'asséna fut pour m'expliquer que nous ne nous verrions plus. C'était au début du mois de mars. C'est le mois où Dieu mourut. C'est le mois des premières fleurs. Le printemps était presque là.

Il faisait beau.

C'était assez loin de Verneuil, dehors, dans le jardin d'une auberge.

Elle était assise en plein soleil devant une petite table ronde. Une petite table recouverte d'une simple nappe et d'un bouquet. Je ne me souviens pas des fleurs qui étaient dans le vase. Peut-être des roses déjà. C'était une table cachée tout près de l'escalier qu'empruntaient les serveurs et qui menait du jardin au perron lui-même.

En m'approchant de la table, mes pas crissant sur les graviers, ces sons écrasés et déplaisants m'étaient à moi-même pénibles et je voyais à son regard qu'ils irritaient Némie puisqu'ils attiraient sur nous l'attention des autres clients qui déjeunaient ou parlaient au soleil.

Elle ne souriait pas. Je restai un instant debout. Je regardais son grand visage carré. Ses yeux sombres étaient pleins d'angoisse.

— Asseyez-vous, asseyez-vous, murmura-t-elle enfin.

J'aurais voulu la tenir dans mes bras ; je les baissais et soulevais les montants en fer blanc du fauteuil, afin de ne pas le faire crisser sur les graviers. Je m'assis. Nous déjeunâmes vite, presque en silence.

— Mais qu'est-ce que vous avez ?

— Rien. Pourquoi ?

— Vous avez la tête de quelqu'un qui souffre.

Furtivement, une fois, elle toucha ma main.

Faire l'amour dans sa propre maison lui paraissait dans les premiers temps criminel.

Ce fut la dernière fois que nous déjeûnâmes dans un restaurant. Cette décision absurde vint d'elle et ne put pas être remise en cause.

*

Némie était un dictionnaire musical ambulant. Même pour une musicienne de sa virtuosité et de son âge, son érudition était exceptionnelle. L'apprentissage qu'elle exigeait de nous — mais qu'elle s'était bien sûr imposé à elle-même — faisait qu'elle connaissait la plus grande part de la musique par cœur. Elle m'avoua que son aptitude à retenir une partition n'exigeait d'elle aucun effort. Il lui arrivait de retenir des créations entendues à la radio et de les rejouer d'oreille.

*

Le piano n'est pas un instrument de musique. Là où l'unisson est toujours faux, l'octave de même, la sensible toujours fausse, ne peut pas régner quelque chose qui reçoive le nom de musique.

Il n'y avait que sous ses doigts que le piano fût supportable.

Sa main gauche était une pure détente. C'était une percussion douloureuse, d'une efficacité insensée sur l'âme.

*

Au piano elle se tenait très cambrée et en même temps lançait tout le haut de son corps en avant, les bras ouverts, à la façon un peu cocasse dont les canards atterrissent ou se posent sur les rivières. Ses poignets étaient plus ronds qu'il n'est nécessaire, les doigts à l'aplomb sur les touches, comme un demi-cercle dont l'emprise paraissait aussi totale qu'immobile. Le buste pivotait à peine. La concentration était d'un seul tenant, l'effort semblait nul, le toucher incomparablement détaché, varié, violent, sec, bondissant, frêle, sans qu'on pût le remarquer sur son corps ou qu'on pût le prévoir sur son front ou sur ses paupières. La première chose qui me fascina, c'est qu'elle tenait ses pieds comme un organiste, comme j'avais appris à le faire dans mon enfance, prêts à danser, sur le bout de la semelle, quoiqu'elle n'utilisât presque jamais les pédales.

*

Je la suppliais de me concéder une nuit entière. Quand cela se put, ce fut un échec affreux. Nous passâmes la nuit à nous relever. À boire des gorgées d'eau.

*

Quand je m'éveillais, ouvrant les yeux dans la pénombre, je voyais briller, près de la poire électrique qui pendait, l'argent du crucifix sous les feuilles de buis bénit toutes vertes qui retombaient sur l'épaule de Dieu.

*

La main de Némie était toujours placée sur moi de façon indécente et possessive.

*

Némie était hantée par son origine sociale. Son enfance l'avait blessée, au point qu'elle ne pouvait pas l'évoquer. J'ai toujours imaginé une pauvreté initiale mais je n'ai rien pour fonder ce pressentiment. En tout cas lui avaient manqué à la fois cette confiance et cette impudeur qui lui eussent permis de jouer en public. Qu'elle montât sur scène, elle, la pensionnaire dont la pension avait été payée par la mère de Sylviane, était une chose totalement illégitime.

Elle ne pouvait visiter un musée sans en ressentir de la gêne et la tourner en empressement et en vélocité, sinon en course à pied. Il n'y avait que les restaurants coûteux qui ne l'embarrassaient pas mais les beaux quartiers où ils se trouvaient l'effrayaient. La gourmandise levait toute inhibition en elle et c'est pourquoi nous aurions dû continuer à aller au restaurant ensemble. Mais toute autre chose que la nourriture contribuait à la rendre farouche, renforçait sa méfiance, comme s'il se fût agi d'une identité, d'une entrave volontaire où elle se blottissait et où elle se reconnaissait. Un secret qu'elle opposait à l'aisance, à la richesse, à la nonchalance, à la facilité détendue et affable qui caractérisait à ses yeux un « autre monde » que celui dans lequel elle souhaitait vivre.

C'était un monde auquel elle n'accéderait jamais parce qu'elle ne voulait pas y pénétrer.

*

J'ai lu qu'un des signes certains qui prouvent sans le moindre doute l'amour chez ceux qui aiment tient au plaisir intense qu'ils éprouvent à rallonger immédiatement la vie des personnes qui les ont séduites par l'évocation de leur enfance, qui est au demeurant, avec la confidence des rêves, la plus indigeste des narrations.

C'est faux.

D'elle je ne sus rien. Elle écartait les confidences. Ou plutôt elle les expulsait. Son visage grimaçait. Elle les chassait avec la main d'un coup sec. Je ne sais vraiment rien de sa vie. Quand on la pressait encore, sur son enfance, Némie ne prononçait qu'une phrase. Cette phrase revenait sans cesse, tout bas : « Vous comprenez, je ne pouvais que me mordre les lèvres. » Et puis Némie s'arrêtait, comme si elle avait tout dit. Et dans un certain sens, en effet, elle avait tout dit, dès l'instant où il s'agissait de se taire. J'aimais beaucoup cette phrase. Je pensais à ma propre enfance déchirée en deux langues, à la fin gagnée par le silence et la musique qu'à parler franchement j'avais confondus jusqu'à former une petite démence.

*

Némie aux lèvres mordues, aux yeux plissés pour me donner le départ. Dans l'intense complicité du silence rythmique à vide qui précède le départ, nous plongions ensemble.

Au terme de la sonate, nous nous retrouvions ensemble et effarés, sur la rive du réel.

*

Devais-je réussir là où elle n'avait pas osé triompher ?

Elle était remplie d'une assurance absolue sur mes dons.

Sur la carrière sacrifiée de Némie, je veux argumenter comme ceci : il y a une part damnée de l'art. Je définirai ainsi la part damnée de l'art : se jeter à l'eau. Je reviens à Paestum et à son plongeur les deux bras lancés en avant sur le revers de la pierre de la tombe. C'est un jugement de Dieu. Tout artiste doit consentir à perdre la vie.

*

Némie n'avait jamais pu, quels que fussent ses dons, se sacrifier pour que ses dons la supplantent. Elle aurait pu être un génie. Elle n'avait pas voulu.

C'était à mes yeux inexplicable et aussi — j'étais ainsi alors — impardonnable.

*

Plus tard, à quatre reprises (en plus de Némie), notamment à deux reprises quand je fondais un festival d'opéra baroque au château de Versailles, et aussi une fois, auparavant, quand Jordi Savall m'avait demandé de l'aider à diriger le Concert des Nations en sorte de le faire circuler dans toutes les capitales européennes, j'ai été confronté à ces virtuoses qui, bien qu'ils bénéficient d'un don musical sans pareil, tout à coup ne peuvent plus toucher l'instrument dont ils sont pourtant les maîtres.

Soudain ils se désistent.

On n'en comprend pas la raison. (Ce n'est qu'après qu'ils se mettent à boire, se droguent, s'enferment, désespèrent, se tuent. Comme s'ils cherchaient, en se portant à ces comportements extrêmes, à apporter une explication à une décision qui visiblement a précédé sa cause.)

À chacun d'entre eux, sans grande délicatesse, à cause de Némie, je demandais la raison de ce quasi-suicide musical, ou du moins professionnel.

Ils vous regardent l'air égaré. Ils cherchent.

Ils cherchent sincèrement mais ils ne peuvent pas vraiment donner de raison à une décision qui dévaste trop leur vie et qui leur est presque arrachée contre leur propre volonté, ou du moins contre leur désir manifeste. Pour deux d'entre eux, ils avaient l'humilité de confesser qu'ils ne le savaient pas eux-mêmes. Ils déprimaient. Ils disaient qu'ils avaient peur et qu'ils ne pouvaient pas. La raison est pourtant aussi limpide et claire que peut l'être l'eau de source. C'est le mot de Racine arrêtant d'écrire à la suite de la cabale qui assassina *Phèdre.* Il déclara à Gourville que le plaisir qu'il éprouvait à créer était moindre que le déplaisir qu'il ressentait devant les critiques qui lui étaient adressées. Il ne nourrissait plus le « désir de s'exposer à des blessures ». Accepter la concurrence à mort est insupportable à certains hommes. Concourir, rivaliser, prendre la place, risquer la mort dans l'épreuve de chaque nouveauté, renouveler sans cesse le défi, c'est sans cesse tuer ou être tué. C'est le duel. Ce n'est même pas tuer qui est capable de faire peur à d'anciens enfants. C'est pouvoir mourir. Et pouvoir mourir une nouvelle fois à chaque nouvelle fois.

Cela peut être inenvisageable pour certains êtres humains.

Je pense que ce « pouvoir mourir » l'arrêtait.

Jouer en public, créer, s'exposer, pouvoir mourir ne se distinguent pas. C'est d'ailleurs pourquoi on voit des personnes ruisselantes de dons qui en restent à l'option tuer. On les appelle les critiques. Qu'est-ce qu'un critique ? Quelqu'un qui a eu très peur de mourir. Dans les grandes capitales des nations occidentales et nord-américaines on peut voir face à face ceux qui peuvent mourir et ressusciter et ceux qui ne peuvent pas ressusciter et qui tuent. On appelle cela la vie culturelle. Je note que le mot culture ne convient pas. Mais je souligne que le mot vie est encore plus impropre.

*

Alors elle était mon maître. Ce qu'elle disait avait une autorité absolue sur moi. Je m'endormais en songeant aux remarques qu'elle m'avait adressées et je les repassais dans mon esprit. Tout se fascinait en moi à l'instant où je posais mon archet sur le pupitre, où je massais mes doigts, où elle allait donner son jugement sur ce que j'avais joué.

*

— Vous me promettez, vous me jurez de vous taire ?

— Je vous le promets. Je vous le jure.

Elle se tenait agenouillée sur le tapis de la chambre devant moi. J'étais debout et je dégoulinais d'eau. Je parlais à la queue de cheval inclinée au-dessous de moi qui cherchait à désintriquer les lacets trempés de pluie et gonflés qui retenaient des chaussures dont je n'arrivais pas à me défaire seul.

— Alors, venez.

Alors elle se releva, me tendit ses deux mains. Je les pris. Elle avait déjà fermé les paupières.

*

Je me souviens, une à une, avec tristesse, avec un sentiment de ridicule, de toutes les ruses que nous dûmes faire pour nous voir.

*

La maison était là, à droite du petit pont qui passait sur la rivière, et qui était la plupart du temps inutile tant le fossé creusé par les anciens Islandais était étroit. Du pont on ne voyait pas la maison, cachée par les feuillages des énormes noyers qui longeaient la rivière. Je suivais la rive. Je sautais en m'agrippant à une forte branche du laurier de Némie par-dessus le bras de l'Iton, qui était presque à cet endroit un gros caniveau et, m'agrippant toujours car l'herbe était boueuse, je montais enfin dans le jardin de Némie, passant devant les clapiers à lapins.

*

Elle tirait elle-même les rideaux sur la tringle de cuivre, prenant soin de ne laisser aucun jour, faute qu'on pût, à l'extérieur, refermer les volets. Nos yeux s'habituaient à l'obscurité.

Nous nous aimions dans la salle arrière, après les salons aux pianos.

L'obscurité semblait complète tout d'abord puis, peu à peu, la fenêtre en mica du poêle, quand le froid revint à la fin de mars, et en avril, lançait sa lueur, on percevait les boulets et les bûchettes mêlés. Puis nous nous percevions nous-mêmes couverts d'un reflet rouge. Enfin cette teinte elle-même s'accoutumait. Nous voyions de plus en plus nettement nos reflets se réfléchir dans le tain du miroir qui surplombait le poêle et dont la base reposait sur le socle de la cheminée en marbre.

Ce n'était pas un véritable lit; c'était à peine plus qu'un sofa, entouré d'un bois montant à l'angle. La couche s'encastrait dans deux petits rayonnages en bois noir où étaient rangés des livres, des bubuses, d'étranges choses. Des vieilles assiettes et des céramiques à motif sur l'étage du haut.

*

Je grattai le carreau de la fenêtre un instant. Puis je pris peur et n'osai plus. J'attendis dans le noir. Comment saurait-elle que j'étais là, à l'attendre? Mais je craignais de la compromettre pour peu qu'elle ne se trouvât pas seule mais en compagnie d'un élève, de ses enfants, de son mari.

*

Non manifeste sed in occulto.

Ce fut ainsi que Jésus se rendit à la fête des Tabernacles à Jérusalem (« Non pas ouvertement mais en cachette », Jean VII, 10).

Ce fut ainsi que nous nous aimions.

Non pas ouvertement, mais en cachette.

Ce fut ainsi que j'errais dans Verneuil chaque soir, jamais sûr que ce fût possible ni impossible. Soit que je fusse interdit de nuit. Soit parce qu'il fallait attendre l'heure dite pour la rejoindre. Je préférais ne pas rentrer chez Sylviane tout de suite afin de ne pas avoir à justifier ma ressortie.

*

Non manifeste sed in occulto.

Le ciel était jaune pâle. Verneuil est un bourg moyenâgeux étrange.

*

Non manifeste sed in occulto.

Il est naturel que je cite la Bible en évoquant Némie. Non seulement Némie croyait réellement en Dieu mais elle enseignait les manières de jouer, les *attacca*, les attitudes, les intonations, les envisagements ou les dévisagements propres à chaque pièce, en se référant la plupart du temps aux scènes de la Bible, aux paraboles du Nouveau Testament, aux stations de la Passion de Jésus, aux vies des martyrs ainsi qu'à leurs supplices. Némie adulait saint Jean (et aussi saint Paul et aussi la *Légende dorée*). Ce fut elle, à force de les citer, qui m'en fit découvrir la pensée. Jusque-là — jusqu'à ce que Némie vînt — je n'y voyais que des préceptes détestables et d'autant plus risibles qu'ils avaient passé durant des siècles pour indiscutables et avaient conduit les hommes à s'agenouiller et à s'emplir d'une faute fictive.

À la vérité, pour ce qui me concerne, je ne pouvais pas même comprendre l'idée de croyance.

Il me fallait chercher à imaginer ce que pouvait être la foi.

Je questionnais autour de moi quand j'étais enfant mais je n'osais interroger Némie sur ce point car je savais que je l'aurais heurtée. J'en étais arrivé à la conviction que croire était une expérience assez proche de la sensation que devaient éprouver les enfants monolingues au nombre desquels j'aurais si violemment aimé me compter : jamais dans leur maison n'aurait résonné qu'une seule langue.

Jamais sur les lèvres de leur mère ne serait apparu un mot dont la consonance pût être incompréhensible.

Ces enfants devaient avoir l'impression de posséder en cette seule continuité sonore dans leur bouche et dans leurs oreilles une terre unique dont ils n'avaient même pas connaissance. Leur langue unique était tout le langage disponible sous le ciel.

Leur territoire n'était pas une province mais toute la terre.

Leur famille était au centre du monde.

Pour ce qui était de moi, à partir de mon minuscule exil intérieur, déchiré en trois langues, chacune employée pour dissimuler ce qui y était dit, je ne pouvais pas comprendre. J'aurais voulu pénétrer à l'intérieur de la tête de Némie pour me glisser dans la croyance elle-même.

J'aurais voulu pénétrer sa vie secrète. Je connus mieux son corps et ses réactions, et même ses sensations, que l'écho qu'elle donnait dans son âme à ce que nous vivions. Je ne sus jamais rien sur son enfance. Rien sur les raisons de cette pauvreté qui l'avait rendue si complexe, si inexplicablement retirée et modeste, si impérieuse, cependant si inhibée aussi. Rien sur son adolescence. Rien sur l'amour qui l'avait conduite à se marier, sur l'affection qu'elle portait à ses enfants.

Je vécus dans la proximité de son secret. Je partageai son enseignement, puis son corps, puis son silence. Mais sa foi, pour dire toute la vérité, je ne l'ai jamais dévoilée. Je ne l'ai jamais même entraperçue.

*

Tout dans l'univers se tend, se polarise. Tout dans le ciel ou dans le monde s'épanche. Cette expansion du silence sur le lieu qui s'enracine, cette expansion du secret sur le corps qui se cache, cette expansion et cette fermeture, cet océan qui s'étend et cette insularisation qui se concentre dans l'intimité extrême creusaient une profondeur que nous partagions d'autant plus tous les deux que nous ne la partagions avec personne d'autre que nous deux.

*

Elle n'était sous le regard de rien et de personne. Némie était silencieuse, sévère. Plus impudique que sensuelle. Elle avait le vin silencieux, qui n'enhardissait que le geste. L'amour ouvrait soudain l'incommunicable comme une clé. De même les livres quand ils sont beaux font tomber non seulement les défenses de l'âme mais toutes les fortifications de la pensée qui se voit prise de court soudain.

De même les grandes peintures qu'on fixe sur les murs, quand elles sont admirables, ouvrent le mur plus que ne sauraient le faire une porte, une fenêtre, une baie vitrée, une meurtrière, etc.

Comme la musique émeut au-delà de soi et gagne à ses rythmes le cœur et la respiration et la séparation première, et l'angoisse princeps qui l'accompagnait, et l'attente qui en naît tout au long de la vie.

*

Avec Némie, la relation sexuelle cessa d'être à mes yeux seulement humaine. C'est-à-dire plus ou moins anonyme.

La nudité cessa d'être un état intermittent, égaré, qui se fourvoyait de temps à autre dans la banlieue de l'instinct. Apparition hasardeuse sous le pantalon ou la robe. Origine repoussée dans l'oubli aussitôt que vue. Elle devint personnelle. Puis singulière. Puis multiple. Puis passionnante. Puis abracadabrante. Puis imprévisible. Que ne m'apprit-elle pas ? Némie jurait, sans doute par délicatesse, qu'elle découvrait en même temps que moi ce que je découvrais. Que ce que nous fassions, elle-même l'avait ignoré jusqu'à ce que nous le fassions. Pourtant nous ne faisions rien que tous ne fissent mais nous tenions résolument ouverte la porte sur ce rien.

*

Je dois avouer que cet état d'union fut rare dans ma vie. Je comprends mal pourquoi le regret ne m'en revint pas plus fréquemment au cours des années, des dizaines d'années, qui suivirent. Avec d'autres femmes, dans d'autres étreintes, le respect, la relation sociale, l'admiration que je leur portais, la distance volontaire (la terrible appréhension de leur don de seconde vue pendant des années), la simple peur, la convention, la pudeur ont souvent contraint mes désirs. La pose elle-même, ou l'inquiétude de ne pas être aimé suffisamment, ou un amour excessif, ou plutôt excessivement exprimé, culpabilisaient la convoitise. L'accoutumance qui en naissait, la répétition qui la suivait, la considération ou la sympathie qui s'y consolidaient sont des conseillers très restrictifs.

Avec Ibelle je connus un amour physique irrésistible mais dont les gestes aussitôt étaient mutuellement inadéquats, et presque volontairement monotones. Comme si la manifestation contrôlée et patiente du désir physique eût fait douter de l'amour que nous nous portions.

*

Il est toujours surprenant de découvrir combien la passion amoureuse et les audaces de l'étreinte peuvent être disjointes. Mais ce n'est pas sans raison : elles ne viennent pas d'un même monde. Et elles ne pénètrent pas dans une même obscurité. Parfois ces deux mondes sont le même, mais c'est dans ce cas pur hasard. C'est presque contre leur nature elle-même, et leur intensité indéniable, qu'elles se rencontrent. Elles ne se rencontrent à vrai dire pas : elles coïncident. C'est comme un accident : un chêne, une voiture rouge se rencontrent. C'est imprévisible dans la mesure où ce n'est en aucun cas préparable.

*

Elle pivota soudain sur le tabouret du piano et me fit face.

Elle me dévisagea avec ses petits yeux noirs.

Elle posa ses mains sur ses genoux. Je lui pris la tête entre mes mains et la serrai contre moi.

— Je pense que nous avons tort, murmura-t-elle.

Je faisais non avec la tête. Elle ne le vit pas mais elle dut le sentir. Elle s'était mise à répéter mon prénom comme une litanie. Tout bas.

C'est ainsi que mon prénom devint une plainte.

*

Elle portait des bas gris ou fumés. Elle portait des bottines marron à lacets. Il ne fallait jamais la questionner sur rien.

*

Elle portait souvent à l'intérieur, quand elle n'avait pas de leçons, un vieux tailleur en lainage blanc, fermé par une broche.

Ses cheveux bruns, une raie au milieu, le chignon nettement à l'arrière du crâne, juste au-dessus de la nuque, retenu par un peigne en écaille presque rouge.

*

La pièce était sombre et chichement meublée. Un lit vert, un fauteuil recouvert d'une tapisserie qui représentait Saül chantant. Au-dessus de la cheminée un grand miroir penché dans lequel on se voyait en pied. Devant la cheminée un poêle moderne vert, un seau à charbon, une pelle, un petit balai jaune et rose.

Ce feu ronronnait bruyamment. Némie était frileuse.

Les flammes léchaient le mica.

À droite, un buffet à deux corps contenait des piles de linge.

Le papier qui tapissait les murs répétait des motifs rouges dont j'ai perdu le souvenir.

*

La cuisine donnait au nord.

Près de la porte de la cuisine, elle avait quatre poules sous un grillage. C'étaient des habitudes de pauvreté et de guerre que Némie avait maintenues. Près du laurier qui donnait sur l'Iton, elle avait ses lapins dans leurs petits carrés de bois devenu tout gris à force d'être détrempé par la pluie.

Le goût des restaurants de même. C'est un goût qui trahit carence, pauvreté, détresse. C'est pourquoi les grands chefs sont si grincheux, les gourmets si maniaques et snobants. Il faut dire la vérité : le spectacle qu'offrent ceux qui mangent dans les plus grands restaurants est lugubre.

*

La porte est recouverte d'une vieille peinture rose et elle gratte le plancher en s'ouvrant. Au-dessus du poêle, près du conduit en zinc qui fait un coude pour ne pas mordre sur son reflet, il y a le grand miroir rectangulaire bordé d'écaille noir et rouge qui s'incline.

Elle est morte mais je la revois qui travaille étendue dans une chaise longue jaune. Elle avait toujours les pieds déchaussés, ramassés près de ses cuisses, devant le miroir.

Elle doigte des partitions. Elle lit.

Parfois elle regarde son reflet dans le miroir qui penche et éprouve du plaisir en voyant son image qui se réplique.

Je ne vois plus vraiment son image mais elle fait comme un cercle à l'intérieur d'elle-même — cercle que son image reproduite termine, apaise, assure — et elle travaille davantage.

Elle tordait ses cheveux entre ses doigts quand elle travaillait de la sorte.

Le poêle en fonte est très laid, lourdement orné, vert moutarde. Pourtant, au fond de mes souvenirs, cette apparence est devenue si rare que je crains après coup de ne pas avoir su en percevoir alors la singularité et peut-être la beauté.

Les lés de papier grenat ou prune sur les murs, je ne parviens pas à me remémorer leur motif, quelque effort que je fasse. Encore qu'il me semble voir des formes ovales, soit de cages, soit de barques. Mais si ce sont des cages, je ne perçois pas d'oiseaux dans ces cages. Et si ce sont des bateaux, je ne vois pas de mariniers dans ces bateaux.

*

Elle n'aimait pas le sexe dont la contingence ou la naissance l'avaient pourvue. À la réflexion il me semble que je puis dire que je n'ai jamais vu que des femmes, dans le hasard des rencontres que j'ai faites, pour déprécier jusqu'à l'acharnement l'apparence génitale que le hasard leur avait dévolue. Jamais je ne la vis louer une grande figure de femme. C'était une de ses tares. Je ne pense pas qu'un homme, devant l'instabilité et le biscornu anatomique et antiquissime de son sexe, ait jamais pu fonder sur lui ni tant d'espérance ni tant de dépit.

CHAPITRE III

Le piano silencieux

Le jardin était étroit. Il n'y avait pas d'arbre au centre.

Les poules adorent errer parmi les orties. J'éprouve de la joie à dire le paradis qui se tait en nous et que si peu exhument.

Je les voyais se glisser sous le grillage au ras du sol, après avoir becqueté dans leur couloir d'évasion. Il semblait que les orties étaient le lieu dont elles rêvaient pour pondre.

Je relevais le grillage. Je prenais les poussins encore humides qui avaient éclos et qui titubaient près de leur mère. Les coquilles roses et brunes étaient défaites près de leurs pattes. La vue d'un poussin emplit les hommes et les femmes d'une émotion singulière. Ils ont si souvent été appelés eux-mêmes des poussins. Ils croient revoir la fragilité de leur naissance. Ils lui ôtent toute souillure. Ils l'entourent de la tendresse de plumes pâles. Les hommes dans leurs visions mensongères se ressentent plus poussins que mammifères.

L'éclosion leur paraît être une origine plus vraisemblable que l'imagerie effrayante de la gestation et celle, beaucoup plus dramatique, de l'expulsion criante au débouché du sexe de leur mère.

Alors le général de Gaulle céda le Sahara à l'Algérie.

Quand ils virent le général de Gaulle renoncer aux peintures paléolithiques du Tassili n'Ajjer les généraux Challe, Jouhaud, Salan, Zeller entrèrent en rébellion.

Restent parfois incrustés dans un geste, dans un de nos goûts, dans le son de notre voix des sortes de détritus indicibles et presque inconscients. Ce sont des petites pattes de crabes verts ou des fragments de coquillages que la mer descendante n'a pas su attirer à elle alors qu'elle se retirait. C'est ainsi que je songe au piano silencieux.

J'ai assisté deux fois à cette expérience surprenante au cours de laquelle Némie croyait jouer du piano et où elle ne jouait pas.

Elle se tenait immobile, les paupières baissées, nettement penchée en avant sur le clavier, les mains posées symétriquement, chacune sur une cuisse, bombées, ou encore au-dessus des genoux, en suspens, sans être tout à fait à la hauteur du clavier — exactement dans la même attitude que lorsque nous relisions intérieurement, dans le fond de notre corps, l'ensemble de la partition avant de la jouer, comme elle me l'avait enseigné, sauf qu'alors les muscles se bandaient, elle se balançait, le corps était plus présent et beaucoup plus énergique, alors elle dépensait cette énergie.

Mais, dans ces cas-là, simplement, la seconde fois n'était pas plus sonore que la première.

J'ai dit que sa façon de jouer donnait l'impression d'atterrir.

Dans ces cas-là elle avait *cru* atterrir : elle était restée en l'air.

Ensuite, quand je lui disais qu'elle n'avait fait que jouer en rêve la sonate, elle ne me croyait pas. Elle riait comme si je la faisais marcher et que je me moquais d'elle.

*

Maintenant je la comprends enfin. Je comprends enfin Némie Satler. Il m'arrive de penser, du moins pour la plupart des pièces européennes qui ont été composées de la Renaissance à la Seconde Guerre mondiale, qu'on les a tellement entendues qu'on a peine à les entendre, et qu'elles ne devraient être interprétées en salle de concert qu'à la muette. Cela ferait de singulières messes. Toute la salle, dans le théâtre ou dans l'opéra, serait silencieuse. Chacun les yeux fermés évoquerait au fond de lui le souvenir du rabâché. Même les applaudissements pourraient être éliminés comme un gâtisme correspondant. Ou comme une insulte à la convocation rare, unique, semelfactive de la musique.

*

Y a-t-il une différence entre un lecteur, un écrivain, un interprète, un traducteur, un compositeur, etc. ? Je doute que ces mots veuillent dire grand-chose.

Tout traducteur interprète comme s'il avait écrit. Tout interprète traduit comme s'il avait composé. Némie disait qu'on ne devait pas jouer ce qu'on n'aurait pas désiré violemment écrire.

De nombreux virtuoses de nos jours devraient faire leur cette indication de Némie.

Car ce n'était pas la lettre de la partition, ni même l'esprit de l'œuvre, qui devaient être joués selon Némie : c'était la force qui avait possédé le compositeur qui devait être exhumée. Exhumer, ce n'était pas redire. Exhumer, c'est détruire. L'art détruit toujours. Le préhistorien, quand il déterre le puits, la tombe, disloque irrémédiablement ce qu'il produit au jour.

*

À chaque fois la musique devait être dite, surgissant dans son nom imprononçable, de la même façon que le prénom de celui qu'on aime ne reçoit pas une même intonation s'il s'adresse à celui qu'on aime, ou s'il se trouve être porté par hasard par le garçon dans un restaurant, par le compositeur de l'imprimeur qui se tient debout devant sa casse, par le banquier derrière sa vitre ou par le petit garçon de la boulangère qui veut à tout prix rendre lui-même la monnaie.

*

La création devait atteindre le jaillissement; le grondement; la fulguration de la foudre dans le ciel noirci par l'orage ; le débouché de la nuit souterraine ; l'irruption. Tout ce qui crée, tout ce qui procrée fait entendre l'origine.

Une bonne interprétation musicale donne l'impression d'un texte originaire.

D'un signifiant qui précède le langage.

Son astre imminent.

On lit la partition puis ça résonne à l'intérieur du corps comme les images nocturnes se projettent dans les rêves à l'arrière des yeux dont les paupières sont depuis longtemps refermées. Dans la musique, pour Némie, il n'y avait ni moi, ni corps, ni instrument. Ni même l'auteur. Ce n'est pas Purcell en personne dans les rues de Londres. Ce n'est surtout pas Bach lui-même qui revient dans les lettres de son nom qu'il a cru disposer. C'est cela : le « pur signe » résonne. Le « cela impersonnel » sort à sa source — et dans cet assourcement qui surprit Bach lui-même. En allemand Bach veut dire rivière. La partition chante sa partie en se fascinant. En se croyant à l'origine de la musique elle-même.

*

Un beau texte s'entend avant de sonner. C'est la littérature. Une belle partition s'entend avant de sonner. C'est la splendeur *préparée* de la musique occidentale. La source de la musique n'est pas dans la production sonore. Elle est dans cet Entendre absolu qui la précède dans la création, que composer entend, avec quoi composer compose, que l'interprétation doit faire surgir non pas comme entendu mais comme entendre. Ce n'est pas un vouloir dire ; ce n'est pas un se montrer.

C'est un Entendre pur.

*

Interpréter à la muette.

Une langue se parle. De là toute langue s'entend. Une langue qui s'écrit peut se lire. Mais de ce fait même, avant même d'être lue, c'est la langue elle-même qui s'entend dans ce lire.

C'est pourquoi toute littérature entretient un lien personnel avec les langues mortes, qu'on devrait appeler les expressions antérieures.

Lire en silence les notes de la musique, l'interpréter à la muette (sans pizzicati, sans archet), l'interpréter, tout cela est un même s'entendre. C'est la même sonnerie — mais qui se décale à jamais dans l'adieu quand la musique est notée. C'est ce qui fait l'étrangeté, la sublimité, l'altérité propre à l'autre monde de la musique savante : elle est décalée dans son souffle, dans le s'entendre, par sa notation et cela jusque dans sa réverbération sonore. Même pour celui qui la compose.

*

Ce s'entendre préalable (muet) est par définition dessous le seuil sonore (est le *sub* de ce *limen*) : c'est la *sub-limitas* propre à la musique savante en regard de la musique improvisée. Les musiciens d'Orient tournent autour du Jadis plus qu'autour du signe (lettre ou note). Tournent autour du retenu, de la trace mémorisée dans le corps lors de l'apprentissage, varient et vaguent comme le chaman tourne et provoque son voyage et son rêve. Le musicien européen est un chaman qui se réveille *après* son rêve, qui rapporte son rêve. Comme Ulysse incognito qui prend la nappe, qui la met sur sa tête et qui pleure à la cour du roi des Phéaciens lorsque l'aède raconte, en sa présence, l'impossible retour de sa vie qu'a composé, pour sa vie, comme s'il était mort, le poète qui est en train de la chanter.

*

La musique à l'égard du corps (de la double articulation non synchrone du rythme respiratoire à partir du rythme cardiaque) contracte un ressort jusqu'à son cran d'arrêt.

Puis l'impulsion (ou l'insufflation, ou l'inspiration comme lorsque le plongeur sort sa tête de l'eau, ou l'animation).

*

Il y a quelque chose dans le langage qui s'égosille — et que montrent bien les chants des oiseaux quand le soleil s'élève dans le ciel et le désassombrit. Ce phénomène est tellement lié à la différenciation en tous sens, photophonique de la vie dans le volume de l'espace (l'invention immobile des formes végétales, l'invention mouvante des formes animales, l'invention hallucinante des couleurs, l'invention inouïe des sons) que l'*unité continue* que scelle la nuit s'y perd. Que l'obscurité de l'univers désire être perdue.

*

Les images ne sont pas faites pour la lumière.

Tout rêve le sait et chaque nuit le prouve.

Les images sont lucifuges et Némie m'avait appris à jouer les yeux fermés en ne commençant à jouer la partition qu'après que je l'eus perçue un instant comme une seule figure.

Image synoptique qui devait être assumée entièrement en silence avant de commencer à jouer.

*

Notre amour à ses yeux — et je ne partage plus cette façon de figurer l'amour — se confondait à notre point de silence.

Ce point de silence se confond au point aveugle social.

Pour que nous nous aimions, il fallait que nous fussions bien décidés à nous taire. Alors nous serions le groupe anti-tous. C'étaient cela, pour elle, les amants ; tout le reste du monde devait être exclu ; cette exclusion nous associerait davantage ; elle nous fidéliserait à jamais. Plus j'y réfléchis — et ces recherches sur l'amour que je portais à Némie ne sont que cet effort dont je ne sais quoi en lui pèse, m'angoisse encore, de plus en plus, au fur et à mesure que j'avance — plus je me souviens qu'elle pensait exactement ainsi mais qu'elle avait tort de faire reposer l'amour sur l'exclusion de tous les autres : l'exclusion de tous les autres, cela ne définissait que le secret.

Nous étions logés dans la même auberge silencieuse : à l'enseigne de la chambre interdite.

Je m'y cachais comme un voleur.

*

Qu'est-ce que l'amour ? Il n'y avait pas pour mon esprit, avant que je la connusse, un « monde de l'amour » comparable à une expérience fondamentale comme la musique (ou comparable à l'attraction des livres) et dont l'étreinte de la nudité humaine aurait été l'accès. Elle me fit pénétrer dans ce monde de la même façon qu'un hôte fait visiter son pays et le fait découvrir à un ami. Comme un homme qui voyage sur la mer épouse une autre mesure du temps et une autre idée de la nature que celles qui s'éprouvent à partir du sol plus fixe et plus stable de la terre et des arbres ou des montagnes qui entourent son village, lorsque la traversée dure des mois. (Notre amour ne dura que trois mois et six jours. Notre amour dura exactement quatre-vingt-seize jours.)

*

Les amoureux, les amants, les époux ne désignent pas les mêmes êtres humains. L'amour s'oppose à la fois à la sexualité et au mariage. L'amour ressortit au vol et non pas à l'échange social.

Il se trouve que depuis la nuit des temps celui qui tombe amoureux désigne la femme ou l'homme qui se soustrait à l'échange qui a été préparé pour lui de longue date par les siens, les alliés et le groupe.

Les contes opposent de façon assez voisine l'amour au mariage comme la fuite à l'alliance.

L'amour se définit toujours dans les contes anciens à partir de trois traits : comme une gémellité incompréhensible (deux étrangers se découvrent une entente presque incestueuse), le coup de foudre (la fascination subite, non préparée, silencieuse, non médiatisée), enfin la mort volontaire ou l'homicide ou le crime passionnel qui l'achève ou les maudit. Cette asocialité qui marque l'amour, qui l'arrache d'un coup à la conjugalité comme aux liens sociaux coutumiers, se traduit dans les anciennes histoires d'amour de cette manière : être échevelé, être tout nu, ne pas avoir de maison, vivre d'air et d'eau fraîche, manger cru, devenir oiseaux.

*

Némie jouait du piano de façon prodigieuse. Il est surprenant, pour chaque époque au cours du temps, d'imaginer que les plus grands peintres n'ont jamais été exposés nulle part. Je ne connais qu'eux. J'avais toujours cette impression quand je me rendais, des années plus tard, à Bagnolet, dans l'atelier de Jean Rustin. Chaque siècle depuis l'aube va ainsi. J'appelle aube la nuit des temps. Dès l'aube le plus âgé préfère la saison qui précède, où son âge était moindre.

Il était surprenant de constater que les plus grands interprètes étaient enfermés derrière des murs si épais, et engourdis dans une timidité ou une terreur à ce point psychiatriques que nul ne les avait jamais entendus.

Que même leur époux, même leurs fils n'en pouvaient avoir connaissance que par surprise, et pour ainsi dire en trichant.

Que leur concert était muet.

Même quand la bonne était là, Némie s'interdisait de jouer librement.

Personne ne croit qu'un écrivain de génie existe sans qu'on en ait lu la moindre ligne — et sans qu'il ait jamais consenti à avouer la fièvre qui le prenait le soir dans un petit entresol à l'écart des siens. Ce fut pourtant ce qui se passa pour le duc de Saint-Simon avant qu'on retrouvât quatre-vingts ans plus tard cinq caisses portées à charrette dans l'hiver, cinq caisses qui avaient été scellées et consignées au mois de décembre 1760 dans le Dépôt des Affaires étrangères, alors quai du Louvre. C'est Lucrèce avant le Pogge. C'est la grotte qui se trouve au-dessus de Montignac *avant* 1941.

C'est la grotte Cosquer *avant* Henri Cosquer.

À la différence près que certaines civilisations ont été exterminées corps et biens, langages et vestiges.

Je pense que le plus grand nombre des chefs-d'œuvre que l'humanité a élaborés sont inconnus pour l'éternité.

Ils sont comme ce concert muet. Tous, ils furent ce bourgeon. Ils furent ce point éternel dans leur surgissement.

Leur absence dans la mémoire des hommes *doit* y être présente comme telle. Comme carence. C'est ma foi.

*

Je pense qu'il ne s'agit nullement d'une image. Je pense que ce point de musique, il faut l'imaginer exactement comme un bourgeon au printemps, collé sur lui-même, poussant sa tête, irrépressible.

Le printemps dans la nature est la création même.

Naître, chez les vivipares, y a pris sa source.

Rechercher le printemps, attendre ses signes avant-coureurs, fut la première chasse constellaire.

Le bourgeon pousse sa tête gluante dans le visible.

Ce n'était point la technique qui était examinée dans l'enseignement que Némie Satler donnait mais l'attention elle-même, la possibilité de concentration et de jaillissement irrépressible au sein du silence. La technique était modifiée par cette concentration. Mais surtout le silence sur le fond duquel pouvait s'éployer la musique en était entièrement affecté, de façon presque dramatique. Le son surgissait dans le silence, du fond de l'instrument, comme le fait de naître. La terrible activité de naître. Un silence total. Puis comme un premier cri.

Comme l'imprévisibilité irrévocable de la jouissance.

*

Mon admiration pour l'enseignement de Némie était servile, totale. Je sens quelque chose derrière le véritable nom de Némie Satler que j'aurais follement aimé connaître. Je ne l'ai jamais trouvé. Je n'ai pu le restituer pour ce qu'il était. Mais je ressens ce pressentiment d'une émotion, ce frissonnement d'une créature animée qui se serait terré sous le prénom. Qui y vient tout à coup et le soulève, qui pointe le museau, qui se retire de lui, qui bouge vraiment à l'intérieur du mot quand on le prononce, avec une efficacité stupéfiante.

Qui hèle vraiment quelque chose.

Au début ce nom me faisait trembler. Je cherchais quelqu'un que mon esprit avait oublié, ou qui s'était peut-être à jamais égaré dans l'amour que je lui vouais.

J'avais aussi cette impression alors, quand je jouais de la musique à ses côtés.

C'était une conséquence imprévue de la technique que Némie elle-même m'avait enseignée. On ne jouait pas une sonate : on cherchait une idée perdue, qu'on avait oubliée, et qui était la pièce elle-même. À vrai dire on ne cherchait pas un nom, un prénom, un visage ou une personne qu'on aurait oublié mais un état que le langage avait divisé et qu'il ne pourrait pas reconnaître.

CHAPITRE IV

Sur le nom de Satler

Le nom de Vivaldi, bien qu'il eût été célèbre autrefois chez les musiciens, tomba dans le mépris du vivant du compositeur. Le vieillard en conçut de la tristesse. Mais plus encore, au-delà de l'amertume qu'il put ressentir devant le dédain qui entourait les œuvres qu'il avait composées autrefois et qui étaient sans conteste si belles, il en résulta pour lui de réelles difficultés financières, voire une gêne, qui assombrirent les dernières années de sa vie.

Il dut se résigner à prendre une chambre chez un logeur qui s'appelait Satler.

Antonio Vivaldi mourut à la fin du mois de juillet 1741 chez Herr Satler, à Vienne, près de la porte de Carinthie et il fut inhumé au cimetière des indigents.

Pour toute musique il n'eut le droit qu'à la sonnerie des cloches pour les pauvres. Le *Kleingeläut.*

CHAPITRE V

Je me dis encore : « Je ne sais pas ce qu'elle ressentait. Je ne sais pas quelle était sa véritable nature. Je sais que je ne l'ai pas possédée car on ne possède rien en possédant une femme. On ne pénètre rien en pénétrant une femme. Je sais que je ne l'ai pas comprise quand je la serrais dans mes bras. Mais je l'aimais. »

CHAPITRE VI

Nous n'avions plus droit au restaurant. On tournait en rond dans cinq mètres carrés. On avait le nez sur un tapis de cartes surmonté d'un corbeillon à jetons et d'un étui à jeux.

Les scènes de ménage sont elles aussi des parties de cartes.

On pioche des cartes dans la culpabilité de l'autre en silence.

On se garde de montrer la carte qu'on a prise. Puis brusquement on étale la victoire aux yeux de l'adversaire qui pâlit. Quand, au bout de quelques années, on a tout gagné, on a tout dévalisé, on peut partir. Les divorces sont ces jeux. Ces jeux me paraissaient déjà, si jeune que je fusse, des parties fastidieuses et qui devenaient immanquablement sadiques à force d'être lentes. Nous les connûmes deux semaines. Voici comment nous coupâmes court.

En public, non pas quand elle faisait de la musique, à cause de sa timidité ou de ses terreurs sans doute, ou à cause de la musique elle-même soudain absente, son oreille n'était pas très fine. Aussi me faisait-elle répéter ce que je venais de dire.

Ma voix est sourde.

Rien n'a jamais pu la poser depuis une mue désastreuse qui me fit être rejeté des deux chorales qui faisaient ma joie. Mue qui me bannit à jamais non seulement de tous les chants mais même de tous les fredonnements. J'avais de plus la malencontreuse habitude de laisser filer la phrase à peine commencée, comme déjà lourde non pas d'une évidence mais d'une trahison, comme ayant déjà enclenché son destin d'erreur risible. Cette habitude irritait Némie et, une nouvelle fois, elle s'obstinait à me faire répéter ce que je ne souhaitais plus dire. Je l'aurais tuée. Je ne supportais pas le ridicule intérieur où me plongeait la duplication d'une phrase anodine, la réitération d'une plaisanterie ratée, le recuit du recuit du recuit d'une bêtise inachevable. Pour ne pas avoir à répéter, la solution la plus simple qui se présentait à moi depuis toujours consistait à m'abstenir de parler. Sa propre timidité ombrageuse m'y encourageait. Ce fut ainsi que j'en vins à recourir à une taciturnité systématique qui s'accorda à une véritable dévotion, qui existait déjà en elle, à l'endroit de l'authenticité et du silence.

Les silences, qui sont composés d'une substance plus privée et moins belliqueuse que le langage collectif, se fascinèrent. Ils s'emboîtèrent.

Ce qui est curieux, c'est qu'au début mes silences la firent souffrir (il est vrai qu'ils se substituaient à une phrase incomplète et dont elle n'avait pas compris entièrement la signification au point qu'elle venait à l'instant de m'imposer d'avoir à la recommencer). Puis ces silences qui l'enrageaient s'ajustèrent aux instants concentrés et muets dans lesquels elle aimait se déplacer et vivre.

*

— Où étiez-vous ?

Je faisais silence, posant mon doigt sur mes lèvres.

— C'est trop facile.

Et quand je m'approchais d'elle, elle commençait aussitôt par refuser ses lèvres.

*

Nous nous mîmes à ravaler les questions pour ne pas manquer à notre nouvelle façon de vivre. Rien n'est plus douloureux que ces phrases formées, qu'on a l'appétit de dire, et qu'on doit laisser se dissoudre en soi alors que leur expression est le seul mode connu pour s'en défaire. Je parvins peu à peu à les faire osciller en moi, à les tourner en dérision pour les perdre. Quand je n'y parvenais pas, je les notais par écrit, puis je déchirais leur frêle support. Il fallait à tout prix couper l'herbe sous le pied au langage plus fort que l'âme. Je tins un journal aussi. Je ne l'ai pas conservé. La violence et la bêtise de l'armée sont passées sur tout cela et je ne sais plus quel a pu être le destin de ces pages expulsives.

En refusant de nous expliquer désormais, nous éviterions peut-être de nous empêtrer dans les filets que dispose le langage, ses règles du jeu codées, puériles, scolaires, agonistiques, rhétoriques, autoritaires, démonstratives. Nous nous dégagerions du piège où le rapport de forces des savoirs et la guerre de position des âges prenaient insensiblement le pas sur la transmission de l'émotion, c'est-à-dire sur l'influence directe de la sensation de la pensée.

*

Tout ce qui montait aux lèvres devait périr. En ouvrant la bouche nous aurions perdu l'animation de l'âme. Même la conscience devait se désoccuper un peu de tout. Elle n'était plus un réservoir de rancœurs ni surtout un dépôt d'armes.

Nous perçûmes peu à peu ensemble des choses qui n'avaient pas de nom.

Des choses qui ne correspondaient plus exactement à des noms.

Tout ce qui était étranger au langage, tout ce qui était rude, brut, indivisible, tenace, solide, imperceptible abordait, s'accroissait. Les odeurs étaient là beaucoup plus nombreuses, dans le silence. Des lueurs jamais vues, des couleurs neuves s'attroupaient.

Très vite nos corps se ressentirent avec une subtilité et une rapidité qui seront sans doute à jamais inimaginables à l'esprit de ceux qui vivent en parlant tout le temps.

Être étranger au langage découvrait quelque chose.

Désensablait quelque chose. Ne serait-ce que l'étrangeté de tout comme un nouveau sens. Comme un toucher muet et poignant.

Ne rien comprendre à rien est un organe fabuleux.

*

Pendant les trois jours qui définissent la pâque selon la liturgie des chrétiens les matines se nomment les ténèbres.

On y éteint le langage jusqu'à s'empreindre de la nuit qui le précède.

Les pâques chrétiennes sont formées de trois temps : le jeudi d'agonie, le vendredi du calvaire, le samedi du sépulcre.

La littérature se tient tout entière présente dans les traits de ce rituel dont la source paraît plus ancienne que le christianisme lui-même. C'est le sacrifice des *littera* lettre par lettre. Ce sont les trois jours où l'on éteint les lettres de l'alphabet l'une après l'autre. Il s'agit de l'alphabet hébreu, c'est-à-dire phénicien. On éteint aleph. On éteint bet. On éteint gimel, puis dalet... La voix les orne longuement, les cadèle de façon merveilleuse, les retranche de façon bouleversante, avant de les abandonner au silence. C'est ainsi que sont éteintes une à une les lettres qui composent non seulement les mots des hommes, mais le livre où l'Éternel s'est révélé avant l'exil dans Babylone, enfin le nom indicible de Dieu lui-même.

Alors le signe a cessé. Toutes les molécules qui en

dérivent ont cessé (nos noms, nos généalogies, nos biens, nos cités, nos amours ne sont plus rien).

Alors le Verbe est mort.

Au reste, la carnivorie, l'anthropophagie, la théophagie cessent pendant trois jours.

Comme dans l'amour, durant le triduum pascal, langage et lumière sont identifiés, nuit et silence sont confondus.

*

Lors des gestes de l'impudeur, les parties du corps qui étaient dénudées, comme autant de lettres décomposées, firent surgir une réalité plus grave. Le mutisme amena une volupté plus concentrée et plus lente. Les saccades elles-mêmes, qui sont comme l'origine involontaire du rythme dans l'avènement de la joie, devenues plus nombreuses, se firent plus imprévisibles et plus longues.

Leur arythmie, leur irrégularité peuvent être comparées aux petites suites françaises de l'époque baroque — jamais jouées de nos jours comme il faudrait qu'elles le soient — beaucoup plus douloureuses et plus désarçonnées, plus désarçonnantes qu'on ne l'imagine, plus habitées par la danse — le plaisir inhérent, coulant, bourgeonnant, érigeant, évident de se lever, de danser — qu'on ne les a faites revenir.

Les enregistrements les répètent comme si on pouvait les lire, les jouer et les entendre assis.

L'amour est anachronique et la lenteur — le plus

anachronique des tempi, c'est-à-dire le moins prédateur des bondissements — lui convient comme le non-langage. Jean Racine disait qu'il était nécessaire d'instiller dans les représentations de l'amour un certain éloignement, une certaine invraisemblance, une certaine tristesse majestueuse. La stupeur convient au désir. Le désir ne peut naître qu'en s'en délivrant peu à peu, et non point en en étant délivré.

Plus il est silencieux, plus la dissidence du langage fond comme la bougie fond, plus il devient archaïque.

*

Les amants sont coupés du monde et doivent vivre comme un reste de peuplade perdue par le temps lui-même.

Bien plus encore que dans l'espace, c'est dans le temps que les amants doivent être désemparés par l'amour qu'ils se portent. De même que ce fut bien avant l'histoire, dans le temps pur, ou du moins dans l'instant encore soustrait au temps, que la génitalité sur leur corps s'est égarée en se posant.

Alors, dans ces temps sans conscience, quand les premiers hommes l'éprouvèrent, ce fut bien avant qu'ils l'aperçussent.

*

Le langage est un filtre de réceptivité organisé, une hospitalité à la fois exogame et très sélective. C'est un garde-frontière extraordinairement obsessionnel. Il est fait pour dire ce qui n'est pas sous la forme de ce qui n'est plus ou de ce qu'on souhaiterait que le réel soit fait ou soit disposé à faire. Le langage est une collection collective. Il est toujours celui qui est de tous, disponible pour tous, avant d'être à soi, s'il l'est jamais.

Les désirs, les regrets, les déceptions, les nostalgies, les récriminations, les plaintes en nous forment un chœur antique qui cherche une victime si possible externe à lyncher.

C'est toujours un chœur à la mode. Une chorale juvénile qui répète les paroles de la génération du *père de la mère.*

C'est un code qui incrimine et qui récrimine.

Le langage n'est pas un outil du bonheur et il n'est jamais une création individuelle ou singulière.

*

Le langage devint mon adversaire personnel à supposer qu'il ne l'eût pas été dès que je l'eus reconnu dans l'air atmosphérique sous la forme d'ondes détestables. On ne fait pas de la musique puis de la littérature les passions de sa vie par caprice. Ce sont les paroles qui sont les choses suspectes, récentes, futiles si l'on songe à survivre.

La vie fut d'abord à elle-même son expression.

La chair qui la manifeste et qui la reproduit est demeurée son seul véritable visage. Les mots ne constituent pas un visage. La vie peut se passer du langage. La parole est un luxe sans lequel la vie est possible. Quand nous parlons, ce n'est pas la source qui parle : c'est nous qui l'ornons ou qui par elle formons écran, par nos propres détours et notre propre diffluence, à ce qui l'inventa. L'étendue immense de la mer dissimule la source minuscule et fraîche qui la contint et la contient toujours au haut de chaque montagne. Nous flétrissions alors à l'avance ce qui allait s'épanouir dans un acte étrange.

C'est en quoi la parole est encore plus inutile qu'elle n'est néfaste, ce qui n'est que l'évidence.

*

Les jansénistes avaient repris sous le roi Louis XIV ce mot aux moines du désert : toute conversation est dangereuse.

Loin de nous recueillir et de nous laisser absorber tout entiers dans l'amour qui nous avait projetés l'un contre l'autre et dans la communication directe, non verbale, enchantée, odorante, nue, bouleversante, que nos étreintes entrouvraient, nous avions tant parlé. Accroupis l'un devant l'autre sur le lit défait, nus, dans l'obscurité, dans la lueur rouge qui venait du poêle dans la fin de l'hiver, parler interminablement de nous-mêmes nous avait repoussés dans une solitude, un souci de soi qu'aucun soi au fond de nous ne mérite, une vraie misère, une pose misérable.

Nous devenions des mensonges à force de prétendre être sincères.

Nous nous attachions absurdement aux mots ou

aux jugements que nous prononcions. Nous nous enfiévrions de ce que l'autre disait de lui-même pour en tirer des avantages dont l'usage était pervers.

Le langage aime contredire. Non seulement le langage aime contredire : le langage rend impatient de parler. Il cherche l'ascendant. Sa fonction est le dialogue et le dialogue, quoi qu'on dise de nos jours, c'est la guerre. C'est une guerre verbale, à la place d'un duel physique.

Les chefs ont toujours plus que tout aimé le langage.

Jusqu'à l'audition elle-même du langage, qui exige des yeux ouverts, c'est-à-dire qui détachent de tout ce qui est ressenti.

Nous découvrions un temps non partagé, non vécu ensemble, dont l'évocation nous blessait. Je me mis à vouloir prendre parti dans tous les jugements que Némie rendait de façon péremptoire et qui me paraissaient faux. Les piques vindicatives, l'enquête jalouse se mêlaient. Nous étions excités par la colère à l'occasion d'aveux qui n'auraient jamais dû être faits l'un à l'autre.

*

Qui échappe au malheur d'un mot de trop ?

*

Le langage n'est pas le contemporain de la différence des sexes.

Il n'est pas approprié à l'amour.

Le langage est beaucoup plus récent que la séparation qui oppose les hommes et les femmes et en travestit la nature. Le langage est beaucoup plus récent que ce qui les assemble dans l'étreinte, qui les mûrit dans la gestation, qui les reproduit dans l'enfantement.

Qu'on imagine un ordinateur placé à l'intérieur d'une grotte paléolithique, la distance qui sépare l'un de l'autre est moins grande que l'étendue qui sépare le langage et la sexualité.

Le langage éloigne l'amour comme la sexualité embarrasse le langage et s'y cache sans cesse. La différence sexuelle ne peut se dénuder dans le langage.

*

Le silence est comme un chiffon humide : il ôte la poussière sans qu'il la fasse voler.

Dans le silence la surface de l'étagère noire brillait.

La surface du miroir luit, ses yeux sont agrandis, la peau de son torse boit la lumière, tout attend.

*

La pureté dans l'amour, c'est que la nudité, la pauvre nudité silencieuse monte en première ligne. La pureté (j'appelle pureté la différence sexuelle) se dresse inévitablement, irrésistiblement, ridiculement, merveilleusement, intraitablement.

L'amour est déjà dans cette audace inévitable. Dans cette dénudation de ce qui précède le langage, de ce sur quoi le langage n'a pas d'emprise et que la société veut oublier tant elle indique une source naturelle, déshonorante, non sociale à son renouvellement. Le sexuel est l'innommable. Tout l'amour se voue à ce secret de l'innommable.

De la pureté bestiale indicible au social humain, hypocrite, bavard, bavochissime. Le vieil ermite qui est entre les jambes montre son visage.

Mais le bavardage tord la réalité dans le langage et peu à peu la déracine et l'oublie.

*

On ne peut pas mentir aux aphasiques. Les aphasiques ne comprennent pas les mots mais la perception qu'ils ont de la sincérité du corps de celui qui parle est chez eux un sens infaillible.

Les médecins racontent que quand par chance (par malchance ?) ils parvenaient à faire recouvrer le langage à un aphasique il perdait à proportion cette saisie directe de la signification au-delà des mots, extraverbale, tonale, musicale, émotionnelle.

Au fur et à mesure qu'une infirmière ou qu'un professeur leur enseignait les rudiments du langage (plus précisément au fur et à mesure qu'ils se mettaient en position d'attendre du sens derrière les mots prononcés) s'effondrait cet accès direct, *sponte sua*, involontaire à l'expressivité sensorielle du corps qui leur faisait face.

*

Les relations profondes entre les hommes et les femmes ne peuvent se tisser qu'en commençant par se saisir des fils verbaux et émotifs les plus spontanés qui précèdent la langue acquise, par remonter un à un les métiers à tisser des rituels plus anciens qui constituèrent les sociétés animales : alors on peut commencer peut-être à passer à l'humain, à penser avec le langage, à faire de la musique, à peindre, à nouer des liens d'amitié, à vivre plus profondément, à aimer. Qui veut sauter toutes les étapes d'un coup tombe, ne dit rien, vocifère, est plus bête qu'une bête, tend la main devant son visage en hurlant dans la direction du tyran.

Les bons musiciens font sonner la plus vieille maison qui soit dans le corps (la maison précédente, le résonateur, le ventre, la grotte utérine).

La musique est sans doute l'art le plus ancien. L'art qui précède tous les arts. L'art qui joue des rythmes décalés du cœur qui bat et ensanglante la chair et des poumons qui inspirent et expirent l'air sur lequel la bouche peut prélever une petite part pour parler. Puis qui les associe à ceux des jambes qui martèlent, des mains qui frappent.

Comme les tortues nidifient dans le même sable où elles furent pondues par leur mère, et leur mère par leur mère,

comme les saumons fraient dans la même source où leurs pères sont venus mourir pour leur donner naissance, ceux qui aiment vraiment n'ont pas honte de rechercher l'ancien amour qui a précédé leur existence singulière, ou du moins autonome.

Cette honte qui s'absente chez ceux qui s'aiment prend le nom d'impudeur.

L'impudeur silencieuse est l'extrême décence de l'amour.

*

L'ancien amour est la dépendance deux fois rythmique à la vie. C'est l'esclavage de survie qui est due à la mère chez les vivipares, après que le corps personnel en a défusionné, la néoténie accroissant en outre cette dépendance fascinée.

Amour qui est « ancien » chez l'homme parce que la parturition se trouve être plus « prématurée » chez l'homme que chez tout autre mammifère.

L'ancien amour faisait puiser la vie dans le dépôt agissant de l'avant-langage en nous. Car nous avons confié durant des années des traces au dépôt de ce qui précédait la mémoire dans le corps. Ce dépôt est le trésor. Cette aire non verbale est l'espace même du silence. Nous avons appris les langues veut dire : nous n'avons pas toujours parlé.

*

Ce fut d'abord un jeu d'inhibition psychique, un jeu de stupeur sexuelle. Cela tourna à la mystique sans oser avancer jamais un mot si prétentieux. Pourquoi ce mot est-il devenu si gênant ? En grec, *mystikos*, ce petit adjectif veut dire silencieux. Il ne présente pas une nuance beaucoup plus profonde que le mot latin, si simple lui aussi, et si bouleversant de *infans*.

Le silence cessa d'être un « se taire ». Il devint un jargon de sensations et de signes qui parvenaient à traverser la peau par la complicité du silence.

*

La pénombre aveuglait tout d'abord. Seules les quatre minuscules lucarnes en mica du poêle se discernaient. Puis elles rougeoyaient, elles se mettaient à diffuser une lueur qui progressivement nous permettait de voir nos formes, puis nos gestes, puis les reflets qu'ils répercutaient dans la surface du miroir.

L'affût est lié aux ténèbres. Puis à l'immensité inconnue et flottante s'ajoute la nuit ancienne. Puis, sur le fond noir de cette ténèbre, s'épia jadis la route des astres qui s'avancent dans le ciel nocturne.

La densité de la pensée dans l'obscurité est voisine de l'intensité de l'excitation dans la gêne.

L'odeur obscure et de ce fait plus forte qui l'imprégnait, la lueur qui révélait son corps le rendaient fantomatique. Ce n'était plus Némie, à force d'être le corps singulier de Némie et son silence.

Je veux soutenir l'argument suivant : la nudité et l'ombre sont collatérales. La nudité illuminée par la lampe ou dont la chair apprêtée brille dans l'espace social n'est pas nue. Tout ce qui se dépouille de sa forme va vers la nudité. Au contraire tout ce qui s'exhibe se précise, réclame le regard, se montre, affirme une volonté d'apparaître qui est le contraire de la nudité, ou du moins qui est le contraire du dénudement de ce que l'on cache.

*

Nous gagnâmes tous les deux au curieux jeu du silence joué. L'inséparation jouée. Le jeu du Silence hospitalier.

*

Nous inventâmes par hasard une paroi de silence. Il est curieux que j'en aie eu l'idée alors que le succès en revenait entièrement à Némie, ou du moins alors que cette notion découlait de façon directe de l'enseignement que Némie me donnait dans le même temps : empreindre le tout de la partition dans le corps avant de jouer.

Dans la musique il s'agissait en effet de se séparer de la partition pour l'imprimer comme une lettre unique, un chiffre unique, dans le corps.

Si parler est un moyen d'investir autrui et d'en coloniser la maison intérieure, la cavité intérieure — l'âme — avec sa pensée, par une substance presque immatérielle de soi, on ne peut envisager de s'approcher de l'autre en parlant de soi à son oreille.

Le silence permet d'écouter et de ne pas occuper l'espace qu'il laisse nu dans l'âme de l'autre.

Seul le silence permet de contempler l'autre.

En se taisant ni l'un ni l'autre ne se retranchent derrière sa pensée ni ne posent le pied sur le continent de l'autre patrie. Dans le silence, devenant un étranger devant un étranger, ils deviennent intimes. Cet état est celui de l'étrangeté intime. Dans la vraie étreinte on découvre que le corps parle une langue étrangère extraordinairement mutique. En parlant on ne la comprend pas. Mais si on l'écoute, on apprend l'autre.

*

Elle n'avait pas le droit de crier ; je n'avais pas le droit de répondre ; toutes lèvres étaient mordues ; une sorte de cadenas nous enchaîna alors jusqu'à l'âme ; tout refluait en nous ; chaque sensation se transformait par prudence ou avec une légère culpabilité en une étrange omission volontaire. Le langage cessait de rafraîchir la mémoire ; aucune occasion ne paraissait plus opportune à son piata-piata ; l'humeur s'en ressentait malgré les joies, ou à cause d'elles, puisqu'elles ne pouvaient plus se reproduire en confidences ni se vérifier en se chuchotant ; on mendiait peu à peu sur le corps de l'autre plus de silence que de reconnaissance ; c'était sans confort ; c'était sans avenir parce que c'était sans passé ; mais ce fut la porte. Ce fut la porte étrange. Tout se déplaça peu à peu ; ce qui était contraint devint une audace ; ce qui était sans ressaisie devint une espèce de sens ; ce qui nous désaccordait par la parole s'effaça ; le silence devint une main qui entrait en contact avec quelque chose qui était bien en deçà de ce que dissimulaient ou révélaient les mots et leurs pudeurs, et leurs précisions scissipares dans l'âme, et les évaluations sociales qu'ils transportaient ; on toucha l'inconnu derrière la nudité. C'est cette expérience, qu'il m'est si difficile d'exprimer, qui me pousse à écrire ces pages. J'eus l'impression d'une piété, j'eus celle d'une leçon, d'une initiation peut-être, qui venait se surajouter aux cours d'interprétation que Némie continuait de me donner ; à force de nous séparer l'un de l'autre nous nous ouvrîmes plus avant à l'étreinte elle-même ; nous nous oubliâmes davantage. À force d'enserrer dans notre poitrine ou dans notre crâne nos pauvres commentaires intérieurs sur ce que nous vivions l'un avec l'autre, la conscience s'en effaça et la dissimulation avec elle ; le quant-à-soi s'effrita, qui n'est que l'ordre collectif mis à l'envers ; la pudeur devint sale. Cette main de notre silence obtint un tact grandissant. Ce qu'il s'autorisait, tout jugement étant répudié, ajouta à la joie physique une espèce de lumière, une espèce de lucidité, et à la lucidité l'indécence. Dissimuler un secret peut tuer, mais ce n'est pas la passion que ce goût du secret tua, ce fut l'image que nous nous étions faite de nous-mêmes et ce ne fut pas notre nudité qu'il meurtrit. Ce refus de toute révélation à nous-mêmes et aux autres de ce que nous vivions absorba dans sa nuit les rôles, les modes qui avaient cours à l'époque, les fidélités requises ou attendues, nos âges. Némie ne me parlait plus de ses enfants, de son mari, de sa vie, de la musique : peu importait. Je découvris quelque chose d'autre et il en fut de même, à l'évidence, pour elle-même. Délestés du langage, nous étions de plus en plus perspicaces sur le degré de sincérité ou de présence de nos corps à nous-mêmes ; nous ne mentions plus ; la peau entre nous s'était désépaissie ; nous ressentions ce que l'autre ressentait avec une susceptibilité dont je ne puis donner la mesure.

CHAPITRE VII

La musique évoque l'adultère. Chaque adultère est une sonate merveilleuse car l'essentiel de l'audition est lié au guet qui naît dans le silence. Adam entendit Dieu dans les feuilles du jardin dès l'instant où il se crut coupable. Ce n'est qu'ensuite, dans l'ombre, qu'il se découvrit nu. Ce fut longtemps après Némie et le bourg de Verneuil que j'éprouvai ce lien qui va du son à l'ombre. La poignée de la porte de la petite maison qui donnait sur la plage était en faïence. C'était comme s'il se fût agi d'un œuf luisant et humide dans la chaleur de la fin de l'été. Le gras des doigts en était touché comme d'une huile fraîche.

Le moindre bruit était dangereux.

J'empoignais cet œuf blanc de faïence.

Je tournais doucement la poignée qui tournait sur elle-même.

Le pêne pénétrait dans la gâche mais je ne lâchais pas la poignée que ma propre crainte avait couverte de sa suée.

J'attendais que le pêne claquât faiblement en retombant.

Alors je laissais revenir la poignée blanche. Je poussais doucement la paroi en bois de la porte tout en la tirant vers moi avec la poignée afin qu'elle s'ouvrît sans bruit.

*

J'avance encore dans le corridor dans la nuit.

*

J'évoque les sonates qu'aiment le plus au monde les hommes infidèles. J'avais peur de rejoindre celle que j'aimais. Tout homme a du désir pour cette peur.

Son désir est sa peur.

*

Le ventre se serre. J'aime cette peur dans l'ombre et que cette ombre accroît. Le cœur bat plus vite. Je progresse dans le secret comme dans l'ombre.

*

J'avais traversé le jardin maritime.

S'accroupir brusquement sur la marche près de la porte. Ôter ses chaussures pour ne pas déposer de marque humide sur le plancher. (Ou ne pas laisser s'écouler du sable de la plage.)

Avancer ridiculement en tenant à la main la paire de chaussures aux semelles mouillées et à l'odeur encore tiède. Je ne décrirai pas ces nuits où le langage était risible. Il le serait encore. Il le sera toujours.

*

Nous nous réveillions dans la hâte. Nous ne pouvions pas allumer la lumière sans péril. C'est à peine si nous nous vîmes. À peine si nous pûmes nous voir. Nous ne nous sommes sans doute vus que le temps de tomber amoureux l'un de l'autre. Nous nous précipitions séparément pour rejoindre notre travail.

*

Je pense qu'il est difficile de maintenir la mémoire de ce que nous cachons à nos proches.

*

Les yeux des femmes et des hommes sont encore cernés dans les premières heures du jour de sombres béatitudes qu'ils n'avoueraient à personne au monde.

CHAPITRE VIII

Le secret

Avoir une âme, cela veut dire avoir un secret.
Corollaire. Peu de monde a une âme.

*

L'amour, le secret de l'autre, ce sont la même chose. L'amour au bord de la nudité est comme le secret : au bord de la nudité.

*

La pensée, l'amour sont liés au secret. C'est l'à-part-soi et le privé. C'est le non-collectif et le non-public.

Le secret est plus ancien que l'homme. Nombreux sont les animaux qui cherchent une cachette lorsqu'ils pressentent la mort. La mort en eux invente le secret. Et le tombeau. Et aussi la solitude. Il est vrai que la mort est la première épreuve de l'écart. L'écart attire l'écart. La mort est l'écart maximal avec le groupe dont la solitude et le secret (le dépôt de nudité chez les humains) ne sont que de plus brèves modalités.

*

En aucun temps et avec personne il ne m'a été possible de surmonter cet écart de solitude qui affecte d'entrée de jeu tout ce que j'éprouve.

Qui le transporte à une part secrète où elle se dépose.

Je ne suis jamais parvenu à désencoigner cette crevasse de silence où tout tombe d'abord en moi.

Or l'amour, c'est cela : la vie secrète, la vie séparée et sacrée, la vie à l'écart de la société. La vie à l'écart de la famille et de la société parce qu'elle rappelle la vie avant la famille et avant la société, avant le jour, avant le langage. Vie vivipare, dans l'ombre, sans voix, ignorant même la naissance.

CHAPITRE IX

Le secret (2)

Je marchais avec mon secret en attendant le soir.

Une rivière traversait les prairies séparées les unes des autres par des peupliers. C'était l'Avre. À deux mètres un bouquet d'aulnes la longeait.

On y trouvait beaucoup de corneilles et de petites merlettes marron clair. Je m'adossais au mur croulant des ruines de la fortification du duc Guillaume. Je bloquais mes pieds dans les pierres éboulées dans l'herbe. M'entouraient des ronciers et des mûres.

Je contemplais la petite ville et les toits d'ardoises qui brillaient dans le couchant.

*

Quand j'arrivais à proximité de la place Saint-Jean je sentais d'abord, alors que je me déplaçais silencieusement de l'autre côté de la rive de l'Iton, l'odeur qui s'élevait des cages à lapins au fond du jardin de Némie. Quand la nuit était noire la puanteur si suffocante que dégagent les lapins me permettait de me diriger à coup sûr.

Puis je m'agrippais au laurier.

Quand j'étais remonté sur l'autre rive, pour peu qu'il y eût un peu de lune, je voyais les yeux rouges et phosphorescents des lapins, puis à partir des yeux je distinguais leur silhouette, les oreilles dressées, assis comme des lions ou comme des sphinges sur leurs pattes arrière. Je leur causais beaucoup de frayeur en passant devant eux dans la nuit. Je voyais qu'ils avaient peur et qu'ils auraient aimé fuir.

C'étaient parfois des vacarmes que Némie allait entendre, dissimulée derrière sa fenêtre, dans l'anxiété.

*

Tertullien disait : Même au paradis il faut dissimuler. Même dans l'Éden il eût fallu que la première femme fût secrète. Même Dieu est secret : il est inscrutable à notre vue. Il est impénétrable dans son dessein. Il est éternellement silencieux à lui-même.

Ève aurait dû se taire. Telle était la thèse à laquelle revenait sans cesse le théologien schismatique de Carthage. Ce que le serpent lui avait chuchoté dans l'ombre de l'arbre, elle eût dû le garder enfermé dans son cœur. Elle n'aurait pas dû manifester son désir à Adam ni communiquer la teneur du message ni même faire état de son existence.

Je comprends mal pourquoi cet argument de Tertullien a été laissé sans la moindre postérité.

Cet argument contient une force bouleversante qui se communique à celui qui le lit pour la première fois au point de laisser désemparé. Dieu meurt dans cet argument. (Dieu, le Verbe, le langage, le texte révélé, tout le christianisme y meurent.)

*

Le vrai nom de dieu, c'est *Bernat l'ermito.*

*

Les bernard-l'hermite replient leurs pinces rouges afin qu'elles ne débordent pas la nacre de la coquille où ils se terrent.

Le pagure est le maître du *pagus.* Ce qui revient à dire : c'est le maître de la coquille abandonnée.

Toute langue est une coquille abandonnée.

Ils se serrent plus au fond.

Leurs pinces tremblent à l'idée qu'elles puissent les découvrir.

Les bernards ne cessent de les replier davantage. Ils ne cessent de les reculer du porche de la petite grotte qu'ils parasitent. On vit refermé. On se concentre. C'est tellement plus intense de vivre refermé qu'ouvert. Il y a les espèces à secrets, à perles. Il y a les bêtes ouvertes, à ailes, les fleurs, les créatures extraverties, la boule blanchâtre des pissenlits qui mendie le vent et la dispersion.

*

Le secret, c'est : échapper au verbal-social, et non pas : échapper au sexuel-mortel.

*

Partout l'âme est un secret. Ce qui se montre est un corps. Ce qui se cèle est une âme. Un homme qui dit son nom secret n'a plus d'âme.

La langue apporte avec elle la possibilité de se taire, de refuser de s'exprimer.

Elle l'apporte comme son cœur.

Comme l'humanité a apporté la chasteté comme une énigme à l'intérieur de sa propre nature animale et comme un défi aux conditions de sa reproduction. Comme la peinture a amené avec elle l'infigurable.

*

L'âme définit le secret du corps.

*

Les secrets propres à l'amour sont les seuls qui permettent d'entrouvrir ou même d'ouvrir les six portes de fer des prisons de la subjectivité, du sexe, du temps, de l'espace, du sommeil et de la disparition elle-même.

*

Je vis les objets dans les caisses en bois qui entouraient le camion de déménagement. Le lit de la chambre était posé contre la grille. Je vis le tapis roulé.

Je ne la vis pas.

Je vis son dos dans la voiture de son mari.

Alors je vis la Simca blanche s'éloigner lentement. Elle doubla le camion de déménagement. Elle tourna à droite et puis longea la nef de l'église. Elle prit la route de Paris. Puis elle disparut. Je ne pus dire ma peine à personne. Je l'exprime ici. Ou plutôt je la dissimule dans ces pages.

CHAPITRE X

— C'est vous, criai-je à Némie. C'est votre faute ! C'est vous qui avez tué notre amour en le rejetant au secret. En le rebutant à l'écart de tout et de tous. Comme si notre amour était une ordure !

CHAPITRE XI

La relation sans merci

L'amour est la relation sans merci. Rien ne l'exaucera. Aucune paix ne l'attend. Et s'il en est ainsi ce n'est pas la faute de l'amour ni la responsabilité de l'un des deux membres du couple que, dans le même temps, il attelle et qu'il exile,

qu'il domicilie sur la paroi de l'autre (derrière la peau de l'autre) qu'il ne cesse d'ignorer,

qu'il emboîte et qu'il tue.

C'est la différence sexuelle qui est à la source de chaque humain qui ne peut être traitée ni conciliée ni dépassée ni transcendée ni voilée ni sublimée.

Qui est pure.

Qui est absolue.

Elle est l'incompréhensible, l'incessante, l'inhérente, la reproductrice, la proliférante, la coriace, la non-saisonnière, l'obsédante.

Les relations sexuelles ont ceci d'inéluctable : elles sont ambivalentes. Elles ne sont pas liées à la nudité mais à la dénudation. Pureté animale polluée par ce qu'on appelle le dégoût humain ou la pudeur. Non pas par la nudité mais par la dénudation humaine. La haine de l'amour est dans l'amour comme sa conscience. Et la conscience lui est aussi utile que des plumes aux poissons.

CHAPITRE XII

Rien n'abaisse et n'avilit comme n'être plus aimé.

*

Il n'y a jamais vraiment de rupture.

Les femmes et les hommes cèlent volontiers ce point.

L'amour — la communication étrange par laquelle deux sensibilités se sont touchées — subsiste après les ruptures et même après les deuils. Ce n'est pas l'amour qui s'enfuit. C'est un de ses corps qui s'arrache à un échange qui est en ligne directe avec la mort puisqu'il est inhérent à la reproduction — la reproduction étant cette immortalité étrange, ressemblante, horrible, vivante, qui passe par la mort de ceux dont les traits ont été recopiés durant la scène que celui qui en résulte ne pourra jamais voir.

Celui qui en résulte ne peut en effacer l'empreinte qu'il porte sur son visage, dans la forme de ses mains, dans la couleur de ses yeux.

Serait-ce dans le masque qu'il prend ou qu'il croit choisir.

*

On peut presque dire que le délaissé ne peut pas délaisser l'organe mystérieux qu'il est devenu et qui interprète tout le passé.

*

Corollaire. C'est pourquoi toute naissance d'enfant équivaut à la fin de l'amour : une apparence s'est reproduite, abandonnant derrière elle l'apparence fulgurante.

L'apparence princeps s'est quittée elle-même.

La « chose » s'est réincorporée ailleurs.

*

Ce n'est pas la communication qui s'enfuit, ce n'est pas la confusion qui se réordonne comme si dans le monde l'ordre et les discontinuités formaient un premier état. C'est nous qui avons été infidèle à l'amour en partant. C'est nous qui avons bouché la crevasse, calfeutré l'ouverture qui s'offrait — qui s'offre sans cesse aux mortels puisque par la mort nous passons encore par elle pour nous déformer, puis pour nous y décomposer, enfin pour nous y dissoudre.

Quand deux amants se séparent, tous deux désirent à jamais.

Le désir persiste en eux, après qu'il se sont séparés. Cette ouverture est à jamais inassouvie. Nous nous mentons toujours sur ce point : c'est nous qui repoussons le désir (le vivant) quand nous l'accusons de nous déserter.

*

Tout homme ou toute femme qui renonce à son désir refoule son propre abandon.

Sa naissance.

C'est-à-dire l'abîme qui est le vrai noyau.

Cet abîme est celui qui s'ouvre sous les pieds du plongeur grec de Paestum dès l'instant où il est à la limite du promontoire qui surplombe la mer.

*

C'est nous qui trahissons le pays mystérieux. Mais l'autre monde est inoubliable puisqu'il précède la naissance elle-même. La scène qui nous a faits, nous ne l'avons pas vue. Sans cesse nous ne l'aurons pas vue. Une image qui manque nous hante. Son imagination nous accompagne jusqu'à la reproduire. Nous sommes tous mystérieux. Et nous le serions davantage si nous étions moins chargés — comiquement revêtus, ordonnés, stipendiés, divisés, composés, loquaces, entravés. Le pays mystérieux où tout se confond — de la rotation de la terre au temps, au cycle des saisons, à la reproduction sexuée, à la mort qui encercle pour rajeunir et pour ressusciter, aux astres distribuant les retours des solstices, de la pesanteur des pierres aux chants et aux ailes des oiseaux, du silence et de l'attente des baudroies au fond des lacs obscurs à la poussée des feuillages dans l'air atmosphérique, de la lumière solaire à la nuit stellaire.

Mais la confusion, l'immensité, son explosion, son expansion, nous les rejoindrons tous.

CHAPITRE XIII

La scène

Il existe un regard auquel on ne résiste pas.

Ce regard existait avant même l'humanité.

À partir de ce regard les corps s'emboîtent comme les proies dans les mâchoires des carnivores.

*

Les papillons, qui sont des symétries de fleurs, les fécondent par pure *fascination.*

*

Ce fut à Atrani que je surpris un matin, soudain, que, dans les vieux textes romains que je lisais au soleil, au début du mois de juin 1993, sur la terrasse qui surplombait la plage et les roches noires où se fracassait la mer Méditerranée alors tout écumeuse et blanche du printemps, revenait sans cesse un mot qui était aussi simple que curieusement traduit. Ce mot étrange était celui de *fascinus.* Les Romains n'avaient jamais dit « phallus » pour signifier ce que les Grecs appelaient *phallos.* Ils disaient *fascinus* et ils appelaient *fascinatio* la relation qui s'établissait entre le sexe masculin dressé et le regard qui le surprend dans cette contracture. Les traducteurs français disaient sexe, ce qui était peu exact et qui de plus offrait un sens mixte, particulièrement impensable pour un Ancien. Aussi, comme je traduisais ces textes, dès l'instant où je maintenais ce mot barbare (*fascinum, fascinus*), les scènes qu'ils décrivaient accédaient-elles à un tout autre sens que celui qu'ils laissaient voir jusque-là.

Je résolus de conserver partout le mot latin tel quel dans le corps du texte de la traduction que je ferais d'eux.

On peut appeler « mot barbare » le mot non traduit.

Un mage de l'ancienne Chaldée (*Oracle chaldaïque* CL, 103) prescrit de ne jamais traduire les mots anciens faute de quoi ils perdent leur puissance. On ne domestique pas les fauves. Le verbe qu'emploie le mage chaldéen est *allaxès.* Il s'agit de ne pas rendre *allos* (autre) la matière du langage qui s'est révélée efficace dans son origine.

*

L'aimé aimante l'amant.

La fascination hypnotise et fixe la victime dans sa forme le temps de l'achever (d'en manger la figure). C'est une automutilation de la « grande forme » (que composent les deux morphologies pétrifiées qui s'entreregardent dans l'immobilité au cours de la fascination ou encore qui s'étreignent durant la copulation). C'est une automutilation de la relation fascinant-fasciné (proche de l'engloutissement de la paramécie) : la relation se dévore l'œil en se mangeant elle-même.

Le fasciné est une pièce qui s'emboîte soudain exactement dans le puzzle spéculaire de l'imprévisible visage attendu, de la forme souveraine aux aguets. La forme aux aguets est comme une serrure ; la plus petite forme, qui est la victime, s'y engloutit comme la clé qui l'ouvre.

C'est le premier trait de l'amour.

De même que le petit boa contrit (le rat) devient le grand rat constrictor (le boa) que sa forme pétrifiée imitait (il est englouti), de la même façon que la pièce découpée du puzzle perd sa forme si déroutante dès l'instant où elle a trouvé l'échancrure, le pays, la maison, la gueule, la denture, la frontière escarpée qui l'attend, de la même façon que le Gaulois devient romain, que le Franc se fait gallo-romain ou encore de la même façon que le *dhyana* en Chine se transforme en *ch'an,* qu'au Japon le *ch'an* se transforme en *zen,* etc. — tout être fasciné subit sa ressemblance.

*

De la même façon que l'amoureux tombe amoureux de son amoureuse, l'amour dérive de la fascination.

*

Le fasciné est un œil par lequel le voyant bascule dans le vu à force de regarder en face l'œil qui le fixe : le fasciné est un instant *extatique* devant la forme autoritaire (devant la préforme phylogénétique) qui le domine.

Dans la grande dépense de l'univers, la vie dépense, tente des formes vivantes qui se mangent symétriquement.

*

Les deux scènes. Il se trouve qu'il y a deux scènes qui sont invisibles à toute femme et à tout homme : une primitive, une ultime.

Ce sont les deux scènes sans présence. (Ce sont les deux scènes de ce qui est irreprésentable pour chaque individu présent, c'est-à-dire en vie.)

La scène qui a manqué toujours à la vue de celui qui est présent est la scène primitive (la conception de notre corps, les conditions du désir qui y a présidé, la posture élue, l'identité de l'homme sur le corps de la mère en train de la saillir, etc.).

La scène qui manquera toujours à la vue de celui qui est vivant est celle de l'affrontement à la mort, la scène ultime (les circonstances de l'arrêt de la pulsation cardiaque qu'avait connue le fœtus, et celles de l'asphyxie du rythme pulmonaire qui avait envahi au cours d'un hurlement le nouveau-né en le mêlant au langage).

Pour le dire en latin, ces images sont les Épouvantables.

Pour le traduire en employant des mots grecs, ces scènes sont les Phobiques.

Pourtant elles hantent comme telles aussi bien la vision volontaire que le spectacle involontaire des rêves. La mémoire du passé, l'imagination de l'avenir se fondent dans leur carence révulsive.

Toucher ces deux scènes qui sont les extrémités de notre singularité est aussi désagréable et aussi intime que toucher la nudité visqueuse de notre œil sans que la paupière se referme.

*

La *skènè*. Le mot scène en grec ancien signifiait la tente à l'arrière-plan de l'aire visible, de l'espace contemplable (mot à mot en grec : théâtral). Là, dissimulés par l'étoffe de la tente, ou encore par l'écran d'un simple rideau, ou derrière les planches d'une espèce de cabanon de bric et de broc et d'arrière-vision, les acteurs déposaient les masques dont ils avaient usé et ils en reprenaient d'autres.

Puis ce mot de *skènè*, qui avait servi à désigner la partie cachée au fond de l'espace visible, s'étendit à l'espace tout entier qui la devançait.

En fait il n'y a qu'une scène pour les espèces sexuées et l'expression « scène primitive » est un doublon. Le lieu du change des masques (du change des figures, du renouvellement des traits et des visages humains au cours de la copulation) est la scène primitive. C'est le changement des personnages à l'ombre d'une tente.

*

Fascinatoria. Les anciens Romains s'étonnèrent du mouvement irrésistible des yeux que le dévoilement du sexe aïeul commandait aussitôt, arrêtant le regard sur la métamorphose érigeante, bouleversante, pétrifiante, grossissante, tuméfiante, colorante qui en résulte.

Le désir fait naître cette peau autre, cette *peinture* tuméfiée, étirée, beaucoup plus fine et plus douce, beaucoup plus rouge, parfois bleuie, qu'il informe, qu'il surélève au-dessus du corps ordinaire.

Le désir fait s'arquer le corps qu'il gonfle, puis qu'il *sculpte* jusqu'à la métamorphose de la posture, faisant s'écarquiller les yeux dans une vue engloutie, une vue noyée (un voyant devenu le vu).

La *fascinatio* qu'exerce le *fascinus* à l'égard de l'autre forme convoitée est liée à l'effroi. À cette hantise phobique. À l'épouvante.

*

Qu'est-ce que l'effroi ? Qu'est-ce que l'épouvante ? C'est demeurer cloué. C'est être asservi et à l'impossibilité de la fuite et à l'impossibilité du contact.

Une forme figée sur place est confrontée à l'irrégrédient. Ce sont tous les héros de mythe ou de conte à qui il est interdit soit de se retourner, soit de faire marche arrière.

La régression impossible et la fascination sont inhérentes.

Sauf dans un cas : dans le rêve. Au cours des rêves, le sommeil produit des régressions (des *imagines* placées dans la petite armoire de l'atrium, c'est-à-dire des têtes d'aïeuls morts surgissant à l'arrière-plan des yeux fermés) dans le même temps que leur vision mentale érige le *fascinus* de l'homme qui dort.

Dans le rêve la représentation humaine linguistique, codée, illustrée retourne à son matériau d'images : le rêve (non la vue) est la *fascination optique à l'état pur.*

Alors l'œil régresse vers son image, où le corps tombe, tandis que par cette chute le désir mammifère se dresse. Au cours du rêve, reparcourant le circuit du passé (du parcours par où le vivant est passé), l'homme redevient le charognard devant sa charogne (la forme décomposée).

C'est le secret de la scène qui a été peinte au fond du puits de Lascaux et que des enfants découvrirent au début de la Seconde Guerre mondiale au-dessus de Montignac.

La souris devant le chat, le passereau devant le milan sont à l'état de rêve (sont dans la non-motilité propre au sommeil ; cette non-motilité, c'est la fuite empêchée ; c'est l'irrégrédient).

*

L'alerte fait taire le langage et suspend le mouvement.

C'est sans doute la source vitale du tabou du langage dans l'amour.

Les chasseurs soudain ne parlent plus et préparent la mort active qui va bondir en eux.

Au-delà de la sexualité, le silence des prédateurs (le silence du vautour) anticipe la source du tabou du langage collectif dans la relation radicalement asociale que définit le véritable amour.

Le vrai amour, c'est la relation impréparée, innégociée. C'est la communication irrésistible entre deux individus qui se passe de tous les avis familiaux et de toutes les médiations sociales quand elle n'y contrevient pas de façon provocante. (Comme le fleuve en crue à l'instant du débord, quand la rive présente encore un sens, offre encore une apparence au regard, c'est-à-dire tend à la main une ultime discontinuité.)

*

De toutes les façons qu'on puisse envisager ce que les anciens Romains nommèrent la fascination, il est inutile de chercher les mots, barbares ou non, pour apprivoiser l'image, pour la voiler, pour domestiquer le visible en alerte silencieuse dans l'avant-prédation.

L'argument qu'il me faut présenter en est simple : l'image est tellement plus ancienne que les mots. La prédation est tellement plus ancienne que l'espèce humaine. Les images des rêves ne sont même pas caractéristiques des hommes. Les oiseaux rêvent.

D'autres mammifères que nous rêvent.

Les hommes rêvent quatre-vingt-dix minutes par jour et les tigres comme les chats deux cents.

*

Fascinus soudain : nous tombons nez à nez avec la mise en scène qui fait de nous son élément. L'expression « nez à nez » dit bien le caractère frontal et coalescent de la fascination des vraies images. Toute peinture fascinante nous fait faire face. Œil à œil, nez à nez, dent à dent, bouche à bouche, sexe à sexe, peu importent les attributs du corps (corne contre corne, bois contre bois) qui se polarisent ou qui s'apparient : c'est la situation frontale qui est l'abîme où on tombe.

C'est le taureau — ou le bison — qui se retourne devant le chiffon rouge — ou le propulseur — et l'affronte.

(On ne peut pas être fasciné latéralement : de là la longue évolution de la hantise superstitieuse propre à la peinture fresquiste des Gréco-Romains aboutissant à l'icône.)

Il faut accepter cette suite d'équivalences : l'image qui nous dévore : la position du missionnaire : la prédation gueule à gueule.

La fascination animale est toujours un gros plan qui devient en un bond la forme entière, en pied.

Ou un enfant.

*

Les peintres depuis l'origine des fresques sur les parois des grottes les plus anciennes ne présentent rien à ce monde qui lui appartienne tout à fait. Ils représentent la présence fascinante. Ils représentent la scène qui est pour chacun, individuellement, invisible. La présence fascinante est la présence qui déclencha la vie en nous, qui « nous » rendit présents. L'amour, comme la peinture, prend sa source dans la seule image qui est impossible aux yeux qui en résultent.

C'est en quoi c'est nous qui sommes re-présentés, c'est-à-dire re-produits par le renouvellement de cette scène quel que soit le jugement que nous portions sur elle ou le dégoût que son évocation provoque en nous.

La reproduction humaine sexuée fait de nous des reproductions sexuelles.

Le mot français image remonte à un vieux rite funéraire romain. *Imago* voulait dire à l'origine la tête de mort du mort découpée, placée sous le foyer, puis surmodelée et enfourchée sur un bâton, puis posée sur le toit, puis le masque de cire empreint sur son visage, puis la peinture à la cire qui représente ses traits placée sur les bandeaux de la tête momifiée.

La voie propre à chaque peintre est fascinée. Un vrai peintre ignore ce qu'il fait. Parfois le peintre croit qu'il est comme un aigle avec sa serre au-dessus des levrauts des images alors que tous les peintres sont des levrauts, des rats, des petits passereaux sur lesquels s'ouvrent le bec et les serres du grand aigle des images nocturnes qui dresse à plusieurs reprises chaque nuit leur *fascinus.*

*

Ce qui nous regarde, ce qui est fait pour nous, ce qui nous correspond, ce qui est plus nous-mêmes que nous-mêmes consiste en ceux qui nous firent, dans la figure à laquelle ils se plièrent lorsqu'ils nous firent, c'est-à-dire ceux qui nous regardent du fond de la figuration.

Notre figuration fut notre corps — qui résulta de cette étreinte où nous ne sommes pas, où nous ne serons jamais, dans laquelle nous commençâmes d'être sans que nous fussions.

Voilà en quoi consiste le tabou de la curiosité.

Le coup de foudre prend sa source dans l'image invisible qui hante au fond de la vision et nous renverse en elle jusqu'à en renouveler l'étreinte d'où nous venons. C'est la première fascination.

*

Dans ce que Stendhal désira appeler cristallisation il entendait un processus qui lui aussi immobilisait le corps sur place et envahissait l'âme dans la stupeur. La fascination animale est une confiance absolue jusqu'à la mort. Stendhal résumait la beauté du corps cristallisé sous la forme de cette question en effet étrange : comment arrive-t-on à pourvoir l'être aimé de beautés qu'il n'a pas ?

La fascination met à nu un ressort plus vaste et plus implacable. Mais l'analyse reste la même que celle que mit à nu Stendhal : l'amour est comme une fièvre du passé. Cette fascination dérive de la précédente. Dans l'amour, c'est le passé en entier qui guette. Il n'est pas possible d'attraper la fièvre volontairement. Les fils à nu de la situation actuelle et le visage de la scène ancienne entrent soudain en contact, court-circuitent l'âme, embrasent le corps.

L'intimité est déjà totalement présente dans le coup de foudre.

Sans qu'il soit possible à la fascination dans l'amour de disjoncter à proprement parler.

Le disjoncteur est du côté du social ou du verbal.

Les corps animaux, atomiques, ne possèdent pas cette possibilité de soustraire leur circuit imaginaire à la fulguration.

Le coup de foudre dans la nature tue les foudroyés *et les dévêt.*

Ainsi des amants.

C'est une chose paradoxale à dire. Les plaisirs ne tiennent aux sens que par des souvenirs dont la mémoire ne dispose pas. Toute profondeur est préparée. Tout être humain attend la bête qui le guette dans la jungle *qu'il a été.*

*

L'amour reçoit de la sorte une première définition négative : l'amour se remarque à l'anéantissement immédiat de tous les autres plaisirs (manger, lire, être attentif à une tâche ou à un jeu, dormir, etc.). L'esprit est obsédé par l'idée de se fondre au *fascinator* qui l'attire et qui entrave tous ses gestes dans un temps suspendu.

Dans l'amour le choix est toujours le plus simple : ou je suis aimé ou je meurs.

Pour le reste, c'est l'anti-socius par excellence : il démonétise toutes les autres valeurs, il déséculiarise l'époque, il dénationalise les individus, il désocialise les classes sociales, etc. Ne compte plus que ce visage unique qui polarise soudain le monde.

*

Dans le monde animal, les deux moyens que les mâles ont à leur disposition pour obtenir le consentement de la femelle à l'acte sexuel sont la violence bondissante ou la paralysie par fascination. C'est la deuxième fascination. Cette sidération ou cette fascination est visuelle ou sonore. La fascination sonore confine au mot romain d'obéissance, à la limite de l'obéissance mortelle. C'est la musique. C'est le rugir du chat sur la femelle.

Ou c'est l'étourdissement de la cane dont le canard assaille la tête avec son bec.

L'hypnotisé régresse au stade de l'enfant impersonnel, recouvre la soumission hypnotisée du nourrisson à la voix et au regard de la mère.

L'animal faisant le mort ne détourne pas à tous les coups le prédateur qui le fixe.

Dans le monde végétal la fascination se précède

elle-même. C'est le milieu qui se reflète lui-même dans le mimétisme. La fascination est le reste d'une expérience où le pathétique (le psychopathologique) et le morphologique (le phyto-zoo-physiologique) n'étaient pas distincts. Le milieu ne cherchait pas à immobiliser les polarisations qu'il essayait. La structure duelle du langage n'en avait pas encore déchiré et clivé le spectacle ni les conséquences que pouvait susciter l'observation. L'intérieur et l'extérieur étaient encore le même. L'apparence attirait l'émotion comme l'effroi ouvrait la figure (la gueule frontale du prédateur). Où voir était encore manger. Où les yeux en s'écarquillant écartaient les mâchoires.

*

Le nourrisson vivipare devant la chose qu'il mange est bouche bée.

La mère ouvre la bouche alors qu'elle le fait manger sur sa chaise haute. Retrouver la sensation d'être bouche bée est le propre de la fascination la plus ancienne. Lèvres protruses, yeux extatiques, le mot des anciens Grecs *ekstasis* décrit le sortir hors de soi (le corps) et hors de l'instant (la succion future).

En latin cette bouche de la mère qui s'avance et préforme l'ouverture des lèvres de son petit est le *amma* de l'*amor*. Pour celui qui assiste à ce spectacle, cette protrusion des lèvres est presque une petite mamelle.

Le grec *ekstasis* dit le latin *existentia*.

Ils disent la naissance même chez les vivipares.

La sortie de l'obscurité.

Ce sortir, cette existence est tout entière tendue à la fascination, à la réplication qu'elle cherche pour se fasciner.

*

La nature est un gigantesque caméléon. La vie s'autofascine. Ce n'est que dans un second temps que le fait d'observer la nature, d'en guetter les animaux, leurs ruses, leurs parturitions et leurs coutumes, a uni l'homme à elle jusqu'à la *mimesis.* Comme une mère : passant de la *fascinatio* à la *mimesis.*

La mère qui donne à manger à la petite cuiller à son nourrisson ouvre la bouche *presque avant* lui, bée *en avant* de son *existentia* propre. Ils *poussent en avant,* tous les deux, en même temps, leurs lèvres qui se tendent.

Toute image, toute apparition d'un optatif, d'un manque, d'un objet externe, d'une image incorporable, d'un futur ouvre la bouche et devance le temps.

Toute image exauce une faim.

Toute pensée achève une tension, une faim, une *orexis.*

Conséquence I. Toute image réincarne la première apparition : la chose perdue qui était indistincte de soi. Toute image réincarne la mère sans corps. Elle vient d'elle dans l'absence.

Corollaire II. Comme chaque image réincarne la mère, sa vision réincarne celle qui devance le regard personnel, réincarne celle qui prend soin de la demande d'épiphanie dans le regard, plonge dans l'image qui manque (jusque dans le rêve au cours du sommeil), dépossède celui qui voit de toute subjectivité.

*

Le passé attaque. Le temps passé mord le présent comme sa proie. Quand le passé attaque, les Modernes appellent cela du nom d'angoisse, mais l'angoisse ne décrit que la tonalité de la scène et n'évoque nullement l'action qui s'y déroule.

On pourrait dans ce cas appeler le coup de foudre *angor*, angoisse, et cela ne serait pas plus erroné.

La fulguration (le coup de foudre), l'angoisse, la fascination, le rêve à l'origine sont la même chose (ni image ni signe encore).

Fulgura en latin ne sont pas seulement les éclairs et la foudre qui en eux se déverse du ciel et tombe : ce sont aussi les objets sacrés, les objets fanatiques, les objets intouchables.

À Rome tout objet frappé par la foudre est séparé, sacré, secret, enfoui, vénéré, inhumé, est comme un aïeul.

Il est aussi comme un amant.

*

Qu'est-ce qui fascina les premiers hommes ?

Fulgur. L'éclair qui déchire le ciel assombri ou nocturne. De nos jours l'orage étourdit encore le corps des hommes quand il survient. La pluie les apaise comme un orgasme assouvit leur corps tendu ou du moins tourmenté et apaise jusqu'au serein leur âme.

L'éclair est l'*image* dans la nuit dont s'enveloppe tout orage. Comme le flash du plaisir à l'arrière des yeux lors de l'émission voluptueuse. Alors le râle sonore qui l'accompagne est involontaire : c'est son tonnerre.

Quand le coup de foudre visite le ciel, traverse le lieu et bouleverse son témoin ou sa victime, *une immobilité plus grande le précède* qui tend tout l'espace avant qu'il le déchire, que l'eau jaillisse, qu'elle se répande sur tout le lieu, le témoin, l'instant — et les inonde.

*

Comme les lèvres d'une mère qui s'entrouvrent et sur lesquelles nous apprenons à manger et le langage.

(Lèvres sur lesquelles nous apprenons le langage avant le langage.

Lèvres sur lesquelles en mangeant nous nous sidérons, nous nous hypnotisons dans le bruit à la fois affamé et assouvissant du langage qu'elle nous adresse au-delà de notre incompréhension, fascinant notre incompréhension.)

*

Affamé parce que immatériel.

Assouvissant puisque buccal, interne.

Le langage est l'équivalent pour la bouche vide du rêve pour les yeux fermés.

*

Sicut oculi servorum...

Comme les yeux des esclaves sont attentifs aux gestes de leur maître, nous vivons. Nous aimons. Nous lisons. Nous jouons de la musique. Nous ne sortons jamais du pays d'Égypte.

*

À la bibliothèque municipale de Rouen, au département des manuscrits, se trouve un recueil écrit à la main par Monsieur de Cideville dans la première moitié du XVIIIe siècle et intitulé *Traits, notes et remarques.* À la page 87 on peut lire ceci : « Monsieur de Fontenelle disoit : Quelle est la chose la plus difficile à apprendre montrée par des gens qui ne songent point à l'enseigner à des gens qui ne songent point à l'apprendre ? La langue, qui est sans doute la chose la plus difficile qui soit. Mais comment cela se fait-il ? Monsieur de Fontenelle dit qu'il y a beaucoup pensé et qu'il ne l'a jamais pu trouver. »

*

L'amour est une forme d'intelligence (de faim sur les lèvres, de voyage dans le regard) qui ne concerne que l'altérité de l'autre. C'est un mode du connaître dont le premier trait tient à ce que sa clairvoyance est contradictoire avec le langage. La langue constituée, nationale, apprise (apprise *après* avoir été lue sur les lèvres maternelles) est toujours en position *anachronique* par rapport à l'harmonie d'emprise plus ancienne : car c'est cette dernière que l'amour (à la différence de la concupiscence) réveille.

*

La passion est l'attachement involontaire et irrésistible pour la proximité d'un autre corps que le sien. Cette attache muette, subite entraîne des actions qui exaltent l'âme — ou même l'affolent — et qui mettent en péril l'inscription familiale ou conjugale ou sociale.

La passion au contraire du désir (le désir qui est le contraire de la *passio*, qui est *impatient*) est à mes yeux nécessairement désintéressée parce qu'elle réveille un état où l'identité n'était pas encore construite. Ou plutôt l'amour est « non intéressé » : tout son intérêt est la proximité avec l'autre. Cette proximité n'est pas appropriation à l'intérieur de soi puisqu'elle se rêve comme une incorporation dans le corps de l'autre, dans l'altérité d'où on est issu. Puisqu'elle se rêve comme une fusion, rare, presque impossible (sauf dans les cas de dévoration), ou du moins une confusion. Il en résulte que

1. L'amour va contre ses intérêts.
2. L'amour brave les intérêts de la société.

3. Les actes irrépressibles qu'il engendre ont tous un caractère d'expansion, de *désintéressement.* De beauté. D'élation, c'est-à-dire de débordement. De contraste avec tous les autres comportements humains socialisés. Ces *acting out* bouleversants, ces sidérations touchantes, ces perversions distanciées, ces manies obsédantes, ces audaces qui méprisent toute séduction suscitent tous depuis l'aube du langage des récits où la société se conforte en se vengeant (ou, après coup, en se repentant). La société se repent toujours de ses méfaits quand il n'y a plus de conséquences à redouter du repentir.

*

Notre proche dans l'amour ne nous est pas proche. Il est le plus loin. Il est aussi lointain que la scène inatteignable dont nous sommes le produit (le reproduit). Il est antiquissime.

Il est l'Ancien entre les jambes.

Plus lointain même est ce que nous sentons, et plus lointaine encore est l'*autre* nudité, la nudité que nous découvrons sur autrui la première fois où nous le dénudons.

*

Pourquoi l'amour ne s'éprouve-t-il que dans la violence de la perte ?

Parce que sa source est l'expérience de la perte.

Naître, c'est perdre sa mère.

C'est quitter la maison de sa mère. Sa trace est « toutes choses perdues ». Tout perdu commémore l'amour *comme au premier instant.*

Parce que son aube est le perdu (la mère perdue dans le premier instant, dans le premier cri).

Je définis comme amour tout ce qui en nous renouvelle le *nascor*, le découvrir pur, la violence de l'obscurité perdue, le spasme et l'inspiration du corps, la nudité expulsée dans l'air.

*

Dans l'amour l'impression d'avoir déjà connu et déjà vécu ce qui survient est une perception exacte. La mémoire n'a pu garder en elle le souvenir de la première fusion, et le langage ne l'a pas distinguée, faute d'avoir été, l'un comme l'autre, constitués alors. Ce retour de la fusion (qui a été vécue mais qui n'a pas été perçue par une identité qui puisse prendre distance vis-à-vis d'elle et manier son souvenir, ni par un sujet linguistique qui puisse la nommer ou la redécouvrir, adhérence qui est donc immémoriale) angoisse car dans la sensation de l'unité, dans la con-fusion, dans la fascination, la seule chose qui puisse faire retour est l'arrachement qui lui succède et où naît la mémoire et où s'engendre le langage, l'expulsion qui fut nous-mêmes, le rejet auquel la mère a donné lieu de toutes ses forces pour que nous apparaissions dans le jour et que nous devenions nous-mêmes. Le désuni crie au plus près de ce qu'il a déchiré pour être et s'effare dans le perdu.

Chez les espèces sexuées le pôle inverse de la fascination est la parturition : le moment où la forme unique se dédouble en sortant du sexe maternel.

La fascination rend compte des coïncidences merveilleuses qui peuplent les débuts de l'amour. La fascination est un non-voir qui précède le voir personnel, un voir agglutinatif, un être-englouti par le regard de l'autre qui déclenche le désir de voir à n'importe quel prix ce qui lui arrive. C'est un voir qui n'a pas de conscience et qui est plus *continu,* au point d'être fusionnel à l'état cru et jusque dans la violence mortelle dans la carnivorie.

*

Il existe des mouvements auxquels nous résistons violemment mais dont l'emprise est si puissante qu'ils nous engagent brusquement dans des situations qui ne nous attirent pas. Nous cédons contre notre gré. Nous cédons comme une levée cède. Ce sont les plus vieux astres en nous qui nous attirent toujours dans leur orbite passionnée. Ces astres sont nos palais haïssables.

Ces astres les Romains les appelaient *sidera.* Ils les opposaient aux étoiles (*stellae*) comme des groupes de *stellae* faisant image entre elles, formant des « constellations », une série de signes qui se suivent, qui surviennent puis se retirent du fond nocturne au cours de l'hiver : un rhinocéros, un chasseur, un bison, les pléiades. Ces quatre *sidera* étaient les astres qui culminaient à la fin de l'hiver et qui disaient sur le fond noir de la voûte céleste l'imminence du printemps, le retour des petits, des pousses et des couleurs, la renaissance du *Primus tempus*, l'imminence de la chasse dès que les portées vivipares étaient achevées.

*

Ces astres, nous considérant lors de notre naissance, sidèrent le temps des hommes et prescrivent les joies, les accouchements, les sacrifices des prémices et des premiers-nés, les cueillettes, les prédations renouvelées, les rites assurant le retour annuel (la survie annuelle) de toutes choses.

Ces astres sidèrent les animaux, sidèrent leurs montes, sidèrent le parcours du soleil, sidèrent les pluies, sidèrent les bourgeons, sidèrent les fleurs, sidèrent les fruits, nous sidèrent.

*

L'un de ces astres, et l'un des tout premiers, est un geste féminin inexorable, et qui est inexorablement impudique.

Le premier geste des femmes, quelque puritaines qu'elles puissent être, avant même que soit coupé le cordon qui lie au souvenir de leur monde intérieur l'enfant qu'elles viennent de projeter dans l'air et la lumière, consiste à ouvrir ses jambes pour découvrir son sexe.

Nous sommes toujours une chose qui crie, c'est-à-dire qui ne parle pas, observée dès le premier regard à partir de sa différence sexuelle, et non sur son visage.

Puis nous sommes confiés à ce regard qui a vu, qui se met à parler d'une certaine manière à partir de ce qu'il a vu, prénomme à partir de ce qu'il a vu, commence d'énoncer une langue incompréhensible et la suppose en nous comme nôtre à partir du premier signe qu'il a noté. C'est ce que les naturalistes comme les sociologues appellent l'empreinte. Mais reste ce reste sans langage, ce brusque geste initial qu'il n'est pas possible d'oublier : nos jambes ouvertes avec violence et ce regard avide et rapide qui classe à partir du sexe dénudé qu'il y découvre, qui prénomme, c'est-à-dire qui, à partir de ce moment — qui est peut-être le plus violemment sexuel de tous ceux que nous pourrons éprouver —, parle à jamais en nous pour nous.

*

Ensuite nous ne choisirons jamais que les différentes vies qui ne nous sépareront pas complètement du hasard.

Nous ne sommes pas conçus.

Aucun être humain n'a été conçu.

Personne ne conçoit l'à-venir dans le couple qui s'étreint lorsque, par après coup, nous avons été conçus. Le prétendrait-on que ce qui aurait été conçu ne correspondrait nullement à ce qui serait engendré. Durant trois millions d'années la copulation des femmes et des hommes n'était pas un acte qui décidait une conception et anticipait à dix lunes d'elle un accouchement sanglant.

En étreignant leurs nudités les corps étanchent une soif qui précède et ils assouvissent une excitation qui ignore sa fin.

La naissance n'est pas un choix.

La possibilité de mourir n'est pas un choix.

Nos aïeux ne sont pas un choix.

La langue qui nous imprègne avant que nous la parlions n'est pas un choix. Notre nationalité n'est pas un choix. Nous ne pouvons rien contre le jour, la semaine, les lunes, les saisons, l'année, le vieillissement, le temps. Jamais nous ne nous afffranchirons de la faim. Jamais du sommeil. Nous n'avons pas choisi d'uriner. Nous n'avons pas choisi d'être les hôtes d'images nocturnes. Nous n'avons pas choisi d'être fascinés. Nous sommes fascinés dans la plus totale dépendance des premiers mois.

*

Qu'est-ce que l'amour ? La sexualité nous captive tous. Mais dix fois plus que la sexualité, l'emprise, la dépendance originaire, le passé nous captivent. J'appelle emprise la trace avant la mémoire. J'appelle dépendance originaire les conditions de la condition, imaginaire, symbolique, linguistique, sexuelle, mammifère, naissante, mortelle, humaine. J'appelle passé l'emprise affectée du langage devenu langue et supportant la mémoire et l'identité.

Pourquoi l'emprise sans mémoire persiste-t-elle à nous captiver de façon irrémédiable, immémoriale, anhistorique ? Parce qu'elle nous a déjà capturés. C'est-à-dire par fascination.

Elle ignore le temps parce qu'elle est avant le temps.

La naissance humaine est avant le temps et la copulation qui précède la conception interne propre aux mammifères vivipares constitue l'Avent de cet avant.

Paradoxe. Par malheur la sexualité ne nous a pas capturés en naissant, mais bien avant de naître : en naissant nous n'en sommes alors que le fruit.

*

Capere est le verbe des chasseurs. L'amour captive, l'emprise capte, la langue capture, la dépendance familiale accapare comme les lèvres de la mère celles de l'enfant, ses regards son regard, l'aliment et enfin le curieux aliment nommé langage qui s'introduit lui aussi dans leur bouche et passe de lèvres à lèvres faute que nous puissions dévorer tout le jour.

*

Les yeux de notre mère sont le premier visage.

Quand le ciel devint-il un visage ?

(Le ciel a persisté à être un visage de mère. Les émissions de météorologie dans les pays les moins agricoles, les plus industrialisés, rassemblent les plus grandes audiences devant les postes de visions lointaines, de « télé-visions ». Plus que les religions, les sports, les guerres, les mythes, etc., les « pré-visions » du soleil et des nuages obtiennent les audiences sans concurrence.)

Qui ne lève la tête en se levant tous les jours de sa vie comme à l'instant de naître et n'y recherche une expression ?

Qui n'interroge la météo céleste et n'y lit le visage du jour à venir ?

Ciel, vous changez de visage !

Parfois ce n'est pas le ciel, c'est l'humeur même de la vie qui change de visage.

Ciel, comme vous avez changé tout à coup de visage !

Vous ne m'aimez plus ?

Toutes les impressions de l'âme se peignent sur un visage comme la journée qui va venir est peinte dans le ciel quand on se lève et qu'on ouvre la fenêtre, qu'on pousse les volets, qu'on lève le visage vers lui.

*

Les désirs avancent et se retirent comme les flots qui périodiquement débordent sur la rive. On ne marche que sur un remblai. La digue est rompue depuis la naissance. Avant d'expulser ce qui sera séparé d'elle sous la forme de son enfant, celle qui porte cela-qui-est-encore-son-corps perd ses eaux.

*

Personne n'est délivré de l'océan de sa propre passion pour toujours.

CHAPITRE XIV

La nuit

Le soir, la mer s'avançait toute jaune devant le port d'Atrani.

Restaient quelques pétales plus blancs qui allaient de vagues en vagues. C'étaient des lueurs qui voletaient.

Les ombres au loin se faisaient quant à elles de plus en plus longues, avant que le crépuscule tombât et ne vînt colorer l'horizon du sang étrange qui coule du ciel.

Je sentais dans le rythme de mon propre sang une perte totale, infinie, douce, inexorable et rythmique qui lui était retirée.

C'était une espèce d'hémorragie interne du ciel lui-même dégorgeant sur les eaux.

La nuit qui vient accorde une faiblesse qui conduit le corps au sommeil.

Quelle est la nuit dans la nuit qui vient ?

Tout simplement l'unique nuit absolue.

Parce qu'il n'y a pas de nuit qui ne soit absolue.

À la fin de chaque jour la nuit qui vient est absolue.

À chaque fois, à la fin de chaque jour, c'est toute la nuit, la nuit sidérale, qui revient. Qui se tient là. Alors que chaque matin ce n'est pas toujours tout le jour ni toute la clarté qui reviennent avec la douleur de l'aube, l'aigreur du corps dans son trop-plein et la conscience.

*

Argument du sommeil. Je pense que le sommeil ne veut pas la nuit où il sombre.

Même, je pense qu'on peut dire que les bêtes et les hommes *fuient* la ténèbre en dormant.

L'hallucination est plus forte que la nuit qui annule l'image. C'est la pensée. C'est aussi l'amour.

Fermer les yeux, rêver, c'est voir encore, c'est voir des images coûte que coûte, c'est ne pas dormir tout à fait.

Rêver, c'est fuir les ténèbres qui enveloppent les yeux des mammifères — qui sont les bêtes qui ont préféré pour reproduire leur image la gestation interne et obscure.

Il y a de la fuite dans les images et leur point de fuite est dans la ténèbre qui est comme le cœur des ténèbres dont le rêve se protège à l'aide d'une sorte de visible presque spontané, en tout cas involontaire. L'homme n'a pas rêvé parce qu'il en aurait eu l'appétit ou le désir. Il y a une étrange invention de la pudeur avant l'homme et qui visite ses scènes oniriques au point qu'il est possible de penser que les ténèbres terrifiantes et informes sont peut-être plus impudiques que les rêves.

Certaines folies pourtant fuient moins que les rêves et les cauchemars (qui ne sont qu'une mauvaise lecture des rêves, une lecture mal disposée d'un texte toujours sidéré par ce qui en lui fait retour. Le rêve aussi est une fièvre du passé).

*

Le rêve veut l'accomplissement du désir, l'exauce dans une hallucination qui pousse vers sa forme, s'unit avec ce qui manque *in absentia.*

C'est bien une *visio* en avance. C'est une vision influente. Une visibilité imminente.

Le deuxième argument est le suivant : l'origine du futur doit être située dans l'image onirique.

Les constellations des étoiles dans le ciel (les *sidera*) furent des sortes d'animaux qui partaient, qui revenaient annuellement, qui vivaient, qui précédaient les saisons comme le bétail sur pied précède les prédateurs carnivores qui les épient et les charognards qui les survolent.

L'amour aussi est un rêve qui s'actualise, retrouve l'identité de perception mère-enfant, le flux aller et retour de visage à visage, perpétuellement de visage à visage, l'identité qui se révèle dans la relation de fascinant à fasciné.

L'amour retrouve, avant même la division en deux formes qui permet la fascination, l'identité de sensation (de mère à fœtus) et l'identité de pensée au sein du langage (de signifiant à signifié).

Toutes ces retrouvailles sont illusoires parce qu'elles n'ont pas été contemporaines. Faute d'avoir été contemporaines, elles ne sont pas synchronisables. Elles sont anachroniques. Mais elles sont éprouvées cependant par les amants comme si le Jadis faisait irruption en eux à l'instar d'un volcan.

*

Argument des symboles. De façon invariable l'amour fait comme si les deux sexes différents s'opposaient moins qu'ils ne s'articulaient entre eux à l'égal d'un signifiant et d'un signifié. Cette fébrilité à vrai dire linguistique est à la source des *symbola*. Les *symbola* sont les vrais *fulgura*. Les poteries que les anciens Grecs brisaient lors de l'échange ou de l'inhumation, quand ils en approchaient les bords, leurs *fragmenta* se rejoignaient comme des mâchoires qui s'imbriquent. Ils les appelèrent des *symbola*. Comme des paupières retombent sur les yeux — où s'ajustaient l'hospitalité et la reconnaissance de l'ami. Ce furent des lances brisées qui furent à l'origine de la monnaie où, au-delà de l'amitié, s'équilibre tout échange. Les deux sexes humains qui se contemplent en dehors de la sexualité, dans l'amour, croient qu'ils s'ajointent comme le feraient des symboles de terre cuite. L'amour est une folie de l'échange. La fascination préside à l'invention de l'échange, de la rupture des *symbola* et de leur réajointement. Et comme des *fulgura* ils s'enterrent dans la nuit.

*

La méprise propre à l'amour tient à ce que mâle et femelle ne s'opposent pas comme signifiant et signifié.

Mais la femme et l'homme se méprennent en se regardant dans les yeux.

*

Les amants, plus qu'à tous signes, sont sujets aux symboles (à cette méprise qui confond la différence sexuelle et le langage humain). Les amants se croient les éléments d'un langage ineffable, ultrasingulier, ils formeraient un nom propre présocial, inaudible à la société immédiate (la famille, l'entourage, le voisinage). Ils intriquent ce par quoi ils se reproduisent et ce par quoi ils dialoguent. L'amant et l'amante devraient tous deux se transformer en ce nom (que relaie le besoin fréquent dans les sociétés récentes de sacrifier son patronyme pour s'échanger dans le patronyme social de l'aimé) en nom propre inouï dont la fonction serait comparable à celle d'un *interrupteur qui arrêterait le langage.*

*

L'argument IV est antijuridique. Kant avec beaucoup de fermeté, dans la *Doctrine du Droit,* définit le mariage comme l'« échange contractuel des facultés sexuelles des corps ».

Le mariage s'opposerait front à front à l'amour qu'il faudrait définir dans ce cas comme *l'identité imprévisible psychique.*

Dans l'amour deux êtres sexués de façon différente à la limite n'échangent rien : ils se croient les mêmes.

*

Dans les sociétés humaines l'identité de chacun est entièrement soumise au langage, c'est-à-dire à l'échange de soi par les autres ou de chacun par tous. C'est ce qui les définit comme sociétés (le prénom du grand-père sur le petit-fils, le patronyme de l'époux sur l'épouse, etc.). L'amour est l'événement intemporel par lequel l'identité d'une femme ou d'un homme cesse soudain d'être entièrement assujettie à l'échange exercé par un tiers. C'est la parenté désaffiliée, le statut piétiné, la classe bafouée, la généalogie déchirée. L'amour échappe au texte social, à l'initiation, au temps rituel, à la dette généalogique, à la ligature familiale, au circuit d'échange de noms, de pouvoirs, de biens. Aussitôt toutes ces instances cherchent à prendre revanche contre les amants qui les fuient.

On peut tenter une définition universelle de l'amour : est amoureux un être humain tombant dans l'Autre sans médiation sociale. La relation amoureuse caractérise la fascination qui ne quitte pas le circuit interne, l'échange qui n'est pas passé par l'échange externe.

*

Corollaire pudique. L'amour — au contraire du mariage — retrouve la sexualité, *mais par hasard.* Ceux qui se fascinent sont hélés à leur corps défendant, bien plus que par leurs corps eux-mêmes, chacun par une corde qui est intérieure, à la sexuation primitive de la scène primitive. Dans l'amour la sexualité n'est pas tout d'abord visée. Elle n'est pas première comme dans le désir. Et elle n'est ni instrumentée ni fonctionnelle comme dans le mariage.

C'est parce que chacun des amants recherche la source où chacun des sexes fut conçue que les amants retrouvent la scène, que cette scène les sidère et qu'ils y tombent. Je soutiens la thèse suivante : les amoureux peuvent faire l'amour par surprise.

Comme dans les dépositions de maréchaussée du XVIIe et du XVIIIe siècle où la jeune fille engrossée dit avoir été la première surprise. Ce n'est pas forcément de sa part un mensonge (une hypocrisie absurde, une feinte).

C'est peut-être de bonne foi que le aller-ensemble (en latin le *co-ire*) l'a débordée.

*

La fascination repose sur deux mots : bordure et débordement.

Chaque soir — devant Paestum — la mer *débordait dans la nuit.*

Nous descendions tous les soirs.

C'est là que nous aimions dîner, dans l'air et le bruit de la mer.

Avant de dîner, en buvant du vin, nous regardions la mer se décolorer à l'horizon, sur la ligne imperceptible du promontoire.

Alors, dans cette beauté, nous dînions.

*

Le rythme de la nuit et du jour lui aussi comme celui des vagues et des marées s'épousent, s'ajustent, se disloquent, bondissent, débordent, recommencent.

*

La masse de l'océan est informe. Sa masse est l'origine de l'informe et c'est pourquoi tous les sentiments s'y éprouvent. Ils s'y étendent sans forme, eux qui n'ont pas plus de squelette que la mer, vont et reviennent comme ses vagues, assaillent celui qui voit comme s'il était parti, comme s'il était ballotté. Ils débordent encore. Tout ce qui est diffus au fond de soi y trouve sa forme absente et sa dilatation sans limites. Tout ce qui n'est pas composé au fond de nous et qui demeure indéfini se mobilise à son contact vague.

Vague, vague est le mot de la mer.

Vagues comme les vases communiquent entre eux le niveau de l'eau et l'équilibrent, le corps et la mer s'entre-déversent et s'équilibrent en débordant sans relâche sans jamais déborder dans le vestige d'une unique source qui les rassemble, qui les pousse à s'étreindre dans une même source élémentaire, jadis. La mer est le Jadis.

*

Les sentiments dérivent des humeurs qui dérivent elles-mêmes des échanges des nuages et des couleurs et de la vapeur qui allaient et venaient entre le premier océan et le premier soleil, jadis, avant même que les terres s'érigent et que la vie animale y invente ses corps.

*

M. et moi, chaque soir, nous descendions les escaliers interminables de la falaise. Soudain nous débouchions du rempart ancien et c'était la grève et la nuit qui engloutissait la mer.

Les vagues lançaient au-devant d'elles, en se soulevant sur la grève brunâtre, gris foncé, une ombre noire qu'elles ensevelissaient soudain comme une mâchoire supérieure, préanimale, avant de se retirer et de projeter à nouveau cette ombre sous elles, cette ombre qui commençait à être une obscurité d'une autre naissance que la nuit, cette ombre qui les devançait.

Je sentais qu'une ombre maintenant me devançait dans ma vie.

J'examinais ces ombres sous les vagues qui les faisaient surgir.

CHAPITRE XV

Fascina

Pourquoi les anciens Romains mettaient-ils des *fascinus*, des *fascinum*, à tous les coins de rue, sur les toits, à l'entrée de chaque pièce, au pied des lampes, sur la vaisselle, sur les tintinnabules, sur leurs bijoux, partout ?

Les superintendants dans les caves des musées ouvraient pour nous les salles des réserves où ils les entassaient dans la poussière et la nuit.

Pourquoi désiraient-ils tant soustraire à la vue du public ces milliers de témoins dont l'apparence obscène et superstitieuse et innombrable les faisait encore rire ?

Pourquoi cette saillie partout pour arrêter le regard sur elle ? (Et non sur sa propre saillie éventuelle, involontaire.)

Il faut prendre l'argument à partir du temps.

Qu'est-ce que le temps ? Ce que le langage ordonne dans trois dimensions autour de la prise de parole. Ce qu'ignore par fonction le dépôt qui s'est agglutiné autour de l'étai du langage. Si le petit de l'homme est prématuré, la mémoire consiste en ce retard qui décale à jamais sa fonction par rapport à l'existence qu'il a déjà menée. Tel est le premier argument. L'arête sexuelle est morphologique : elle présente deux états nettement difformes dans l'espace. Or la morphologie ignore le temps de la même façon que l'espace, dans l'espace, précède le temps qui ne signe que son expansion. Les sexes ignorent le temps. Et leur présence comme leurs mœurs involontaires nous bouleversent ou nous gênent comme des organes fossiles, zoologiques, inhumains, prépaléolithiques, entés sur nous-mêmes. Ur au centre de nous-mêmes. J'ai du mal à distinguer Van Eyck de Bach dans le souvenir qui me reste de leurs œuvres alors que les siècles les séparent. J'aurais aimé être l'élève de Semimaru. J'aurais aimé être l'*accompagnateur* de Purcell. Mais il faut m'y reprendre à deux fois pour disjoindre le temps, l'espace, les larmes, la voix rauque, la basse sombre (le *ground*) qui les séparent.

J'aurais aimé broyer des poudres de couleur dans un pot de buis et le tendre au maître de Flémalle.

Il s'agit de la simplicité qui agresse au plus pur, la saillie des choses qui surgissent dans une lumière crue, jetant une ombre plus nette que la mort.

C'est aussi la dernière part de l'hiver, ou le tout début du printemps.

Les dix mois qui suivent n'ont plus cette arête qui procure un relief sans pareil à ce qui apparaît de nouveau de la vie.

*

Il y a toujours un angle mort. Notre regard part d'un seul corps. Jamais nous ne verrons, en regardant en arrière, mettrions-nous bout à bout tous les rétroviseurs du monde, la scène qui nous fit et qui nous tente et dans laquelle nous ne sommes pas encore. Ce n'est pas seulement un bout de l'image qui manque. Ce n'est pas seulement un bout du corps qui nous manque. C'est plus qu'un corps puisque ce sont deux corps qui nous ignorent alors. La différence qui nous sépare nous manque à jamais : premièrement comme différence, deuxièmement dans la position propre à l'autre sexe. C'est cette triple inexistence plus un lambeau du temps auquel vient s'ajouter chaque jour, chaque nuit, à chaque heure davantage, un autre, fini mais immense, lambeau de temps — le temps qui nous survivra et auquel c'est nous encore qui ferons défaut.

*

1. Un bout d'image appelle dans la vision et ne sera jamais vu.

2. Un bout de corps attire. (Il ne se maintient pas tel qu'il fascine. Le *fascinus* est très temporel ; premièrement c'est sa propre métamorphose qui le fait apparaître ; deuxièmement la courte durée de la nouvelle forme érigée fait de cette dernière un *espace rare dans le temps.*

3. L'étreinte attelle cette image qui appelle et ce morceau de chair qui la tente mais les morceaux ne se correspondent jamais comme des symboles (ne

s'ajustent jamais comme s'ils avaient été déchirés d'un seul corps). Ils n'accrochent pas tout à fait et les amants se délient.

*

L'étreinte n'a qu'une lettre où s'accrocher. L'âme n'avait pas en elle-même de *littera* où s'accrocher. L'en-arrière des yeux fascinés par le rêve que la vision et le langage y répercutent dans l'espace que leurs présences distendent dans le cerveau n'avait pas de *litteratura* où rejouer en silence l'inscription due à l'empreinte. C'est-à-dire ses noms divins. C'est-à-dire ses *sidera.*

De là lire.

*

Dans l'*Enfer* de Dante (V, 131) Paolo et Francesca lisent ensemble *Lancelot.* L'amour est défini comme une double étreinte : l'étreinte de langage et l'étreinte de silence.

C'est l'étreinte du *langage mis au silence.*

Là est le nœud entre l'expérience de l'amour *comme il est celui de la lecture.*

C'est une des surprises de cette méditation sur l'amour que cette correspondance essentielle que j'entraperçois entre expérience de l'amour et expérience de la lecture.

Une même privation de l'oralité.

Un même *langage privé.*

Paolo da Malatesta et Francesca disent la même chose que Pierre Abailard et Héloïse (du moins ils disent la même chose qu'Héloïse apprenant à lire auprès de Pierre Abailard).

*

Les anciens Grecs usaient du verbe *anagignôskô* pour dire lire. Lire pour les anciens Grecs, c'est mot à mot *reconnaître ce qu'on attend.* Lire les étoiles, c'est attendre les saisons. (En grec le mot *kairos* dit la saison. Et derrière la saison *kairos* dit le printemps de toutes choses. Attendre le moment *x* de la poussée, où la tête (*kara*) bourgeonne, surgit du sexe, l'instant propice de la renaissance, de la faveur dans le parcours nocturne sur la ligne annuelle de l'écliptique.)

*

L'incomplet, le morcelé, le sexué attirent le complément qu'ils espèrent. Les arêtes, les fragments, les bris des poteries, les échancrures des pièces de puzzle, les mâchoires lors des fascinations animales fonctionnent comme des appâts. La réminiscence est une chasse à ce que sa carence anime. La réminiscence, l'ajustement, la *remembrance* est une connaissance. C'est même un sens, comme l'odorat ou la vue lointaine ou le rêve. Ce qu'elle parvient à ressentir ressuscite par lambeaux ce qui lui échappait. Les *vetera* inaccessibles, les morts inhumés sont là. Les *fragmenta* parviennent à emprisonner une part du perdu. Il arrive qu'à son arête l'exsangue s'accroche et crie, que la rouille et le sang s'échangent, qu'une âme verse sa goutte carmin dans la neige aux pieds d'un chevalier qui songe à la femme dans les bras de laquelle il s'était complètement oublié et qu'il avait entièrement oubliée.

Cette arête, dans l'intervalle mort, c'est l'instant, où se heurtent deux mondes.

*

Passé mort et passé vivant. L'entre deux mondes, c'est la ligne frontière où l'avenir et la patrie se mêlent. Je ne suis qu'un fragment de tessère qui s'ajuste en criant de faim à ce qui lui manque. L'histoire et la mémoire sont aussi polarisées, c'est-à-dire ennemies, qu'un coffre à jouets et ce sens connaissant. Qu'une bibliothèque et une noèse. Un grenier abrite ; ce sont des débris morts, un moulin à ritournelles, et une poussière qui s'y surajoute. Grenier, coffre, bibliothèque ne sentent rien du passé vivant, encore silencieux, encore infant de l'obscurité de la source, que la carence affamée de la mémoire peut par surprise faire revenir.

Ou que l'arête arrête (fascine).

Le passé, c'est *l'actuel à l'exclusion du moderne.*

Il faut se rappeler que dans ce que je dis j'emporterai partout le silence. (Parce que je n'avais pas compris qu'il fallût faire un pacte avec le langage des autres hommes si j'escomptais ne pas mourir.)

J'emporterai partout le silence qui n'est pourtant

pas le perdu du langage. Le silence n'est que l'ombre que le langage porte. Comme la conscience n'est que la chambre d'écho du langage dans le résonateur du crâne.

L'activité de penser, c'est-à-dire de renaître, est située dans la poche du paradis perdu.

Comme la goutte opaque et blanche du sperme est le seul reste de l'eau de la Panthalassa.

Toucher cette goutte, gluante comme les bourgeons de printemps auxquels elle succède, c'est toucher le passé même.

*

Le bond mystérieux entre la question et la réponse. Le bond infranchissable, impossible, fantastique, miraculeux, entre le masculin et le féminin. Le sexe masculin et le sexe féminin s'emboîtent un peu comme une question et une réponse. Ils ne débouchent pas d'une unique porte. Ils sont à jamais deux sexes l'un devant l'autre mais ils ne sont pas exclusifs l'un de l'autre. Ils ne sont pas antipodiques. Ils ne sont pas incompatibles. Ils ne sont pas comme ils semblent de nos jours, l'un à l'état de schisme, l'autre à l'état de dogme. Je prends une image aux musiciens qui utilisent des instruments de bois creux sur lesquels ils tendent des boyaux : ils sont accordés. Ces corps ne sont pas ennemis. Ces sexes ne sont pas opposés. De telles expressions sont celles de toutes les sociétés. Mais elles ne sont pas humaines ; elles ne sont que collectives. Le langage divise et règne. Les sociétés comme le temps se fondent dans le langage, divisant les nations entre elles, les sexes entre eux, les âges entre eux, les fonctions entre elles et, en les hiérarchisant, les entravent et les assujettissent. Les sociétés cherchent à diviser toujours davantage afin de régner toujours davantage. Même l'originalité est une de leurs ruses. Même l'individualisme est un de leurs Trente-six Stratagèmes. À rebours des compétitions sexuelles modernes, qui ne sont que le fruit de cette division sociale, je pense que le corps mâle et le corps femelle sont en effet accordés et je pense que quelque chose d'une accordaille certainement beaucoup plus ancienne que l'espèce elle-même s'ajoute à leur réunion. Cette chose plus ancienne est sans doute ce qu'on appelle jouissance. Ce cri de jouissance est une racine du connaître. Ce cri ne succède pas au langage : il le précède. Il le précède et il le hèle peut-être. Et certainement il l'hypnotise. Il en est même la matière informe et pure. Ce que l'autre sexe découvre de l'autre sexe ne lui est pas contraire, ne lui est pas anti-pathique. Jouir connaît quelque chose de plus que la reproduction qu'elle permet dans les faits. Il y a un voir figuratif au fond de la pensée comme il y a un emboîtement et un cri d'Eurêka au fond du voir qui hallucine et qui figure ce qu'il croit reconnaître et qui inscrit ce qu'il croit qu'il figure.

Il y a une naissance en toute connaissance.

*

Le meilleur de la vie n'est que naissance et aube.

*

Dans les seuls instants qui comptent dans la vie — qui l'invigorent — il n'y a sans cesse que la première étape qui s'ajoute à elle-même.

C'est ce que les Européens ont appelé de façon mystérieuse, à plusieurs reprises, au cours du temps, la Renaissance.

*

L'argument peut être présenté de la sorte : tout ce qui consolide la naissance est connaissance.

Corollaire I. Tout ce qui répète le crépuscule est endormissement, sénescence, rêve, mort.

*

Corollaire II. Tous les rôles, tous les labeurs, tous les esclavages, tous les repas de famille, tous les honneurs ne sont que des rites funéraires.

*

L'amour est un don sans pitié parce que rien ne console de sa perte. L'amour est lié au perdu : c'est pourquoi toute perte le vérifie.

C'est la plus intense des douleurs.

On peut procurer une définition négative de l'amour : l'amour est ce qui laisse inconsolable.

Il n'est jamais fini. (C'est ce que veut dire inconsolable. Infini. L'amour, au contraire de la sexualité et du mariage, est infini.) Il n'est même pas sûr qu'existe quelque chose pour l'espèce humaine comme le deuil.

Rien ne rembourse le don qui s'y est abandonné. Car rien n'y équivaut.

*

Tout amour véritable est habité par quelque chose de plus ancien que l'époque où il surgit. C'est d'ailleurs ainsi qu'il se décèle : ailleurs apparaît ici, le loin affleure sans cesse, il n'est pas d'instant présent qui n'attire à lui sans cesse le passé, c'est celui de la séparation, la perte de la nuit, la perte de la fusion qui nous a précédés et qui nous hèle dans la fascination (qui n'est qu'une fusion en acte).

*

Aimer, c'est dépendre d'un autre comme jadis nous dépendions : de façon absolue. C'est souffrir s'il souffre. C'est mourir s'il meurt. C'est prendre le risque de ne plus être tout entier à l'intérieur de soi. Ne plus être complété consiste à devenir vulnérable.

*

L'amour n'est pas une passion volontaire. Le lien amoureux n'est pas un lien (un nœud que des humains nouent). Il n'est nullement sentimental, amical, affectueux. C'est une sidération (un œil), ou encore une drogue (un philtre). C'est ce qui était décrit dans le très beau conte de Drystan et Essylt et qui s'est perdu peu à peu dans les transcriptions plus modernes.

Dans Berox, qu'on a surnommé de nos jours Béroul, recopieur d'Eilhart en français, on retrouve, tout seul, un magnifique morceau de dialogue.

Les amants sont en fuite après que le roi les a surpris en train de dormir sur la même couche, séparés par l'épée. Ils découvrent au fond d'une forêt un ermite dans son ermitage, en train de lire. L'ermite accueille les amants. Tristan lui demande d'écrire une lettre au roi et, aussitôt rédigée, les quitte pour la porter à la cour. Iseut (l'ancienne Essylt) et Ogrin (l'ermite de la forêt) restent seuls ensemble. Ogrin lui dit qu'il se rendra au mont Saint-Michel lui acheter une robe. Iseut évoque la fatalité de l'amour que Tristan et elle se portent mutuellement. Elle dit brusquement à l'ermite :

« Il ne m'aime pas, ne je lui. »

L'ermite Ogrin lui répond aussitôt :

« Amor par force vous demeine. »

L'anachorète entend par là qu'il s'agit d'une force plus forte que la force disponible à l'intérieur du corps et ressentie comme identité personnelle (inaccessible à la *force d'âme*, plus vaste que la volonté).

*

Anachorète désigne en grec l'homme qui s'est séparé de la société des autres hommes afin de vivre seul dans la nature. Plus précisément le mot, si on le décompose, si on accentue le préfixe, met en scène un homme qui s'est retiré en arrière, qui quitte le siècle et entend « reculer » en amont du temps.

Alors Essylt-Iseut, pour la première fois seule dans la forêt, est en position de dire à Ogrin (au plus asocial des hommes) l'asocialité à laquelle l'amour voue les amants (encore qu'ils ne l'aient pas choisie comme Ogrin l'a choisie) :

« Nous avons perdu le monde et le monde nous. »

*

La première fabrication de l'individuel en nous se fait au contact de la voix maternelle qui insinue à l'intérieur de notre corps, à l'arrière de nos yeux, le langage (seul site parasite où pouvoir être soi, chez soi, du moins dans l'enveloppe familiale, précollective, molécule encore à demi ingérée, mi-ingérante, et qui offre la possibilité de se développer soi-même).

Cette fabrication est inaccessible à nous-mêmes. Elle est transcendante à nous-mêmes. Notre volonté ne la décide nullement puisqu'elle se situe en amont de notre identité.

Comment la mère introduit-elle à l'intérieur du

corps de son enfant (de son sans-parole) la langue maternelle ?

Elle la suppose dans l'enfant qu'elle hypnotise (ce sans-parole est d'autant plus fascinable qu'il n'est pas encore entièrement défusionné). En supposant que nous comprenons le langage nous le comprenons. Nous sommes pris par lui étant gagné par elle à ce qui est encore compris de nous en elle.

Le don assidu contraint l'enfant à rendre à sa mère le don qu'elle lui a fait. Tout à coup il est investi ; tout à coup il parle.

Les *symbola* dans cette scène sont la fascination et la néoténie. Toutes deux reposent sur la gestation, c'est-à-dire sur l'audition fœtale dépourvue des contre-rythmes de la respiration et de la voix.

*

Je peux produire maintenant l'argument V : c'est en coïncidant que le prématuré et le hanté forment un avant-printemps.

*

Les plus attirantes odeurs n'ont pas de nom. Leur attribution impossible enivre. En plus du parfum merveilleux dont nous nous sentons enveloppés tout à coup elles ajoutent l'énigme de leur source. L'odeur des herbes sèches ne dit pas à quelle pelouse ni à quel râteau elle emprunte. Les effluves du café en train de se faire sur l'évier dépendent de tant de grains. Et ces odeurs composent entre elles au-delà de chaque perception. Des fruits mûrs aux fruits blets la frontière odorante ne marque pas une brusque limite. La véhémence — immémorisable et cependant déposée en dehors de tout langage en nous — des odeurs qui surprirent l'enfance revient parfois comme un désir. L'amour, c'est d'abord aimer follement l'odeur de l'autre.

*

En supposant que nous comprenons le langage maternel en puisant à un regard fascinant, à un « gard » fondamental qui est au-delà du regard, audelà des caresses, des liquides, des solides que la mère exprime de nous ou dont elle nous entoure ou dont elle nous sustente, alors, si l'on suit l'argument V par lequel la mère insinue la langue nationale par la voix, la première attache au regard de la mémoire dans l'amour véritable (dans l'amour passion, dans l'amour qui se distingue du désir, lui qui n'a pas besoin d'être personnel et qui ne cherche pas la personne dans l'autre) est la voix.

La voix bien plus que les traits du visage, les attributs, l'odeur, les marques sociales, la richesse, etc.

La voix et ce qu'elle contient (la parole). Elle est l'*alter* dans l'autre. Inévitablement la voix est plus sexuée que le langage qu'elle porte, qui ne l'est guère. Même, la voix est beaucoup plus sexuée que le regard, que la fascination *pré-sexuelle.*

Curieusement il me semble qu'on peut dire : être

touché par la voix est l'amour. (Comme être excité par l'odeur du corps cambre le désir sexuel.)

Argument VI. L'amour se distingue du désir non seulement en ceci que ce sont deux personnes qui parlent, deux égophores, deux identités qui passent de l'une à l'autre et non plus deux corps qui s'attirent et qui s'assouvissent, mais en cela que c'est l'autre ou le fantôme de l'autre qui est incorporé en nous exactement de la même façon que la langue maternelle fut incorporée en nous.

Argument VII. L'amour se distingue de la sexualité en ceci qu'il suppose tout simplement de connaître le prénom dans sa voix. L'amour prend, dévore, obéit, là où le désir donne, caresse, regarde. Dans l'amour c'est un monde et la position d'un être dans un monde, ou ne serait-ce que le soupçon de cette position autre d'un être autrement formé dans le monde (possesseur d'un *cosmos hétéromorphe*) qui s'incorporent à notre vie et qui l'incorporent.

*

Ce que voient les yeux, c'est quelque chose que la main peut saisir. Ce que les oreilles entendent, c'est du vide.

Le visible fait retour en rêve.

Le sonore fait retour en mémoire (la mémoire n'étant qu'un mot plus ou moins adroit pour dire l'obéissance linguistique ; puisque l'*obaudientia* est le régime du sonore dans le monde humide, obscur et fœtal et de la langue maternelle, comprise plutôt qu'apprise ; de là les voix qui enjoignent les fous à agir à leur *corps défendant*).

*

Argument VIII. Appeler, crier, prier (peut-être écrire), c'est pour le langage l'équivalent du rêve pour la vue.

*

Le tout petit enfant devant la puissance vitale et la taille gigantesque de sa mère se soumet automatiquement à la volonté de l'agresseur. Se soumettre irrésistiblement à la volonté de l'agresseur est ce qu'on appelle l'apprentissage de la langue maternelle.

C'est ce que dans la fascination j'ai appelé l'irrégrédient.

L'enfant devine le moindre de ses désirs, qu'à vrai dire elle lui impose accompagné de son habit de signes.

Corollaire. Il n'est pas indifférent que la langue nationale, définie dans son apprentissage comme identification à l'agresseur, serve à agresser les hostiles, qui sont tout simplement ceux qui ne la parlent pas comme la mère. Les ennemis (qui sont ceux qui hoquettent le langage d'une façon tout à fait anormale, au point que ce qu'ils expriment est incompréhensible) « s'enfument comme des abeilles dans les ceps de la vigne du Seigneur » (le *Verbum*).

Définition. La communauté linguistique est dans la guerre, non pas comme un poisson dans l'eau, mais comme la vengeance est dans la langue acquise de force.

*

Notre jeu dépend de la partie qui nous a précédés. Nous en dépendons totalement au début puisque c'est le début.

En aimant nous en dépendons encore.

Nous n'aimons pas à nous rappeler que nous n'étions rien de distinct avant nous-mêmes parlant et, avant que nous parlions, que « nous-mêmes » était très vague et taciturne comme un aigle, un bœuf, une roche, un astre.

Argument IX. Ce qui est paradoxal, dans l'expérience humaine, c'est que nous ne jouons jamais la partie entière. Or, dans cette pièce que nous ne jouons jamais en entier, notre rôle précède, arrive en retard, est sexué et est limité au plus et au moins par la mort. Avant que nous surgissions, pour que nous surgissions, la pièce qui nous paraît précieuse a déjà été lancée. Pour que nous surgissions, il fallait que nos parents fussent surgis. Pour qu'ils le fussent, il fallait que nos grands-parents s'étreignissent. Voilà à peu près les figures principales qui se déplacent sur l'échiquier de la mémoire. Cet échiquier est rangé dans la tente à l'arrière du théâtre où on change les noms et les visages. Nous ne sommes jamais une partie qui peut attendre une fin qui l'oriente comme nous ne sommes jamais un coup qui pourrait retrouver la conception qui l'amorce. Nous sommes des parties interrompues où *éros défunt* et *thanatos renaissant* dominent plus que nos noms et nos corps.

*

Aux yeux de l'espèce *Homo* l'énigme ne consiste pas dans ce que les Anciens appelaient la concupiscence (ce que les Modernes appellent la libido) mais dans l'amour (l'identification à un autre).

La fascination a peu à voir avec l'excitation et la volupté.

*

J'écris le plaisir dangereux des retrouvailles. Il n'y a pas de retour qui ne risque la désintégration de soi ou l'absorption.

Le coup de foudre est de même.

La fascination est de même.

Fulguratio, fascinatio ne font que dire ce réemboîtement en un éclair, plus vite que l'éclair, de la forme la plus récente dans la forme la plus ancienne.

La fascination est l'épreuve du passé.

Mieux encore : elle est l'étreinte du passé.

(À un stade préhumain la *devoratio* est le coït le plus sûr.)

*

L'amour est le passé. Même en acte l'amour est un souvenir d'une extase passée.

Mais pas seulement parce c'est le passé qui extasie.

Argument X. Si le désir est préféré à la jouissance, le souvenir du plaisir rend jaloux le présent.

C'est ainsi qu'une vraie, une profonde étreinte est une attente jalouse du passé.

*

Il est plus facile de détruire les vestiges du passé que de l'oublier, de la même façon qu'il est plus facile de détruire une photographie ou d'entasser des cailloux sur un cadavre que d'oublier le visage qui revient en rêve. L'existence du passé pour des êtres qui en ont dépendu dans leur propre naissance est inoubliable.

Avant tout langage, les regards sont pour les vivants ce qui sera toujours inoubliable (au-delà du langage). C'est ce contact ancien de regard à regard qui refulgure dans le coup de foudre.

*

Argument XI. L'homme est un mammifère qui a imité la carnivorie (qui a substitué à la manducation charognarde, passive, louvoyante, terrifiée, la manducation active, prédatrice, bondissante, dansée).

Or la carnivorie, c'était la fascination en acte.

Voilà pourquoi il y a de la mort dans le regard humain.

*

Argument XII. Le regard à l'instant où un homme meurt rejoint le regard où tout meurt. Alors autant celui qui regarde que ce qui est regardé disparaissent. Le monde où il vit encore s'éteint aussi en partie avec sa mort. Les êtres qui l'entourent périssent aussi en partie avec sa mort. Le regard du mourant n'est pas seul à ne plus tout retenir de ce qu'il voit. Ce qu'il voit se perd en partie avec lui. Il y a quelque chose dans la vision qui appartient à la perte. On dit que l'invention du regard bifocal correspondit avec l'épiphanie des prédateurs. Quelque chose cesse de prendre un moment en regardant et se fascine. Quelque chose donne en mourant.

*

« Begreifen was uns ergreift », disait Staiger. Saisir ce qui nous saisit.

Faire retour sur ce que nous sommes. Telle était l'expérience de l'art. De la science. Parce que c'était celle aussi de la faim. C'est-à-dire de la fascination.

*

L'expérience est voyage. *Erfahrung* est *Fahrt.* Cercle étrange où le déjà connu devient vérité soudaine. Où le passé historique devient renaissance. Tout être de ce monde est le passé absolu qui recommence.

Marina Tsvetaeva écrivit tout à coup, dans la banlieue parisienne, à Saint-Cloud, en 1935 :

Car chaque souvenir a son pré-souvenir,
Son souvenir ancêtre, son souvenir aïeul.

*

Les hommes sont les animaux malades d'un oubli insuffisant.

C'est leur gravité mystérieuse.

Des réminiscences mystérieuses s'accrochent partout. La nature est une réminiscence qui guette toute chose cultivée comme un remords. Mais dans le remordre du remords, ce qui guette dans le mal, c'est encore une mâchoire. C'est encore un collier de dents.

*

Le premier amour n'est jamais le premier. Il a toujours été devancé. Comme la première lueur n'est pas celle de l'aube.

Les astrophysiciens nomment lumière zodiacale la lumière qui précède la lumière d'aube. Parce que les météores reflètent la lumière du soleil avant qu'il se lève.

Ils l'appellent aussi le phénomène de fausse aurore.

Pour l'espèce parlante, la fausse aurore, c'est l'empreinte alogos.

C'est ainsi que l'amour qui devance l'amour n'est

pas un souvenir. C'est une trace énigmatique en nous. C'est un fossile qui précède la mémoire dont nous ignorons la disposition, et dont nous ne comprenons pas le sens.

CHAPITRE XVI

Desiderium

J'ai longtemps cherché l'autre pôle de la fascination propre à la peinture romaine dans la poésie et dans la pensée latines sans l'y trouver. Quel pouvait être le pôle anti-magique qui s'opposerait à la fascination ? Qu'est-ce qui était capable de défasciner la sexualité romaine ? Qu'est-ce qui était capable de défasciner le fascisme ? Qu'est-ce qui était capable de défasciner le destin audio-visuel (l'évolution obéissante-fascinée) de l'humanité moderne dans lequel l'empire romain et le christianisme avaient englouti peu à peu la plus grande part des autres civilisations de l'humanité après qu'ils en eurent ouvert les marchés, assujetti les mœurs, contaminé les âmes ? Tout dans les textes que je lisais et dans les scènes que j'allais contempler avec M. chaque après-midi dans une petite Fiat rouge louée à l'aéroport de Naples, souvent vues pour la première fois et qui pourtant jamais ne donnaient la sensation de la première fois, tout affirmait cette volonté religieuse de détourner la force subjugante. Tout présentait ce caractère apotropaïque et s'employait à se protéger à la va comme te pousse de la fascination émerveillante et de la sidération angoissante. Tout dans la littérature romaine ancienne emprisonnait dans l'enchantement dont on se défendait, dans la peur qu'on niait, dans la crainte des démons qu'on multipliait — les fantômes, la honte, l'avant-programme du péché chrétien, les fiascos.

Non seulement Ovide : aussi bien Lucrèce ou Suétone, ou Tacite.

Deux ans s'écoulèrent.

Tout à coup, plus de deux années plus tard, avec une curieuse sensation de détresse qui se mêlait à l'évidence, je découvris que j'avais fouillé, que j'avais voyagé, que j'avais exploré en vain les sites antiques. Je surpris que je n'avais pas à chercher ce qui n'était pas à chercher. L'autre pôle était sous mes yeux.

Voici la thèse que je veux défendre : c'est, très étrangement, le désir, à Rome, qui tient le pôle négatif.

C'est le désir lui-même qu'il fallait opposer à la fascination.

Là aussi, comme pour le mot de *fascinus*, il suffisait d'écouter le mot lui-même. Le mot qui me paraissait à moi, moderne — et moderne constamment fasciné par les thèses modernes — le plus positif qui pût être : le désir est négatif.

Le désir n'est pas seulement un mot dont la morphologie est négative. Le désir nie la fascination.

*

Le mot romain de *desiderium* est un nom négatif mystérieux.

Désirer désidère.

Sidus est la constellation présidant à la fin de l'hiver.

(Présider, le *prae-sidus* est l'étoile qui mène le troupeau d'étoiles. Qui détermine la figure d'étoiles.)

Sidus s'oppose à *stella* comme la constellation d'étoiles formant figure s'oppose à l'étoile isolée. De là la forme si rare de ce mot au singulier (sauf quand les empereurs meurent, alors les citoyens voient leur *sidus* quitter la toge souillée de sang et s'élever au-dessus d'eux dans le ciel de l'*Urbs*). Le pluriel — *sidera* — est la forme régulière. Ce sont les étoiles mouvantes, zodiacales, qui font figure entre elles et surviennent et s'en vont le long de l'écliptique.

La constellation de la fin d'hiver est le signe du printemps. Son effacement — en latin la *de-sideratio* de ses *sidera* — correspond à la floraison des fleurs, à l'éclosion des œufs, à la parturition des mammifères, à l'interdiction de chasse le temps que les portées se dressent, s'étoffent de chair et de fourrures, s'émancipent de leur mère, s'enfoncent dans la forêt, etc. Ce sont les images qui meuvent la *Prima Ver.* On ne sait si les *sidera* la meuvent ou s'ils l'attirent. Les astres influents influent. Les *sidera* pré-sident. *Prae-siderare* sur la saison, sur le temps, sur le nouveau temps, sur la source renouvelée, sur le *primus tempus.* Premier temps, printemps, unique temps fort de la battue du monde annuel, unique pas du temps con-sidéré, cyclique, circulaire qui fut l'unique temps humain pendant des dizaines de millénaires.

De là d'une même façon pour chaque homme, à sa propre « portée », les *sidera natalicia*, la naissance étant le *primus tempus* du petit être reproduit et du vieux nom qu'il porte et qu'il renouvelle.

Sideratus a le même sens que *fanaticus* : frappé par un astre, frappé par la foudre et devenant un *fanum* (un temple). C'est le même indice : le fanatique est l'homme frappé par le coup de foudre.

À Rome le *templum* est un espace rectangulaire que le prêtre découpe dans le ciel et qu'il con-sidère.

Con-siderare, c'est examiner ensemble l'ensemble des *sidera* (ou des *co-sidera*) qui forment la figure animale astrale, avec respect (*re-spectio*), avec répétition dans le voir, le spectacle des astres qui influent, qui veillent dans la nuit, qui gardent et regardent les activités des hommes. *Spectare* et *respectare* vont en latin comme en français « gard » et « regard ». On comprend pourquoi con-templer le ciel nocturne, c'est veiller sur les signes qui le con-stellent et qui président à l'année, au retour des deux temps du temps, positif et négatif, printanier et non printanier, au retour des saisons.

*

Si *considerare* veille, guette, surveille, *desiderare* cesse de voir.

Le *desiderium* a à voir exactement avec cela : des astres qui brillent par leur absence.

Constater l'absence des *sidera*, regretter, les voir dans l'attente de les voir (halluciner), désirer.

Desiderium (Cicéron préférait dire *desideratio*) s'articule dans le non-regard qui tient l'homme. Le non-voir de l'hiver. (L'hiver, ce n'est pas seulement la *de-spectatio* du visible mais c'est aussi la mort de ses spectateurs.) La pensée humaine, à partir du rêve chez les mammifères vivipares, est hallucination de ce qui se mange ou se boit ou réchauffe ou se désire. Ce que le regard con-sidère, supplie dans son attention, accentue dans la présence, printanise dans la vie des plantes et des bêtes, à l'envers le désidéré s'abandonne à l'absence, souffre. C'est le déprintanisé : c'est l'automne-hiver. Mais l'automne-hiver, c'est le regret de ce qui doit venir, c'est le printemps anticipé, précipité, ritualisé, halluciné, symbolisé.

Pourquoi ce cercle ? Parce que c'est saisonnier. Ce qui va venir, c'est ce qui est venu l'an dernier. Pendant des dizaines de millénaires l'avenir des sociétés était le passé régulier, la régularité hémisphérique du passage des *sidera*, le cercle à rendre régulier autant qu'à rendre circulaire.

Pendant des millénaires le passé des sociétés a été annuel. Pendant des millénaires l'à-venir des sociétés annuelles a été le printemps comme renaissance de l'année.

Le désirable et le considérable sont le même : les astres qui président le *primus tempus* du temps sempiternel viennent à consteller entre eux, sidérant l'avenir.

*

Désirer est un verbe incompréhensible. C'est ne pas voir. C'est chercher. C'est regretter l'absence, espérer, rêver, attendre.

Siderare et *desiderare* : pression et dépression. La sève monte et se retire (comme la mer afflue puis reflue).

Il est étrange que le mot romain du désir soit exactement de la même source à laquelle deux mille ans plus tard le français a puisé (une nouvelle fois de l'autre côté des montagnes des Alpes) pour former le mot français du désastre.

Le *desastroso* est le né sous une mauvaise étoile.

*

Le désir, c'est le désastre.

*

Dériver s'écarte de la rive. Désirer s'écarte de l'astre.

Désidérer s'oppose à considérer comme désoler s'oppose à consoler, comme décevoir à concevoir, comme détruire à construire.

Déluré est très proche de désiré : déleurré, détrompé. Le désir déleurre un homme.

Le sidéré est l'intact. (La fascination est première.)

*

Le dé-sidéré et le dé-floré, ces deux mots romains négatifs si étranges se font face, si imagés, l'un polarisé dans la fleur, l'autre dans l'astre dont la disparition efface l'hiver. Ils sont tous deux de même saison. Le caractère printanier persiste au-delà des millénaires. Constellation particulière d'astres et coloration des fleurs chuchotent toujours derrière la copulation humaine.

*

Désidérer, déflorer, décapiter, découvrir, ces négatifs ne sont pas des négatifs artificiels. Ce sont des mots encore polarisés par l'autre pôle : ce sont aussi des symboliques.

Désirer, c'est ne pas trouver. C'est chercher. C'est voir ce qui n'est pas dans le vu. C'est se dissimilariser au réel. C'est se désolidariser de soi, de la société, du langage, du Jadis, de la mère, de ce dont on est issu, de l'autre qui incorpore.

Être sidéré, c'est avoir trouvé, c'est être cloué, c'est avoir trouvé de quoi fusionner, c'est avoir trouvé son incorporant. C'est avoir trouvé sa mort.

*

La cruauté humaine. Le problème est que le désir dans le sens que je lui donne définit la source de la cruauté proprement humaine.

Cruauté définitoire.

L'argument est le suivant : la fascination inhibe le

fasciné. En se défascinant l'homme a libéré le meurtre du congénère, a permis la guerre, a désidéré la perversion. A déverrouillé toutes les atrocités qui après coup pussent être imaginées.

*

J'ai décrit la fascination comme la dépendance prématurée. C'est un grand corps qui excorpore un petit corps dans l'air et dans la langue. C'est l'esclavage national et social qui débute dans la langue maternelle.

La désidération dégage de la mort passive le fasciné qui lui obéit.

Parce que le désir est lié, dans la lumière, à la défusion du regard, il est lié, quittant le monde obscur, onctueux et continu, à la lettre (au discontinu). La lettre, le désir, la désobéissance sont le même.

*

Pessah. Il en résulte une définition de l'amour comme affranchissement jamais abouti de la polarisation qui tend la sexualité humaine. Comme libération impossible du couple-carcan fascination-désidération.

Passio, pessah qui ne dépassionnera jamais mais qui dépassive.

Esclaves nous avons été.

Fascinés nous avons été.

Puis désidérés.

Désirants.

*

Compliquée est la vie propre aux hommes parce que double est leur source. Biologique et culturelle. Sexuelle et linguistique. (De toute façon polarisée deux fois par deux pôles : mâle-femelle, signifiant-signifié.)

À demi fascinée, à demi désidérée.

À demi animale, à demi verbale.

*

C'est un jeu d'allumettes. Comment construire des figures avec des points ? Ils suivaient des yeux les clous d'or du ciel mouvant et les reliaient les uns aux autres en y découvrant des silhouettes d'hommes qui chassent ou de bêtes qui meurent. Ce ne sont pas des images volontaires. Mais ce ne sont pas des images oniriques. Ce sont des fantasmes sortant de la noirceur du ciel comme des bêtes sortaient des crevasses pariétales dans une nuit comparable sinon encore plus ténébreuse.

Ils confiaient à la nuit des grottes le secret, le récit, le passage des *sidera* dans la tombée précoce de la nuit hivernale. Ils chantaient, ils hélaient les noms de leurs figures dans le ciel nocturne.

En faisant des *stellae* des constellations les hommes de l'âge paléolithique élaboraient précisément ce que les Romains appelleraient des *sidera*.

Les *stellae* sont les premières *litterae.* Aussi les constellations sidérantes sont-elles les premiers mots.

Ces *sidera,* ces animaux lumineux qui se mouvaient continûment dans le ciel le long de la ligne de l'écliptique au rythme des saisons les faisaient revenir, les immobilisaient, les clouaient, les sidéraient. Ces étoiles étaient les gardiennes des saisons. Ces peintres étaient les gardiens de ces gardiennes sidérales. Ils étaient les veilleurs, les prophètes de la route annuelle du soleil parmi les étoiles. Ce chemin, cette ode, cet *odos,* fondent le voyage chamanique.

Voyage au sein des desiderata des hommes.

*

C'est le voyage con-sidérable. Il arriva que des rois d'Orient virent dans le ciel une étoile qu'ils suivirent.

Le roi des Juifs s'appelait alors Hérode. Hérode fit demander aux gens de leur suite pourquoi les rois d'Orient se déplaçaient en formant une caravane et pourquoi ils s'introduisaient dans le pays dont il était le roi sans s'adresser à lui. Les chameliers lui répondirent que leurs maîtres venaient se prosterner devant le roi des Juifs qui était sur le point de naître. Le roi Hérode leur demanda dans l'inquiétude de qui ils parlaient et quel était le lieu où ils pouvaient bien se rendre. Les rois magiciens firent répondre à Hérode par leurs interprètes : *Ibant Magi, quam viderant stellam sequentes praeviam.* (Marchaient les Mages, suivant l'étoile qu'ils avaient vue, elle allait devant eux.) Alors Hérode demanda que tous les enfants qui viendraient à naître fussent tués parce qu'ils menaçaient son autorité sur la terre d'Israël.

Puis Hérode fit suivre les rois d'Orient dès l'instant où ils quittèrent la cité de Jérusalem comme un chien suit la proie, afin qu'ils lui indiquassent où l'enfant serait caché.

Les mages suivaient l'étoile, les chameaux suivaient les mages, les hommes d'Hérode suivaient les chameaux.

Quand l'étoile s'arrêta dans le ciel, c'était l'hiver, c'était même le cœur de l'hiver. Il faisait très froid. Les rois furent remplis d'une immense joie (*gaudio magno*) et ils hâtèrent leur voyage en se dirigeant vers cette étoile (*ecce stella*). L'étoile se tenait au-dessus d'une étable sur le flanc d'une colline. Ils entrèrent. Ils virent deux animaux, une femme, un homme, une auge. Dans l'auge ils virent un enfant tout nu, placé à même la paille.

Qui criait.

Que l'haleine d'une grande vache noire et tachée réchauffait.

Les rois mages fléchirent les genoux et ils se prosternèrent.

Ils ouvrirent leur trésor. Ils offrirent à l'enfant l'or, l'encens, la myrrhe.

Cela fait, avertis en songe (*in somnis*) de ne pas repasser par la ville du roi Hérode, ils retournèrent en Orient par un chemin différent (*per aliam viam*).

*

Nudité et dénudation. La dé-sidération s'oppose à la fascination comme la dé-nudation humaine s'oppose à la nudité animale.

L'argument peut être présenté de la façon suivante : les animaux connaissent la nudité. La Torah la décrit admirablement : la nudité est l'état dans lequel il n'y a pas de nudité. Quand la question de la nudité ne se pose pas, il n'y a pas de nudité : c'est le chat qui saute sur nos genoux. C'est le merle qui vient jouer au pied des bambous.

Qui parlerait de nudité alors ? Nous étions ainsi.

Il n'y a de nudité que perdue. Parler, c'est avoir perdu. Parler est un désir.

Conséquence. L'autre de la fascination, c'est le perdu : c'est l'absence du signe du printemps dans le ciel, l'absence de la constellation des astres dans le ciel d'hiver, l'absence constatée du signe dans le visible, son attente, son regret, son guet. Ce voir est leur *de-siderium.*

*

Je pense que ce mot de désir, quelque attention que je porte à sa forme, si vigoureuse que soit la plongée dans le monde qu'il exhume, me restera à jamais mystérieux. Il n'est pas de connaissance qui ne soit un délire qui cherche à comprendre. Le mot de désir présente deux sens contradictoires selon qu'il se comprend du point de vue des astres, dans leur influence sur la vie terrestre, ou du point de vue des hommes lors de la contemplation ou de la considération.

Ou bien la désidération de la figure zodiacale active le printemps, efface joyeusement, compulsivement, rituellement, impatiemment l'hiver, ou bien l'absence astrale marque le regret humain de la grande saison de chasse et de parturition, témoigne de l'impatience de son retour, exprime le désir de ce qui manque de plus en plus au fur et à mesure que l'hiver (que la négation saisonnière) progresse.

*

Il n'y a pas de nudité humaine. L'autre de la fascination est le perdu.

Culturels, éduqués, élevés, parlants, nous ne sommes plus nus. Le voudrions-nous, nous ne pouvons plus être nus.

Mais nous pouvons nous dénuder.

Corollaire I. La dénudation est possible au même titre que la désidération parce qu'elle en est un effet. L'une comme l'autre sont des traits de l'amour humain (les bêtes dans le plaisir ne peuvent pas plus se dénuder qu'elles ne peuvent se désidérer). En ce sens il faudrait dire que les bêtes ne désirent pas.

*

Corollaire II.

Cela explique le regard des animaux.

Le sérieux est le regard sidéré. Le regard rilkéen.

Corollaire III.

Tout regard sérieux est un regard sidéré.

*

Corollaire IV.

Tout homme *entièrement sérieux* n'est pas humain.

*

Le corps humain est le suprême paysage. Le premier paysage est féminin, sanglant, intensément odorant, entre les jambes duquel on tombe. Jésus n'a pas dit : « L'œil est la lampe du monde. » Jésus n'a pas parlé du paysage naturel, de la montagne, du soleil, des cités fortifiées, du ciel nocturne. Jésus a dit : « L'œil est la lampe du corps » (Matthieu, VI, 22).

Lucerna corporis est oculus.

Il ajoute : Si ton œil est simple (*simplex*) alors ton corps est dans la lumière (*lucidum*).

La lampe propre à la dénudation du corps humain, dit Jésus, voilà à quoi sert l'œil sur la face des hommes.

Il meurt *dénudé.*

C'est sa passion.

*

Plus encore, écrit Jacques de Varazze, onze siècles plus tard. À la question : « Pourquoi Jésus fut-il dénudé au moment de sa Passion ? », saint Tiburce fait la réponse suivante au préfet Amalchius qui le supplicie : « Il fut dénudé pour couvrir la nudité de nos premiers parents. » (*Ut parentum nostrorum nuditatem operiat.*)

*

Où se trouve la nudité ? Elle ne réside pas dans le corps nu puisqu'elle s'est perdue sur la peau des hommes. La nudité est à la fois dans le secret des gestes les plus personnels ou des particularités les plus personnelles, dans leur émission, dans ce qu'on ignore.

La nudité est rare.

Ce n'est pas la vérité sous roche ni même l'identité qui est recherchée. Mais le visage nu dans sa honte.

Un accord passionnel, et dont la nécessité est sûre sans que rien la fonde.

Il y a nu dans inconnu.

L'odeur est le plus proche de ce que veut dire la dénudation humaine. La nudité est un appel.

*

Définition. L'humanité est la seule espèce animale pour laquelle la nudité est *denudatio*.

*

La dénudation du corps humain correspond à la désidération de son désir.

Le désir proprement humain est ce qui désenchante le fiasco, est ce qui défascine la violence, est ce qui désidère la sidération.

La dénudation efface le visage humain, attire l'œil *ailleurs que dans les yeux* du regard humain. Attire l'œil ailleurs que dans l'autre monde de la fascination et de l'imaginaire. La dénudation désidère.

*

— Tu es nu comme un lapin qui sort de sa fourrure.

Voilà l'incroyable idée humaine de nudité. (L'enfant qui sort nu de sa mère.) C'est d'abord la proie qui sort du crime qui est commis sur elle. L'idée humaine de nudité prend sa source dans l'animal qui sort nu de sa mort — qui est dans le même temps le premier vêtement humain (fourrure) avant même le sacrifice complètement achevé, le découpage carnivore et la distribution familiale-sociale des parts.

*

La sidération ouvre à un au-delà du sens.

Le signifiant sidérant est le passeur (ce qui fait passer la passion au réel inaccessible, à l'autre côté du monde).

C'est le roi mage, chaman, scribe, prêtre babylonien, seul capable de lire la lettre de l'année écrite dans le ciel nocturne.

La chose sidérante : la chose qu'on perd de vue, invisible.

La chose qui est passée du *Da* au *Fort* et qui revient invisible dans le *Dasein* (parce qu'elle est passée par un *Fortsein* : l'autre l'a précédée ; la fascination l'a précédée). Le *Fortsein* est ce que j'appelle l'autre monde.

*

Les animaux rêvent debout comme ils rêvent en bondissant comme ils rêvent en dormant. Les animaux ne sont pas sans cesse dans un réel auquel nous n'accéderions pas ; ils sont sans cesse dans l'autre monde. (Ils sont sans cesse dans leur faim.)

*

Ils sont dans le ciel : ils avancent annuellement sur la première ligne : la ligne écliptique. (Le chemin du temps annuel est la route que suit chaque année le soleil parmi les étoiles.)

C'est la première route. C'est la première ligne.

CHAPITRE XVII

Voyage dans la forêt du Henan

M. accepta d'être du pèlerinage que je m'étais inventé au début de l'hiver 1995. Parvenus en Chine notre errance et l'angoisse qu'elle développa en nous furent sans pareilles. Je toussai sans un instant de repos. Je ne crachais pas alors de sang. Bourré d'antibiotiques, j'étais dans un état agréable. Je flottais dans ce monde. Devenu fantôme, c'est-à-dire indestructible, je passe sur l'ouest de Pékin, la maison désolée de Cao Xueqin, glacée, sale, la stèle brisée, le bœuf, l'âne vivants, le lit de brique poussiéreux. Je passe sur tout cela qui me bouleversa. Arriva la forêt du Henan. On me dit qu'aucun étranger ne s'y était encore rendu à l'exception d'un universitaire japonais du temps de l'invasion, lequel en était mort.

Nous nous perdîmes dans la forêt du Henan.

Nous étions dans une limousine noire qui ne convenait pas aux chemins de glaise où nous nous embourbions. Des paysans nus surgissaient des fourrés pour nous secourir. Nous tournâmes en rond durant des heures. Le chauffeur, l'interprète et M. étaient blancs et découragés. Le chauffeur exposa sa demande : il fallait que nous nous en retournions en direction de Zheng Zhou. Je l'exclus en toussant. Comme le capitaine Hatteras, dans un livre illustré de grandes planches inquiétantes et grises que mon arrière-grand-père avait fait relier un siècle plus tôt, j'inclinais à marcher invariablement vers le nord.

*

Je veux rendre compte ici de l'expérience de la désidération. Jamais je ne l'ai éprouvée de façon si déroutante que devant la tombe de Tchouang-tseu que nous recherchions dans la forêt et la nuit. C'est dans le village de Zhuangzi que je compris quelque chose à un mystère romain. Souvent l'Extrême-Orient, l'immanence résolue de l'empire agricole des Chinois, les rituels sibériens et shintoïstes me permirent de pénétrer la Rome chasseresse puis agricole étreinte entre l'empire étrusque et l'empire punique. C'est dans un petit hameau néolithique chinois que je perçai le sens secret du mot *desiderium.*

L'adieu à la fascination. Là je subis la carence mélancolique qu'il y a dans tout désir possible. La joie extrême de cette carence symbolique. Tout devient inappariable.

Le fond d'adieu du désir.

Le bouddhisme a fait une joie de ce dont notre société, sous le nom de dépression, a fait un modèle pour toutes les douleurs. Et même le patron du déluge individuel, de la terre gaste — et presque de l'auto-extermination. En tout cas du sui-cide symbolique (vénéré dans l'Extrême-Orient comme une extase libératrice aux confins de la lucidité et de la vie).

La dépolarisation de celui qui voit le pôle.

*

À force de se perdre la voiture pénétra dans un véritable village. Nous nous rendons au yamen. Un homme du district se tord de rire : il dit que nous sommes nécessairement passés dans la forêt par le village de Tchouang-tseu. Il monte dans une jeep brune. Nous repartons dans la forêt.

Le jour descend.

De nouveau les sangliers ou les porcs noirs tenus en laisse ou attachés aux arbres.

De nouveau les chaumières de glaise, les petits ponts de bois pour franchir les longues et profondes douves et les mares qui les bornent.

Tout est obscur. Entre les cimes des arbres on perçoit un fond de ciel jaune d'or qui s'épaissit. Les hommes nus tirent à trois ou à quatre sur les araires dans les rares clairières.

La jeep s'arrête dans cette pénombre.

Un tertre couvert de foin : c'est la tombe de mon maître. Il pleut. Les enfants nus accourent, nous tirent par les vêtements sous la pluie. Un vieil habitant du hameau revient en tenant un pinceau et un godet d'encre qu'il me tend.

Je comprends que je dois signer à sa demande une

longue feuille qu'il déroule de haut en bas. Des paysans tirent le long papier en longueur du nord au sud. Je me place devant le papier déroulé d'ouest en est sans qu'ils comprennent pourquoi je me place ainsi et nous tournons en rond comme des astres ridicules sur le tertre de foin.

L'homme plus âgé tient l'encrier sous la pluie et tourne avec nous.

Entre deux quintes de toux, sous la pluie, j'écris au pinceau horizontalement.

Le maire avec beaucoup de gravité me demande ce que j'ai écrit. Je dis que j'ai rendu au maître mort l'admiration que je lui voue. À la vérité je suis Charlie Chaplin dans le Henan.

*

La nuit est entièrement tombée.

Nous arrivons dans un autre petit village perdu au milieu de la forêt. Il pleut des cordes.

Les enfants sont sans nombre malgré la pluie violente ; nous pressent de tous côtés, M. et moi.

L'enfant-du-hameau, tel est le sens, caractère par caractère, de Tchouang-tseu (qu'on écrit désormais *Zhuangzi*, qu'on prononce toujours Tchouang-tseu).

Tchouang, Zhuang : hameau.

Tseu, Zi : enfant.

Ce pèlerinage est une anecdote en acte tirée de Tchouang-tseu.

Je commence à avoir une impression très étrange.

Il fait nuit.

Je ne vois rien.

L'impression d'imposture, l'impression nocturne m'ont entièrement gagné. De *nuit* — si cela veut dire quelque chose dans la nuit. Plus même que d'irréalité.

C'est le village natal de Tchouang-tseu. N'importe quel hameau est le hameau. C'est le Zhuang. Minuscule hameau néolithique dans la forêt et la nuit et la pluie de plus en plus drue.

Grosse pluie à l'instant où on me dit qu'on arrive à la ruelle de Tchouang-tseu. Les rois d'Orient Melchior et Balthazar s'arrêtent. Ils tendent le bras : ils me montrent un ravin dans la forêt.

C'est la ruelle où il vivait pauvrement, disent-ils.

Des peupliers. Des châtaigniers. Bien sûr, c'est la ruelle.

— C'était sa ruelle, répètent-ils.

Il pleut toujours.

Il y a 2 300 ans.

Un ravin que la pluie continue de raviner.

Je souris en marquant une grande politesse. Je m'incline autant de fois qu'il faut mais je n'y crois plus. Je crois à la mise en scène d'une parabole qui devient carrément taoïste — et pour tout dire, à la limite, bouddhiste.

De toute façon il y a longtemps que je marche en aveugle dans la forêt. Je suis trempé. Le groupe de villageois se retourne, on me tire par le bras.

Dans ce second village au cœur de la forêt du Henan, ruisselant d'eau, dans la nuit, on me pousse dans le dos, puis on me retient soudain par le bras, en poussant des cris perçants. On me montre à mes pieds le puits de Tchouang-tseu qui s'ouvre à ras de terre, circulaire, d'un diamètre de trente à quarante centimètres, tapissé de vieilles briques crues, blanchâtres dans la nuit. Nous sommes tous éclairés et presque éblouis par une torche électrique que tient l'assistant du photographe du district venu photographier le lettré occidental dévot du philosophe mal vu, égoïste, relativiste, antisocial, paradoxal, appelé Zhuangzi. Je me penche en vain : la nuit, la pluie brouillant mes yeux, le fond invisible. J'ai le désir de lancer ma cigarette pour voir l'eau obscure briller au fond du puits. J'ai envie. Je n'ose pas par une extraordinaire crainte d'impiété devant tous ces beaux visages qui sourient dans la forêt et examinent ce non-Japonais qui ne pleure pas devant un trou.

*

Désir est désidération. La relation se dépolarise soudain. Un sentier sauvage n'est pas une ruelle. Un trou n'est pas un puits. Tout centre du monde est perdu au fond de la forêt primitive. Tout est au cœur de la nuit. Il est très tard. Il pleut à torrent. Nous remontons dans la voiture. Nous avons à retraverser toute la forêt en direction de la commune populaire du district de Qinglianzi. Nous repartons. Mais nous ne pouvons quitter le hameau natal du Fils du Hameau aussitôt car nous nous sommes embourbés. La pluie s'est accumulée et dégorge des douves en un instant. Le chauffeur nous demande de quitter la voiture par le haut. M. et moi glissons, tombons, nous aidons de nos mains. Nous nous relevons couverts de glaise comme les enfants tout nus et luisants qui nous entourent et qui rient, au-delà du malheur, dans la plus intense courtoisie en nous aidant de leurs petites mains et de leurs cris. La pluie, la nuit nous nettoient. La randonnée extatique est un voyage intérieur. C'est l'*odos* chamanique. Il y a bien un coq et des poules couverts de glaise qui nous considèrent avec mépris et qui sont plus anciens que les enfants qui ont agrippé nos mains et qui nous halent sous le déluge.

Mon illumination nocturne est cette indifférence échaudée.

Échauder, il faut se servir de ce verbe si étrange (moins étrange quand il pleut) pour traduire le mot sanskrit de *nirvâna*.

Dans la nuit les chandelles ou les courtes mèches des lampes à huile brillent à l'intérieur des chaumines d'argile.

Pas d'électricité ; pas de radio ; pas de télévision ; pas de téléphone ; pas de glacière ; pas d'électrophone. Personne à l'intérieur des maisons de terre. Tous sont dehors sous la pluie battante et enveloppés par la nuit avec les porcs noirs, les chevrettes grises, les poules mouillées, les enfants nus, les maïs jaunes qui pendent partout.

*

La désidération, la dénudation, la dépolarisation sont liées. Elles entraînent la désocialisation du renonçant. Elles hèlent la délivrance qu'il attend.

*

Sous la pluie, dans la forêt, je voulais joindre cette tombe comme les anciens Égyptiens allaient à Abydos.

Il est vraisemblable que le tumulus ainsi que la stèle n'existent plus.

Il est probable qu'ils n'existèrent jamais (le vieil anachorète du IIIe siècle avait prescrit que son corps fût posé dans les branches d'un arbre et sa chair confiée aux becs des oiseaux).

Rien de cela n'importait plus soudain.

Il suffisait à ma piété de respirer l'air qu'il respirait et de marcher un peu dans la poussière où il avait fui.

De glisser dans la boue où il glissait.

J'avais saisi avec mes mains l'inconsistance. J'avais pénétré le torrent. J'étais entré en contact avec sa mort.

À la place de ce que les hommes accceptaient de nommer un vestige pour complaire à leur hôte et à son entêtement, je découvris l'absence de pôle.

CHAPITRE XVIII

Les trois génies du théâtre humain furent Eschyle à Athènes, Shakespeare à Londres, Zeami à Kyôto.

Zeami Motokiyo, dans les premières années du XVe siècle, a inventé l'instrument de musique approprié à l'amour.

Il s'agit d'un tambour qui n'est pas recouvert de peau mais de soie.

C'est un instrument de silence.

Le tambour est suspendu aux branches d'un ancien laurier lunaire dans le jardin du palais impérial de Kyôto.

L'arbre avec le temps est devenu énorme. Le laurier avait été planté à la bordure du lac.

La princesse affirme que si on l'aime vraiment, pour peu qu'on le frappe, un son naîtra du tissu, se propagera et roulera jusqu'au fond du gynécée. Alors elle quittera son lit. Elle sortira du palais. Elle viendra se donner à son amant sur la rive.

Le jardinier frappe en vain de sa main le tissu et n'en tire que le plus profond silence.

Il se jette volontairement dans le reflet du tambour qui se dessine à contre-jour sur la surface de l'eau du lac.

Le lac se referme sur lui.

Le silence se fait sur la scène.

L'eau efface son ultime ride ; puis, peu à peu, le son d'un tambour emplit l'espace. Il envahit les oreilles de la princesse qui court, qui déchire ses vêtements, qui entre en transe, qui désire le noyé, qui essaie de faire sonner à son tour le tambour pour évoquer le mort.

CHAPITRE XIX

Les tabous de l'amour

Je me tus. Je jetai un coup d'œil sur l'homme qui se tenait debout devant moi et qui me regardait sans mot dire. Ses yeux ne cillèrent pas. Je n'ajoutai rien. Je quittai le salon plein de merveilles et d'ors. Je revins dans le parc du palais où M. m'attendait à l'ombre. Elle était assise dans un fauteuil de jardin en fer blanc. Elle avait tiré le fauteuil dans l'ombre épaisse d'un laurier. Je dis à M. que nous ne resterions pas ici si elle le voulait bien. Elle explosa de joie. Elle sauta sur ses jambes. J'aimais cette jeune femme aussi belle qu'asociale, aussi véhémente que profonde, violentant ses longs cheveux noirs. Nous nous parlions le soir. Nous restions des heures sur les banquettes des bars d'hôtel. Sa sensibilité était extrême. La mort la hantait. Elle se taisait. Soudain ses yeux s'humectaient sans raison. Elle ravalait ses larmes à l'aide de sa toute petite pomme d'Adam. Elle ravalait des sanglots en s'efforçant de ne pas se faire remarquer. Comme un enfant qui a honte de son ventre qui gargouille, joue avec sa règle, tire sur sa jupe, fait crisser sa chaise, déplace l'encrier, range son cartable en toussant.

Je ne saurais jamais tout d'elle. Elle m'apprit la nuit blanche. Il y a une passe non verbale dans l'univers qui est devenue de plus en plus mal connue au fur et à mesure de l'écoulement du temps et du tarabiscotage de l'histoire. Pourtant cette passe, cette faille, ce défilé, cette *pessah*, cette ruelle, cette douve conduit au cœur du monde. Ce passage exige la destruction de l'expression linguistique, impose la suppression de la vision, requiert l'étreinte sans rivales, sans rêve, sans somme. Bouche close, yeux fermés, nuit blanche sont les trois modes du passage. C'est pourquoi dans tous les contes les plus anciens que l'humanité s'est dits jadis à elle-même ils formaient les tabous de l'amour.

CHAPITRE XX

Madame de Vergy

La châtelaine de Vergy requiert le tabou de la parole tandis que Clelia Conti dans *La Chartreuse de Parme* impose celui du visible cependant qu'Aziza, dans les *Mille et Une Nuits,* édicte le tabou du sommeil. Je commence par le troisième tabou. Je commence par le secret parce que je crois que le sacrifice du langage est l'injonction la plus profonde organisant le rituel de l'amour humain et qu'il recoupe la plus large part de ce que m'avait enseigné Némie. Je dis que l'amour humain est un rituel car il se différencie du désir naturel par des sacrifices. Ces sacrifices se traduisent par des obligations directes qui compliquent l'aléa de la conjonction sexuelle entre les passionnés. Par exemple la châtelaine de Vergy ajoute quelque chose au secret de la nudité, ainsi qu'à l'étreinte à l'écart de tous.

Qu'ajoute-t-elle ?

La châtelaine de Vergy exclut la voix sociale à l'intérieur de soi, c'est-à-dire la conscience. Elle exclut toute transaction, tout commerce, tout marchandage.

Enfin elle exclut toute intervention d'un tiers entre les amants sauf un chien. Même le langage, même la divinité sont exclus comme intermédiaires.

*

L'abandon à la fois sensoriel et psychologique requiert l'anéantissement des positions du langage et la dissolution de la dialogie elle-même dans le silence. Derrière l'absence d'aveu (« N'avouez jamais ! ») un silence terrible montre son museau comme une bête, comme une divinité prédatrice qui s'oppose au Dieu des cités et des églises (le *Verbum*). Le silence court de l'un à l'autre des amants comme un chien.

Et ils meurent.

L'amant, l'amante et le chien meurent.

*

L'amour comme le refus du tiers, comme le tiers exclu (« Rien que nous deux ! »), exclut le langage et voue les amants au silence total, exclusif, sous peine de mort.

*

Les *Notes entendues à l'ombre des feuilles* furent dictées en 1716 par Yamamoto Tsunetomo, dans sa cellule, à Tashiro Tsuramoto, à la mort du seigneur Nabeshima Mitsushige. Le *Hagakure Kikigaki* définit pour la première fois par écrit le *Bushidô*, l'éthique du samouraï (la « Voie du guerrier »). Le *Hagakure* prescrit : « La forme ultime de l'amour est l'amour secret. Se consumer d'amour tout au long de sa vie, mourir d'amour sans avoir prononcé le nom chéri, tel est le vrai amour. »

Le samouraï doit emporter le nom indicible (ce véritable nom propre, c'est-à-dire improféré, jamais socialisé) dans la tombe.

L'amour le plus fort est le fantasme d'un adultère ou d'un inceste si silencieux qu'il ne s'avouera même pas à la personne avec laquelle on l'aurait commis.

Le rêve qu'un amant peut former est qu'il en soit de même pour l'autre. Il en a presque été ainsi à la fin de leur vie très guerrière et très politique pour le duc de La Rochefoucauld et la comtesse de La Fayette. C'est la double attache deux fois détachée.

Enfin le fantasme du fantasme : le rêve secret que les rêves indicibles des deux amants muets peuvent former à la limite de l'amour, dans le Japon ancien, consiste dans le double sacrifice. C'est ce qui débouche soudain sans un mot, sans une étreinte, sans un baiser, sans un serrement de mains, sans un regard, sur le suicide commun des deux amants qui ne se sont jamais dénudés ni parlé.

*

La châtelaine de Vergy veut une communauté des amants exclusive. Leur réunion doit avoir lieu à l'écart de la cour. Elle exige le silence sur leur amour même devant le duc : cela ne regarde qu'eux. Ils doivent être seuls à partager le secret de leur union érotique. Aucune vanité sociale ne doit en être retirée. Pas la moindre indiscrétion ne peut être tolérée. Pas le moindre complice. Pas le plus petit confident.

À part un chien.

Le chien se nomme dans le conte chinois Pan Hou : c'est l'amant lui-même de la princesse confinée. C'est le chien fellateur.

Sur quatre personnages, trois meurent simplement parce que l'un d'entre eux parle. Tout le roman français ancien dit ceci : plus une femme et un homme sacrifient le langage pour s'approcher l'un de l'autre, plus le secret redouble la confiance, plus l'offrande de leur nudité est bouleversante, plus l'abandon abandonne la société, plus la communication intime excède toutes limites.

La châtelaine de Vergy insiste : l'amour ne saurait être seulement un mariage. Le mariage fait du consentement mutuel une publicité sociale. C'est encore une cour.

L'amour est un engagement plus grave que le mariage. Le lien qu'il instaure s'oppose au lien de la cour ainsi qu'à tous les autres liens sociaux. Le consentement mutuel ne suffit pas à l'amour : c'est le secret qui fait du consentement une communauté secrète.

La passion ne peut être publiée.

C'est l'impubliable.

*

Saad Varâvini, en 1225, à Tabriz, a écrit : « La parole est comme le lait de la traite. Nul ne peut la remettre dans le pis.

Il n'y a pas de retour pour la parole échappée de la bouche. La flèche ne revient pas sur la corde de l'arc. L'enfant ne rejoint pas la couille velue de son père.

Le secret et la semence sont les mêmes. Les conserver tourmente. Leur émission les perd. »

*

Pourquoi l'amour est-il mystérieux (mystérieux veut dire mystique et mystique veut dire silencieux), ineffable, indicible, inexprimable sous peine de mourir ?

Pourquoi la nuit sans sommeil forme-t-elle la tanière mystique de ce silence ?

*

Argument I. La société existe à travers le langage au point que société et langue s'identifient. Mais ni société ni langue ne sont des inventions humaines. Toutes deux sont prétéritées. Toutes deux sont aveugles et sourdes aux membres qui font la partie qu'elles dictent.

Corollaire. Toute société répète la soustraction suivante : *Homo* – *Logos* = bête.

La société refuse l'amour.

*

Comment croire qu'on peut approcher de l'amour sans sacrifier le langage, l'ordre, les rôles, les formes ? Partager le grand secret de la nudité exige aussitôt de le garder : celle ou celui qui aime reçoit le dépôt de la nudité de celui ou celle qui aime. Aussi celle qui nous aime est-elle celle qui garde le secret de notre véritable limite, de nos faiblesses, de nos manies, de notre misère, de notre incomplétude et nous lui assurons en retour le même secret puisqu'elle nous confie à son tour sa nudité en dépôt.

Si le langage apparaît, l'union disparaît. Si le langage apparaît, le voyeur apparaît, la société apparaît, la famille réapparaît, la division divisante, post-sexuelle, réapparaît, l'ordre, la morale, le pouvoir, la hiérarchie, la loi intériorisée affluent. La châtelaine de Vergy dit que le secret est une injonction aussi bien que la nudité est un dépôt. Ce ne sont nullement des précautions ou des gages d'amour. Ce sont des conditions de vie ou de mort de l'amour.

*

Huit sont les témoins de l'amour : le cœur, les membres qui se refusent, le corps exténué, la langue nouée, la maigreur, les larmes, le secret, l'ardeur sexuelle solitaire. Tels sont les huit témoins de l'amour-passion.

*

Huit sont les conséquences de l'amour. L'amour hâte le cœur, éteint les maux, écarte la mort, défait les liens qui ne le concernent pas, augmente le jour, raccourcit la nuit, rend l'âme audacieuse, illumine le soleil. Tels sont les huit effets de l'amour-passion.

*

Parler éloigne la perception sensorielle. L'acquisition du langage la contraint, la refoule, la divise et la repousse dans une espèce d'autre monde, d'avant-monde, d'avant-humanité.

*

Madame de Vergy dit :

— Ne croyez pas que les femmes ne retiennent rien dans leur corps parce que leur sexe est ouvert.

Elle meurt pour le prouver. Elle meurt de façon implacable : elle meurt par implication. Le langage tue le chevalier et la châtelaine comme la lumière tue Fabrice del Dongo et Clelia Conti-Crescenzi. Le langage tue les deux amants comme l'aube dissout les femmes renardes et les vampires. Mais Madame de Vergy meurt sans donner à l'argument auquel elle donne sa vie son tour le plus complet et le plus ancien : le sexe féminin est ce qui s'ouvre pour donner naissance. L'enfant, quand le sexe de l'amante s'ouvrira, sera notre secret toute sa vie à l'égal de notre amour. C'est ce que dit et fait Clelia l'invisible. La misère propre à l'amour est que le résultat de la communication la plus asociale et la plus privée et la plus fermée au public et au regard divin consiste dans l'ouverture sociale elle-même dans le surgissement d'un enfant, lequel reçoit non pas l'empreinte de ses géniteurs passionnés, mais le nom de l'époux de sa mère et la loi du père de la mère (dans nos sociétés).

L'âme de l'amour est déposée dans le fétiche. Le fétiche est l'existence de notre enfant qui ignorera tout de son origine.

C'est ainsi que ce secret sera vivant et fécondera par lui-même sans le savoir. Le nom du père est une chose. L'identité du père est le secret des femmes. C'est en quoi le langage évoquant l'identité de son amant (il s'agit, à l'origine du mythe chinois, d'un aboi, qui trahit le chien Pan Hou) est un événement si grave et est capable de tuer la châtelaine.

*

Le menteur doit se taire. Le secret de son mensonge doit être tu. Le secret est le seul lien entre les êtres qui ne soit pas une apparence puisqu'il ne peut être manifeste. Tout ce qui est extraverti est une forme qui peut être perçue ou connue. Seul le disssimulé peut lier au cœur. Peut lier les cœurs. Seul le secret peut lier substantiellement les êtres.

*

Les devinettes verrouillaient les sociétés d'initiés anciennes. La devinette repose sur la dissimulation du chiffrage qui la précède. Une devinette c'est ceci : une serrure fabrique après coup la clé qui la déverrouillera. La vérité de la solution se réfugie tout entière dans la clandestinité de l'association. Ce secret farouche persiste dans l'histoire de la châtelaine de Vergy. Elle n'est pas du verger pour rien. Son émissaire est un chien. Dans les sociétés de chasseurs paléolithiques, les vieillards attendent le dernier moment pour léguer leurs devinettes aux survivants. Ces mots de passe sont toujours sexuels et prétendent tous, par leur ambiguïté, receler le secret de l'univers mythique qui correspond à celui de la rénovation annuelle, sidérale, de la vie des animaux et des hommes qui les chassent et des chiens qui les pourchassent.

*

Quod nemo novit, paene non fit. (Une chose qui n'est sue de personne peut être dite inexistante.)

*

Je retrouve toujours avec joie la société japonaise et les mœurs qui y ont cours. Ne pas montrer ce qu'on ressent définit la politesse sociale et l'on y passe des jours exquis.

Au Japon la polarisation sociale oppose *honne* et *tatemae.* D'un côté ce qui est ressenti profondément et de l'autre le comportement de façade.

Seul ce qui est exigé par la vie en société peut être exhibé entre amis.

La polarisation sexuelle oppose *mama* et *geisha.* D'un côté la femme privée, intérieure, reproductrice et de l'autre la femme cultivée, danseuse et musicienne pour les soirées amicales ou commerciales. La *mama* est dite *okusan* (châtelaine de l'intérieur) et ne rivalise jamais avec la prêtresse rituelle, gardienne des traditions et des arts, et qui est demeurée aussi la chamane sibérienne soûleuse et érotique.

*

Il se trouve que le thème de celle qu'on appelait autrefois la « femme mute », de la femme qui ordonne la mutation dans le mutisme, fait revenir la femme la plus ancienne.

L'injonction au secret est universelle parce qu'elle caractérise tous les rituels d'initiation.

« Mystique » dans sa forme grecque signifie de façon directe et impérative ce devoir de silence auquel sont astreints les « mystes » à l'égard des « mystères » dont ils viennent de faire l'épreuve.

En Grèce, c'est l'Artémis forestière : de là dans le roman français le chien de la châtelaine et son nom de Vergy. C'est la déesse des animaux préhellénique, préagricole, cynégétique, paléolithique, qui gouverne le sauvage en liant la sauvagerie au silence. C'est la déesse de l'étreinte reproductrice couverte de *fascinus* castrés. C'est la déesse d'avant que le langage soit.

*

Le grand interdit de chasse : se taire. Ne pas faire de bruit, ne pas parler. Aimer est une chasse nocturne. Dans *La châtelaine de Vergy* tout ce qui concerne le lien originaire, la *philia* de la chasse, a été rapporté au lien amoureux. Le roman fait une application bouleversante de la sentence de Hugues de Saint-Victor : « Taciturnité entre viandes est nécessaire. » Madame de Vergy permet à la nudité sexuelle un accès taciturne, *mystikos.* Si la cuisine est chuchotée, la chasse est silencieuse, l'amour muet.

*

Les Pléiades à Rome étaient les *sidera* du printemps. Les signes du printemps sidèrent la métamorphose terrestre en la devançant.

Les Romains les appelaient les *Vergiliae.*

Ver ouvrant le ventre des femelles, versant les pluies, répandant le miel, fondant les neiges, ouvrant la chasse.

*

La première version française du roman de *La châtelaine de Vergy* est anonyme. Elle date du XIIIe siècle. Il se trouve que ce texte source dans notre langue est aussi le plus beau. Il est à certains égards inévitable que l'auteur de ce roman sur le secret n'ait même pas songé à délivrer ni aux contemporains ni à la postérité son nom.

CHAPITRE XXI

Le peigne, le chapeau, les gants, la fourchette, la paille, la flûte, le tambour et le violoncelle sont hantés. Ce sont des ponts conçus de telle sorte que les pôles qui sont en conflit ne se touchent pas mais communiquent. Il en va ainsi des arcs. Puis ce furent les premiers bateaux. Conséquence : ma façon de penser est peut-être fondée. Ma façon de méditer sans concepts, mon désir de ne porter mon attention que sur les relations polarisées, angoissantes, intenses qui animent les rêves et qui vivent sous les mots, plus contradictoires même qu'ambivalentes, renvoient aux temps qui ont précédé l'histoire et les premières cités. Ces tiers étranges, ces outils, ces médiations compliquées sont obsédés par la crainte de ne pas court-circuiter la vie qui se perpétue tant bien que mal au travers de la culture artificielle du monde. Il ne faut pas faire exploser sans cesse des tonnerres et des déluges. Le langage aussi est un médiateur. Le langage aussi est un peigne, un chapeau, un gant, une flûte, un propulseur, un arc, un bateau. Aussi, comme tout ce qui médiatise, le langage déconnecte. Et aussitôt, après coup, après usage, après que son pouvoir a été débranché, il semble qu'il dissimule un secret. Il est un vêtement entre le regard et la nudité comme la paille s'interpose entre la bouche et l'eau.

Le langage est comme la fourchette qui avance entre les dents et la chair sanglante.

Le langage est un tambour fait de la peau de la bête tuée sous les doigts qui la hèlent sans cesse, qui tambourinent nerveusement. Qui la rappellent.

*

La Vierge Marie mourut à l'âge de soixante-douze ans.

Le grand prêtre s'approche du grabat ; il tend ses mains au-dessus du corps de la Vieille Vierge mais ses deux mains sèchent aussitôt. Dans un premier temps elles deviennent comme des feuilles mortes.

Puis elles s'arrachent soudain de ses bras et restent suspendues au lit funèbre.

On va chercher Pierre.

L'apôtre s'approche, salue le grand prêtre et dit :

— Tu ne pourras jamais recouvrer tes mains vivantes si tu n'embrasses (*osculeris*) le corps de la perpétuellement vierge (*corpus perpetuae virginis*).

Le grand prêtre approche ses lèvres des lèvres du cadavre de la sainte Vierge.

Ses mains se décollent et rejoignent les coudes.

Elles remuent au bout de ses bras.

Le grand prêtre les joint aussitôt afin de les touer. Il croise les doigts. Il invente la prière à mains ntes.

*

L'amour veut toucher.

L'amour veut se perdre dans le sans distance. Or la vision exige la distance.

L'ouïe, l'odorat, le toucher sont le sans distance.

Le corps est affecté aussitôt à l'intérieur de lui-même par le hurlement. Comme il l'est par le silence soudain. Tel est le sans distance.

Le corps par les narines frémissantes est affecté immédiatement par la puanteur des cabinets.

L'âme est enivrée sans un instant de cesse, à toute allure, par le parfum splendide du chèvrefeuille qui monte sur l'auvent.

Les doigts sont affectés à l'instant par la plaque électrique brûlante sur laquelle ils collent tout à coup. Apaisés à l'instant par la bordure de satin à l'extrémité de la couverture qui borde le lit comme une peau plus lisse, plus tendue, plus bleue, plus impudique, plus aimée.

*

L'amour cherche des doigts dans la nuit.

Ce que l'amour cherche avec ses doigts, dans la nuit, c'est ce qui interrompt le langage.

C'est une maison en ruines, un jour obscur, une nuit blanche. C'est M. C'est ce dont je parle. C'est

l'éclipse, le soleil-lune. C'est la nuit de l'orage fu
rant. Tout ce qui est court-circuit, quand un hon
et une femme se touchent, quand les taboués se tou-
chent, suspendant le désir, témoigne de l'existence de quelque chose de distinct que l'on nomme l'amour.

*

Trois contre-mondes se dégagent peu à peu des fictions que les femmes et les hommes ont inventées sur leur amour (sur l'amour excessif qui les menace, sur l'amour fou qui les capture) : la nuit, le silence, l'absence de songes.

C'est ainsi que l'amour passionnel est lié à un très ancien, préhistorique, mystérieux iconoclasme.

*

Tous les rituels visuels décalent et jouent là où la nuit estompe, indistingue, fusionne, absorbe, engloutit ceux qui n'ont pas peur du noir intégral à sa source. Qui est leur source. L'amour entraîne dans la nuit (la grotte, la vulve, le crâne à l'arrière des yeux) où tout disparaît pour se résorber en effet de source.

*

Remonter à la nuit vivipare où ceux qui ont été formés au cours de la copulation, puis de la conception, puis de la gestation comme le saumon le fait circulairement en direction de la source où il a été frayé.

Je préfère le mot de frayère au mot de source.

Si je parle je touche encore le pourtour d'une couverture dont l'usage puéril est risible.

L'usage du langage fait rire.

L'incompréhensible s'accroît. Tout sidère de plus en plus. Rien ne s'exprime vraiment à l'aide du langage. Plus on vieillit, rien ne s'éclaire. Chaque plante, chaque animal, chaque odeur, chaque lueur, chaque mot, chaque prénom, chaque printemps devient plus déroutant.

CHAPITRE XXII

Au sortir de la ville de Sens, ancienne capitale du royaume de France, il y a un hangar.

Sur des tréteaux, on pouvait voir le samedi 21 décembre 1996 des coupe-papier alignés les uns auprès des autres sur des feuilles de papier journal que le vent soulevait.

Je m'approchai. Ils étaient une soixantaine. Leur éclat retenait les yeux comme des objets fascinants.

Ils étaient faits de toutes les matières, de la corne à l'ivoire, de l'or à l'acier, à l'ambre de la Baltique.

Je me demandais tout à coup si c'était vraiment l'usage d'une langue qui n'a jamais qu'onze siècles qui m'avait conduit à voyager pendant des dizaines et des dizaines d'années dans ces mondes étrangers ou non contemporains qui ont leur séjour dans les livres.

Si ce n'était pas plutôt la maîtrise d'un couteau qui m'avait poussé à me domicilier, un jour, dans l'autre monde au point de n'en plus revenir.

*

Jadis lire, avant de s'introduire dans le monde immatériel où erre la lecture, consistait à couper avec la lame d'un coupe-papier ou d'un canif des pages jusque-là vierges du regard. Dans le même temps, alors qu'on accomplissait ce petit geste, on coupait le monde en deux. Imaginaire et réel se scindaient tout à coup. Intime et social se séparaient sous la lame brillante. Tout le regard se portait intensément sur le bourrelet de la feuille de papier pliée en deux ou en quatre à l'intérieur de laquelle on glissait la lame claire pour enfin la tirer vivement hors de la masse close du volume. Ce geste laissait sur son passage une fine bouclette odorante et blanchâtre qui, un peu plus tard, s'accrochait à la flanelle de la culotte courte ou à la laine de la manche.

Grâce à la lame brillante du coupe-papier la page quittait l'ombre du cahier et s'ouvrait. La page interne connaissait pour la première fois la lumière. Les surfaces imprimées abritées dans le cahier échappaient à l'obscurité qu'elles avaient connue aussi longtemps qu'elles avaient été repliées sur elles-mêmes. Ce qui était replié se dépliait alors que pour nous, tout au contraire, quelque chose d'enfin clos en nous, au plus profond de nous, se contractait, devenait soi et faisait poche.

Quelque chose d'ouvert à tous les vents cessait en nous. Le forum intérieur — qui s'entend encore un peu dans le for intérieur — se soustrayait au forum.

*

La page est un territoire sacré qui troue à jamais l'air qui permet de la lire et qui éteint, en un seul coup, à jamais, la couleur assidue qui est celle de la chambre de tous les jours.

C'est un temps qui ne peut être compté, dont l'écoulement à sa propre saisie s'ignore, et qui vient se retrancher tout à la fois du millénaire, du siècle, de l'âge, de la date, de l'heure.

C'est l'autre monde qui s'oppose à tous les lieux où se ramifie la famille et où s'emboîtent la petite ville, la nation puis l'ensemble des contemporains.

C'est l'activité qui annihile ce qui est et qui lève un autre continent, immense, libre, antique ou irréel, qui n'en finit plus et qui ne finit plus, sur à peu près dix centimètres carrés qui subitement n'appartiennent plus tout à fait à la réalité de l'espace, ni au flot de lumière que la lampe déverse et qui baigne les mains.

*

Lire désidère l'âme. Décollectivise la langue nationale déposée à l'intérieur de soi ainsi que l'effet d'écho qui s'y murmure et qui y surveille sous forme de conscience. Lire espace la pensée.

*

Une nuit où je me retrouvais à l'hôpital en train de mourir la tête dans un oreiller rempli de sang, je redressai mon visage et mes épaules. J'adossai mon torse nu à l'oreiller. Plus tard je demandai à lire à M. et je me mis à lire. La lecture est l'oubli de soi. Lire en rejetant son sang est malcommode mais lire en mourant est possible.

Les lettrés de la Rome ancienne se faisaient un honneur de cette ultime scène en se suicidant. Lire est se brancher sur un autre monde, concentrant le cerveau, dans un monde bon pour soi, qui diverge, qu'on ignore, autre. C'était mon recoin. *In angulo.*

In angulo cum libro.

Monsieur de Ponchâteau logeait aux granges de Port-Royal dans la petite chambre située au premier étage, à la gauche de l'escalier. On peut y monter. On peut encore la voir.

Il avait toujours à la main un livre parce qu'il avait toujours aux lèvres ce mot de l'*Imitation* : *In omnibus requiem quaesivi et nusquam inveni nisi in angulo cum libro.* (J'ai cherché le repos dans tout l'univers et je ne l'ai trouvé nulle part que dans un coin avec un livre.)

*

Vivre dans l'angle mort du social et du temps. Dans l'angle du monde.

*

Toute lecture sort d'Égypte.

*

J'ai souvent éprouvé une sensation extraordinaire de porte qui s'ouvre, de seuil franchi soudain, de promontoire soudain vertigineux dans ma vie, d'expérience plus rude, plus crue, plus lucide, plus profonde, plus vive et qui se doublait d'accession au langage. La sensation que tombe comme une mue une époque de confusion obscure, de non-vie, d'imbécillité et de tristesse. Les pages sont les vantaux d'une fenêtre brusquement ouverte. La sortie d'une grotte à la suite d'une réclusion. Ou la sortie d'une immersion comme autour de la date incertaine, dans l'enfance, de six ou sept ans, par quoi tout se transforme. Toute la vie est métamorphosée soudain en se disant autrement. L'effet d'écho s'installe dans le crâne, prend place en lui. La conscience elle-même, si intéressée et si douteuse qu'elle soit dans l'autonomie qu'elle se suppose, l'impression d'être conscient ou plutôt d'être double, de résonner, est une intense jouissance. C'est le sentiment d'une seconde naissance, d'une renaissance. C'est une joie d'initié. C'est une joie de héros de conte.

*

Ceux qui aiment ardemment les livres constituent, sans qu'ils le sachent, la seule société secrète exceptionnellement individualisée. La curiosité de tout et une dissociation sans âge les rassemblent sans qu'ils se rencontrent jamais.

Leurs choix ne correspondent pas à ceux des éditeurs, c'est-à-dire du marché. Ni à ceux des professeurs, c'est-à-dire du code. Ni à ceux des historiens, c'est-à-dire du pouvoir.

Ils ne respectent pas le goût des autres. Ils vont se loger plutôt dans les interstices et les replis, la solitude, les oublis, les confins du temps, les mœurs passionnées, les zones d'ombre, les bois des cerfs, les coupe-papier en ivoire.

Ils forment à eux seuls une bibliothèque de vies brèves mais nombreuses. Ils s'entre-lisent dans le silence, à la lueur des chandelles, dans le recoin de leur bibliothèque tandis que la classe des guerriers s'entre-tue avec fracas sur les champs de bataille et que celle des marchands s'entre-dévore en criaillant dans la lumière tombant à plomb sur les places des bourgs ou sur la surface des écrans gris, rectangulaires et fascinants qui se sont substitués à ces places.

*

Le secret et le livre s'opposent au langage oral de la même façon que le solitaire vit à la périphérie des meutes qui entourent les laies.

*

Corollaire. Le secret, le silence, la *littera*, la h
du mythe, l'asocialité, la perte d'identité, la
l'amour sont liés.

*

La littérature est cet engagement de plus en plus profond, depuis sa source jusqu'à sa fin, dans le silence. L'invention de l'écriture est la *mise au silence du langage.* C'est une seule et même aventure dont on ignore l'issue. Ce que le langage oral ne peut dire, tel est le sujet de la littérature. Et quel est le silence ? Le langage en écho, l'ombre de la langue naturelle.

*

Corollaire. Il n'y aura jamais de littérature orale, de roman collectif, de mythe individuel, d'histoire asymbolique.

Ces notions sont contradictoires.

Définition. L'histoire est la chronique symbolique établie par les États de ce qui accule l'espèce parlante au suicide.

*

L'état mourant dans lequel on se trouve quand on ne peut plus vivre sans untel ou unetelle définit l'amour.

Il s'agit bien d'untel, d'unetelle, d'un individu,

d'un atomos, d'un insécable et non du groupe ni d'un fragment du groupe.

Cette fascination ne peut être préparée ni travaillée ni cultivée ni dissoute.

*

Corollaire. L'amour et le mariage s'opposent de la même façon que l'amour et la conception s'opposent. Leurs intérêts sont aussi divergents que peuvent l'être d'une part la curiosité de l'autre, d'autre part la reproduction du même.

*

Je marchais en songeant. J'étais en train de suivre les peupliers qui longent l'orée de la forêt. J'entends un grand bruit de souffle dans le champ tout proche. Je vois le cheval que j'ai dû éveiller qui se dresse au-dessus de moi sur ses jambes arrière qui tremblent.

Je me recule.

Bête immense au-dessus de moi qui titube.

Qui me regarde avec ses yeux sérieux et placides. Si haute, si solennelle. La bête brune hésite encore un instant. Sa robe frémit. Soudain, au galop, la bête disparaît en un éclair dans le champ.

*

Quand on ouvrait un livre, soudain, sans la matière de la voix, par la seule taciturnité de l'écrit, un monde intense se dressait, d'un bond, à partir de lui, à partir du silence, à côté de son silence, dans l'âme.

Par-delà la mort, il y avait quelque chose de semblable, où l'anxiété de la mort peut-être intervenait. Je veux dire par là que la mort définissait peut-être ce caractère sans obstacle, ce caractère transitif de l'amour qui trouve son plus étrange visage dans la lecture. Suivant lequel les âmes se fondent, les corps se confondent, comme l'ours déchirant le ventre du phoque et portant ses chairs ruisselantes et fumantes dans sa bouche, les avalant aussitôt, les chairs se fondant à lui. L'ours devenait le fantôme du phoque.

*

Aimer : lire à livre ouvert.

*

Le don d'un être à un autre, à la limite de l'oubli de soi, réciproque, est un passage comme la chaleur et le soleil et la lumière.

Le transitif existe ; le monde les réabsorbe ; la vie fuse ; la perte aussi est partagée.

La sensation mystique est celle du toucher. Saint Thomas plonge sa main dans le flanc de Jésus comme le chaman paléolithique fait entrer la main dans la paroi-force.

Nous pouvons être intoxiqués par le langage. Mais nous pouvons être intoxiqués par l'Autre.

CHAPITRE XXIII

Seducere

Je ne connais rien de plus méprisable qu'un homme qui n'a pas pu s'extraire du lieu de sa naissance et se déprendre des liens qui lui furent imposés dans la terreur obéissante, familiale, sociale, impersonnelle et muette des premières années.

À la fascination succède la désidération.

Un aristocrate qui ne change pas de nom et n'échange pas sa hutte, un cordon-bleu qui ne s'éprend pas des piments crus sont des misérables.

Premier argument. L'éros est asocial dans sa source même.

La masturbation enfantine, puis adolescente, puis adulte est une désolidarisation active de l'entourage.

C'est une désolidarisation énergique.

Comme pour l'amour, la société et ses principaux représentants (les prêtres puis les médecins) ont désiré faire croire à d'incroyables dangers et ont même inventé une folie où entraîneraient les joies des solitaires.

*

D'où vient le mot de sanglier ? De *singularis. Singularis porcus.* Le porc qui préfère être seul.

Qui ne veut pas être rose.

Le porc qui déteste le *happy end.*

Qui préfère au *happy end* le fond de la forêt. Qui entend rester seul au fond du fond du monde. Le solitaire loin des marcassins, des périphériques, des laies.

*

Argument II. La pensée implique le secret.

Le secret, l'écart, l'à part soi est la condition pour pouvoir penser.

*

Seducere est un ancien verbe romain qui veut dire conduire à l'écart. Tirer à soi hors du monde. C'est être *dux* à part. Royaume d'ailleurs.

Séduire est le contraire d'épouser.

En romain se marier se dit *ducere,* emmener. *Ducere uxorem domum,* emmener l'épouse dans sa maison, chez soi.

Se-ducere au contraire, c'est séparer une femme de la *domus,* c'est l'emmener à l'écart, dans le séparé, dans le secret, dans le *secretus,* tout d'abord dans le « hors de chez soi », ensuite dans le « à l'écart des autres hommes ».

*

Si l'expression « je t'aime » est prononcée, elle déclenche un bouleversement dans la relation qui la transporte là où le mot veut dire.

C'est le mot qui ouvre l'âme dans le corps. Ce n'est pas le corps.

C'est la *littera* qui déchaîne.

Dé-chaîner. Déchaîner du lien social précédent. Délivrer de l'influence précédente. Désatelliser l'enfance de l'astre familial.

*

Argument III. Un homme ne traverse pas la manifestation du langage pour l'abandonner ensuite comme un véhicule. Je ne pose pas le langage sur la chaise tandis que j'y pose mon livre. Ce n'est pas un vêtement. Le langage est la *personna* des hommes mais aussi la médiation de la société. D'un bout à l'autre de la polarisation qui oppose l'individu et le groupe il est le monde de leur expérience humaine.

Mais le langage n'est pas, dans le corps, la chair.

Il est difficile de vivre sans le langage. J'ai connu cette épreuve jadis, refusant de consentir à la toile d'araignée de la parenté et me méprenant sur ses rites.

Cela a quelque chose d'impossible aux hommes.

Mais il faut souligner ce point rarement observé : *il n'est pas aisé de vivre dans le langage.* Beaucoup s'y noient. La société ne considère pas une seconde ces noyés comme des hommes malades d'abstraction mortelle à l'instar — à l'autre pôle — des mystiques. Même, elle leur réserve l'accueil et les louanges que vaut l'obéissance intégrale.

Le langage tout seul est extrêmement fascinant et ses lois envahissantes et d'autant plus impérieuses qu'elles forment la société de la société (le noyau de l'*imperium*).

*

Jadis l'amour était la poche asociale, le sas asocial des sociétés humaines. C'était le dernier rite anachorétique (de passage, d'isolement) avant la vie sociale sans fin (sinon les anachorèses de la chasse, qui n'étaient que des anachorèses relatives, étant masculines).

Mais la copulation en se répétant se socialise.

Le danger de la copulation est qu'elle accouple.

La copulation n'est pas sociale comme telle : c'est la naissance qui est sociale. Or, si la naissance est la socialisation, le coït et la grossesse n'étant pas étanches, même si cette inhérence entre la naissance et la conception sexuelle n'est pas primitive (cette déduction suppose des sociétés d'éleveurs), le troupeau pointe dans l'étreinte.

*

Il faut accepter d'être le fils de ses rêves si l'on veut être conduit à en habiter les demeures. Ceux dont la volonté régit la conduite, ceux qui se présentent comme les pères des jours qu'ils mènent, ceux qui se targuent d'avoir la maîtrise de leurs décisions ignorent l'impression qui leur vient du monde qui les précède et qui les a soumis à ses emprises et à ses modes. Refusant d'être les serfs d'impulsions ridicules, ils se retranchent peu à peu de tout contact à la vie qui les entoure et qui se poursuit de moins en moins en eux et, pour finir, ne savent plus quel est le chemin et cessent d'être vivants et se laissent glisser dans la mort alors que le souffle pourtant les anime toujours et que le sang les irrigue encore.

Ce sont les fantômes.

*

Corollaire I.

Les fantômes sont encore plus fascinables que les vivants.

Corollaire II.

Les sérieux sont les sidérés. Cela se voit dans le fond de l'œil. Ils ne désirent plus. Ils ne désidèrent plus.

*

Argument IV. Le destin est le récit de vie auquel on n'échappe pas.

Exemple : la langue maternelle (la langue nationale d'emprise est un destin).

*

Corollaire. Comme notre nom notre destin (ce récit qui nous a langé l'âme au point d'en entraver certaines aptitudes) est une histoire que nos partenaires colossaux (ceux qui nous ont conçus en s'étreignant au cours d'une scène où nous n'étions pas encore même si nous croyons toujours plus ou moins les avoir surpris) nous ont prêtée.

Un jour il nous faut choisir un nom et écrire une historiette qui se sépare de l'histoire qui fut reçue et qui n'était là qu'en attente que la pensée et le langage nous vinssent.

C'est ce que nous appelons alors notre vie.

*

La vie de chacun d'entre nous n'est pas une tentative d'aimer. Elle est l'unique essai.

*

Quel est le lien entre des êtres qui parlent ? Rien que du rien, du sens, de l'espérance sémantique, de la mélancolie.

Quel est le lien entre des êtres vivants sexués, naissants et mourants, qui se renouvellent tous par la mort personnelle et au travers d'une scène qui ne leur est pas visible ? Ni la parole seule, qui en ferait des fantômes, ni la mort seule, qui en ferait des cadavres, ni la jouissance masculine de la monte, qui en ferait des animaux.

Reste l'amour. Voilà ce qu'est l'amour : ce reste

indicible et immontrable. De là les deux tabous du langage et de la lumière.

Indicible : le langage est interdit.

Immontrable : le visible est taboué.

*

Argument V.

Individu n'est pas un état. Ni une souche. Il n'y a pas d'identité atomique au fond de nous. Il n'y a aucune psychologie à supposer sur cette terre. Devenir individuel, c'est désirer, devenir conflictuel, devenir divisible infiniment, sans répit. Devenir de plus en plus déchiré.

L'individuel, c'est la fascination déchirée.

Non pas apaisée : déchirée.

*

Il y a deux mondes : le social et l'asocial (le culturel et le naturel, l'humanité et l'animalité).

En Chine l'empereur était le Tout fait homme. De là l'amour qui choqua par excellence la Chine ancienne : l'amour qu'éprouva l'empereur Xuanzong des Tang pour Yang Taizhen.

Pourquoi cet amour fut-il une pierre de scandale ?

Si l'empereur préfère une prostituée à l'empire, toute la société verse à l'asocialité.

Mais plus encore : l'histoire rapporte que Yang Taizhen fait abandonner à Xuangzong non seulement le souci de l'empire mais même le goût pour les livres, ainsi que le plaisir de se retrouver dans la compagnie des lettrés.

Confucius (tout mandarin) est la société faite homme. Comme Platon (tout philosophe) est la *paideia* et les *Lois* et la *République* faites homme.

*

Se-ducere, c'est conduire à l'écart. D'un monde à l'autre. Du porte-parole à l'Autre. Le sujet, c'est l'ailleurs, le point incognito inaccessible à l'autre.

Le sujet, c'est l'oublieux de lui-même. C'est l'invisible, l'inouï.

Le sujet n'est rien du tout.

C'est l'imprononçable parce que c'est celui qui prononce.

C'est l'immatériel, l'intervalle entre le fasciné et le désidéré.

Un homme qui désire est plus immatériel qu'un homme qui ne désire pas.

*

Que l'homme moderne ne se méprenne pas : le temps présent appelle « moi » une illusion totalement asservie et dont les ressources n'ont jamais été à ce point normalisées et collectives.

Ce siècle a inventé les guerres « mondiales », la « mondialisation » du marché, le droit international, les satellites, la statistique, le sondage, l'audimat.

Jamais la modélisation collective n'a battu plus violemment la rive de ce monde.

La domestication sensorielle, corporelle, comestible, auditive, visuelle, industrielle, s'étend et devient pour la deuxième fois dans l'histoire humaine planétaire.

Une — comme à son aube.

Mais, pas encore unifiée, la banquise hétérogène, internationale, se disloque. Glace pourrie, lambeaux qui s'entrechoquent, glaces en chandelle, eau visqueuse, à la limite entre le gel et la fluidité : nous entrons dans la zone incertaine.

Avant que la glaciation reprenne soudain.

*

Argument VI.
Tout fasciné : animalité.
Tout désidéré : humanité.
Ni l'un ni l'autre.
Mi-homme mi-animal.
Dès l'aube (c'est le chaman).

*

Ceux qui ont vécu des guerres décrivent tous cet instant, à la veille de leur terme, qu'il s'agisse de défaites ou de victoires, où tout flotte, où le chaos des intérêts tourne au désintérêt, où les pouvoirs connaissent leur point limite d'anarchie, d'amorphie, où la violence se désaxe elle-même. L'instant où tout se désintègre et qui est comme une espèce d'extase sociale, ou plutôt asociale, et qui est comme le noyau atomique des sociétés humaines. Un œil du cyclone de la reproduction des hommes, une paix étrange règne. Une dépression absolue au fond de l'abîme du désordre.

C'est l'extrême désidération.

*

Un homme qui ne compose pas ne peut s'attendre qu'à des injures. Mais l'autre choix est simple : la rééducation politique. L'âme qu'il faut, dans le corps qu'il faut, dans la langue qu'il faut.

*

J'aimais mieux une vie inconfortable, indépendante, compliquée, discrète. Je me dérobais aux distinctions, aux invitations gratuites au concert, au théâtre, à l'opéra, au cinéma, aux fonctions, aux honneurs pour éviter les charges qu'ils entraînent et qui dévorent les heures, aux obligations où ils ficellent les fins de semaine et les soirées dans le grand *do ut des* social (le grand donnant donnant religieux). La plus petite décoration introduit dans une hiérarchie et soumet les mœurs à une surveillance sociale, ne serait-elle qu'intérieure. La notoriété, quand on en use, tend toute la vie au miroir, dans une effrayante capture de soi. Peu à peu, l'invention est confisquée dans une image qu'il faut soutenir. Il est normal que parler en public me dessèche la gorge au point de ne pouvoir émettre que très peu de son : le public est la fiction par laquelle la société se norme et s'emprisonne dans un modèle d'elle-même qui peu à peu la surplombe.

Il n'y a de vie vivante que privée, de nudité que dans l'absence d'image, de désir que consenti à chaque instant, renouvelé dans l'aube ou au crépuscule, et exempté du regard de tous, et du sien propre, et même du souvenir du sien. Plus encore : il n'est pas de vie privée qui ne se retranche plus ou moins de toutes les langues nationales, les langues orales, les langues interhumaines.

Il n'est d'autre puissance, d'autre noblesse, d'autre luxe que l'imprévisibilité que l'on s'est acquise, parce qu'elle désordonne la sujétion éventuelle qui ne cesse de laisser flotter ses branches, ses lianes, ses spores.

Fierté vient de fauve, car c'est le bondissement de l'affirmation de soi qui ne se soumet pas à la prédiction ni à la pesanteur ni au lieu. Les félins exaspèrent. On ne sait où ils sont. À l'instant le petit chat noir à la tache blanche au milieu du front qui a colonisé le jardin et la maison sur l'eau, lui qui est le maître de l'Yonne, se prélassait sur le tabouret recouvert de velours violet devant le piano, et je le vois maintenant suivre la bordure de la fenêtre, suivre la gouttière, disparaître du toit. Je le crois parti vadrouiller sur les ardoises de schiste mais je sens quelque chose de chaud. Je me penche : il pousse du front mon mollet. Comment le fait-il ? En silence.

*

L'amour est plus qu'un échange, plus qu'une interaction affective, plus qu'une influence réciproque, plus qu'un lien psychologique, plus qu'un nœud sociologique. Il prend sa source dans un court-circuit avant tout langage : la fascination, scel auquel il s'arrache. L'amour est un voyage qui sépare de la parentèle et qui se réunifie dans l'autre sous un autre mode que celui de l'engloutissement soit dévorateur soit fascinant.

*

Toujours une Égypte nous précède.

« Esclaves nous avons été » se dit en hébreu : *Avadim Aïnou. Avadim Aïnou,* ce sont les mots qui déclenchent la pâque. Ce sont les mots dits à l'enfant qui questionne sur la nuit.

*

Avadim Aïnou.

Les Aïnos disaient : « Le silence absolu qu'on observe pour pêcher est un chant. C'est le chant des poissons. C'est ainsi que les chasseurs les font venir jusqu'à leur embarcation et qu'ils les prennent dans leur filet, parce qu'ils leur chantent leur chant de silence. »

*

La revigoration propre à l'amour tient plus à l'angoisse émerveillée (fascinante et désidérante, parlante et déparlante) où il introduit qu'aux courts plaisirs qui se renouvellent dans le corps. C'est ainsi que l'amour est une illusion qui enchante les femmes et les hommes moins par convoitise de plaisirs que par élation, étonnement, décollage, vol.

J'ai évoqué l'instant vide, l'intervalle mort dans les guerres, avant leur terme, où tout se met à flotter, où la violence elle-même se dépolarise.

Point maximum de la tuméfaction, vide de la détumescence entrent en contact, s'échangent.

Le petit suspens de *décélération*, qui avertit dans les ascenseurs de la proximité de l'étage, fait bouger le cœur.

Le cœur bouge *tout d'abord sans raison* dans la poitrine *avant* le simple arrêt de la cage d'ascenseur.

Puis l'ouverture non pas prématurée, non pas néoténique, mais toujours *un peu en retard*, angoissante et silencieuse de la porte sur la lumière de l'étage.

CHAPITRE XXIV

Le jugement de Hanburi

L'amour est absence de choix. C'est la fascination du coup de foudre dont la mesure temporelle est la durée de l'éclair.

Le choix entre les hommes et les femmes ne concerne que le mariage. La société humaine n'y est pas seulement partie prenante : elle y prend naissance. Il s'agit de fonction. Dans les états les plus anciens du mythe l'équivalent de ce que nous appelons le jugement de Pâris évoquait les trois lunes (le premier croissant, la pleine lune, le dernier croissant).

Puis un homme a à choisir entre trois femmes (la nubile, la féconde, la vieille).

Enfin une femme a à choisir entre trois hommes (le mari, le fils, le frère).

*

Hanburi n'a la possibilité de sauver la vie que de l'un des trois hommes qui ont été alignés devant elle. Elle tremble. Elle lève ses paupières.

Elle pose son regard d'abord sur son mari. Puis elle contemple son fils. Enfin elle jette un regard à son frère.

Néanmoins elle choisit de sauver son frère.

Elle argumente de la sorte. Se tournant vers son mari elle prend sa main et la laisse retomber. Elle dit :

« Je peux m'unir à un autre homme. »

Se tournant vers son enfant elle caresse sa joue et elle dit :

« Je peux porter un autre enfant. »

Se tournant vers son frère elle dit :

« Je ne peux pas ressusciter nos parents morts pour les faire concevoir un nouveau frère. »

Tel est le jugement que rendit Hanburi sur l'homme préférable.

(La devinette comporte autant de réponses que l'on veut.

Une réponse indienne est très belle. La femme dit : « Il n'y a qu'avec mon frère que je peux parler du temps ancien de mon enfance. Un mari ignorera toujours la petite fille que je fus. L'enfant que j'ai porté dans mon ventre consacre tous ses rêves à un temps que je ne verrai pas. »)

*

Quelle femme doit choisir l'homme ?

Héra est le foyer, la femme la plus proche, la mère, la grand-mère. Athéna est la guerre, la femme la plus lointaine, exogamique, la jeune fille raptée de force. Aphrodite est la femme belle, mûre, féconde, pleine, reproductrice, celle que les préhistoriens appellent de façon abusive la Vénus ou les Américains de façon dérisoire l'Étoile, le Sidus, la Star.

Il est difficile de songer sémantiquement à dé-starisation pour dire dé-sidération.

Les mythes les plus beaux sont sinistres à force de privilégier la main droite et l'avenir.

Les groupes parlent au travers du langage qu'ils inventent en se dissociant des autres groupes. Les langues ne sont jamais des créations individuelles. Leur usage n'est jamais d'entrée de jeu individuel. Leur narration, qui définit les mythes, n'a jamais un individu pour sujet mais le groupe qui assaille les accouchés et s'enseigne dans la voix de chaque mère qui suppose dans chaque nouveau-né un locuteur du groupe qui a les traits répétitifs de son père réel et sur qui pèse l'ascendant absolu du père de celle qui le met au monde.

Il faut comprendre le rôle sociologique prescripteur des mythes.

Le narrateur des mythes n'est jamais un homme.

Il est toujours le groupe.

Il est toujours le groupe qui a survécu à la chasse qui agroupe les groupes, à la chasse entre groupes (à la guerre).

L'amour est l'ennemi même de la guerre.

Pour la société, l'asocialité (l'anachorèse) ou la société à deux contre tous (le couple non marié, non reproducteur, non décelable) sont les deux ennemis.

L'amour est la relation interhumaine où la société n'est pas la médiatrice. L'amour est la pensée intérieure où le qu'en-dira-t-on collectif, la *doxa*, ne figure pas en tiers. C'est ainsi que l'amour est une scène négative aux yeux de tous les mythes.

L'amour est le lien antisocial.

Il n'y a pas d'amour heureux est la morale de la morale.

*

Il va de soi que ce n'est pas la vérité : la morale de la morale *n'est jamais la vérité.* Ou plus précisément la morale sociale est le contraire de la vérité individuelle. La morale sociale est première. Elle édicte pour chaque élément qui la renouvelle et la prolonge l'unique commandement suivant : il n'y aura pas de lien interhumain dont la société ne sera la médiatrice ou l'organisatrice.

La société qui invente et découvre son voyage propre (mythique, puis héroïque, puis historique, puis national, etc.) invente l'amour comme une épreuve qu'il faut traverser victorieusement. (C'est-à-dire en l'agenouillant, en le rendant soit mortel, soit impossible, soit malheureux.) Comme une voracité momentanée qu'il faut abattre pour que le groupe s'installe, perdure, fonctionne, survive non seulement en se reproduisant mais en perpétuant les liens généalogiques et hiérarchiques que ne régit pas la reproduction biologique. La fin tragique des amants a été pendant des millénaires l'unique *happy end* pour le groupe qui lui préfère le mariage de l'époux et de l'épouse et des apparentés et conjoints en bonne et due forme, c'est-à-dire en stratification collective.

*

La question que pose l'amour humain — au contraire de l'opportunisme de la violence sexuelle — ne tient pas au choix préférentiel, à la possessivité, à la durée du lien, à l'exclusivité de ce choix devant toute autre occasion (attachement monogame et fidélité).

Définir ainsi l'amour est préhumain. Cette conjonction se retrouve chez les primates, chez les oiseaux et elle est liée à la fidélisation et au nourrissage.

La question doit porter sur le choix préférentiel (mais préférentiel à l'égard du social, à l'égard de tous les autres liens sociaux qui peuvent se présenter).

L'amour, qui naît dans la fascination meurtrière involontaire, meurtrière dans la faim, meurtrière de l'un de ses deux membres, meurtrière de la société du moins dans ses règles d'échange entre les clans et dans l'étagement temporel de la généalogie, désunanimise l'unité commune à chaque famille, décollectivise le groupe. Ce qu'il y a de touchant dans le mythe qui concerne Pâris (qui est le héros grec de ce qu'il en est des choix préférentiels dans l'amour : son jugement est invoqué par les hommes après avoir été mendié par les déesses), c'est que c'est un enfant rejeté, exposé, asocialisé, voué à la mort par la société dont son père est le roi. C'est l'asocialisé qui choisit le lien asocial (à ceci près que la guerre, au contraire de ce que voulaient croire les anciens Grecs, est la plus sociale des activités humaines).

La chasse au congénère jusqu'à la mort est le propre des sociétés humaines.

Les sociétés humaines sont les seules sociétés animales où la mort du congénère ne soit pas inhibée.

La cruauté humaine, opposée à la férocité animale, est une conséquence de la désidération.

*

Argument I. L'amour est monogame parce que sa naissance est monomorphe. Une est l'empreinte. Une sa pesée sidérante. Un est le passé.

Argument II. L'amour est une passion monogame car il n'y a qu'une différence sexuelle.

Argument III. Sa naissance est la naissance. Or cette hypnose vocale et sexuée est sans fin. Un amour n'est pas détruit par sa fin. L'amour est infini. Puisqu'il est naissance à jamais, jusqu'à l'oubli du visage de la première figure, lors de la rencontre invisible, et de son nom propre, faute de la langue qui est acquise avec retard et de la mémoire qui grimpe sur le langage-acquis-avec-retard comme un lierre sur une muraille.

L'amour dans ce cas est une monogamie qui s'ignore. Le visage recherché n'est qu'une nuit.

Curieuse monomorphie qui est la nuit continue qui précède le corps, l'image absente.

L'amour continue la nuit continue en édictant le tabou du visible.

*

Au IIe siècle avant notre ère vécut Zhuo Wenjun. Elle vivait à la campagne et perdit son époux à l'âge de dix-sept ans. Elle revint à la ville et retourna vivre dans la maison de son père, qui était un riche marchand. Il se trouva que ce dernier reçut un matin Sima Xiangru, âgé de vingt ans, pauvre, lettré, cithariste, cherchant du travail. Zhuo Wenjun passe la tête par la porte. Elle la retire aussitôt car il y a quelqu'un.

Avant même qu'elle sache quel est le nom, l'âge, l'état du jeune homme, dès le premier regard, elle est tombée éperdument amoureuse de Sima Xiangru.

Ils trouvent le moyen de communiquer entre eux dans la journée. Elle ne peut résister au désir dans le souvenir où elle est de son ancien époux, elle prend dans sa main le sexe de Sima Xiangru, elle dénoue sa propre ceinture, elle écarte ses cuisses, elle s'assied sur lui. Ils sont attachés, l'un à l'autre, jour après jour, avec plus de violence.

Zhuo Wenjun demande à Sima Xiangru qu'il l'enlève toutes affaires cessantes. Il l'enlève.

La jeune veuve brave la honte (par rapport à son mari défunt) et la pauvreté (par rapport à la richesse de son père). Elle devient une pauvre marchande d'alcool.

Sima Xuangru ne cesse en rien d'être ce qu'il est. Il lit. Il chante.

Finalement le père de Zhuo Wenjun, vieillissant, est touché par la persistance de l'amour que sa fille porte au cithariste. Il les marie. Il accorde au nouveau ménage son pardon. Il lui donne sa fortune. La cité pend le père.

*

L'amour, en quelque culture que ce soit, à quelque époque que ce soit, consiste dans la formation d'un attrait irrésistible qui perturbe l'échange social programmé.

En Chine ancienne l'obéissance à un sentiment passionné et l'écoute d'une musique merveilleuse sont toujours associées.

Ce que les anciens Romains décrivirent comme *fascinatio* ou *fulguratio,* les anciens Chinois le désignèrent comme obéissance au chant de perdition. C'est un même transport irrésistible. C'est une même emprise sans délai du Jadis pur.

Il n'y a pas de différence entre musique et amour : l'écoute d'une émotion authentique égare absolument.

*

Argument IV. La sexualité ne parle jamais. La différenciation sexuelle est plus antique que tout langage. C'est le langage (la société) qui parle pour elle, qui invente des ordres imaginaires pour ce qui se tait, qui prône des choix préférentiels ou durables sur un phénomène de jouissance zoologique dont l'imagination et la figuration choquent la culture, culture elle-même résultée de l'introduction du langage dans le groupe.

Ce n'est jamais l'anachorète ni le banni ni l'enfant exposé ni les amants qui parlent du lien asocial mais la société qui se félicite elle-même d'être, qui s'aime sans arrêt puisqu'elle tend à se reproduire sans interruption.

C'est ainsi que le discours qui règne sur l'amour ne monte jamais de lui mais provient de la société-langage, autrement dit de ce qu'on nomme le mythe.

Si le mythe définit la narration dont le narrateur est la société, ce narrateur est une règle de trois intériorisée, un qu'en-dira-t-on interne, un forum intérieur pour les sociétés à cité et à agora, un audimat pour les sociétés narcissisantes et audio-visuelles, etc. C'est le mythe (c'est-à-dire la religion, c'est-à-dire la société-langage) qui imprime dans le corps de chacun avec leur nom à leur naissance les rapports de parenté, les axes du temps (qui sont avant tout ascendance et descendance), d'espace et d'alliance, axes de domination entre les générations et les sexes, les axes d'héritage et d'appropriation des biens, des fonctions, des statuts, des relations.

Toutes les relations, même les relations non sexuelles, sont de la sorte passées par le crible initial sexuel qui reproduit la société sans qu'aucun des membres en ait jamais la représentation véritable ou irréfutable.

Là où la vie par la porte à deux battants (hétérosexualité de l'étreinte reproductrice et mort individuelle) entendait rajeunir, rénover, différencier les espèces, la société veut reproduire, répéter, homogénéiser, identifier, patriotiser, invétérer.

*

Argument V. Tout est sexuel. Tout est politique. Tout est langage. Tout est parenté. Ces quatre phrases veulent dire exactement la même chose. Ces quatre formules véritables font toutes les quatre allusion à l'empreinte sexuelle-mortelle-néotène-élevée humaine.

*

La scène primitive, c'est déjà l'accès à l'autre monde, à la mort et à l'antiquité. L'audace de son imagination sidère puis désidère mais cette imagination réflexe pour celui qui en est le fruit reste l'astre qui le commande. L'invisible constellation sidérale (à deux astres ou à six astres) qui a satellisé à jamais notre vue.

Vue des plus nocturnes.

Scène primitive et germinative (des parents dans les enfants et des noms des grands-parents dans les corps des petits-enfants), scène ultime et inhumante, de là germinative, scène printanière et germinative sont les *sidera* indésidérables.

Ils sont le désir indésirable (ils forment l'interdit de l'inceste).

*

Argument VI. On peut définir l'humain : la sexualité subordonnée au groupe et au langage.

L'amour est sa révolte.

L'amour refuse superbement l'*écart* des sociétés humaines par rapport au spectacle que procure à l'homme la sexualité qui a cours dans les sociétés animales.

L'amour est ce que la société humaine sanctionne.

Au regard de toutes les autres sociétés de primates, la société humaine se définit comme la société animale qui a sacrifié quelque chose de sa sexualité au profit du social.

*

L'enfant est toujours plus ou moins un ancêtre par rapport à ceux qui l'ont fait, auquel le sexe de son père prépare la place dans le corps fascinant de sa mère, elle-même fascinée par son propre père.

CHAPITRE XXV

Il y a des esprits qui cherchent des miroirs. Je choisis par un fait exprès l'ancienne formule qu'utilisaient les sorciers. Il y a des hommes qui cherchent partout l'approbation. (Ou une non-réprobation.) Dieu est un regard. Le jugement dernier est un regard.

Je n'ai d'amis que celles ou ceux qui s'oublient en parlant. Ils pensent à nu.

C'est pourquoi la meilleure façon de penser est d'écrire.

*

C'est ainsi que soudain je suis en mesure de comprendre en quoi la télévision m'est si pénible quand il s'agit de m'y rendre à l'occasion de la sortie d'un livre.

Tous ceux qui y parlent, se sachant observés par l'œil en direct de la caméra, sont incapables d'ouvrir véritablement la bouche parce qu'ils sont sous le regard de l'autre.

Ils parlent comme des fascinés parlent. (Il va de soi que je m'inclus totalement comme un des leurs dans cette description.) Ils parlent comme l'autre le veut et l'attend. Ils montent au tableau. Les genoux se cognent. C'est la langue de bois, le propos surveillé, la norme collective qui interdit la voix intime sur leurs lèvres et la dessèche sur le bout de leur langue.

Il n'est jamais utile d'écouter des gens qui se savent être vus. Ils ne parlent pas. Ceux qui les voient parlent à l'intérieur d'eux et ils leur obéissent.

*

Je recopie ce théorème comme un mot de passe : *il n'est jamais utile d'écouter des gens qui se savent être vus.*

*

Il est difficile d'empêcher l'eau de se rejoindre.

*

En grec le fils est dit *homoousios* au père : ils sont tous deux l'incarnation d'une même substance qui les précède.

Le fils est homonyme au père. Par le patronyme dont il hérite sa légende est la même que celle de ses ascendants. Seul le numéro diffère pour les rois de France. Ou pour les grands artistes au Japon.

Le fils est une réminiscence du père. La fabrication d'images ressemblantes, c'est la copulation. Les enfants sont les images vivantes du père. Les « portraits crachés », homoousiaques, homomorphiques, homonymiques. Il n'y a qu'un patronyme pour tous les petits. L'amant qui deviendra père est un peintre dont l'unique couleur est le sperme blanchâtre qui transite de corps en corps chez tous les ascendants depuis l'aube du monde naturel et la première vague vitale de la Panthalassa.

*

Symbola. Les anciens Chinois, si on les compare aux anciens Grecs, redoublaient l'effet symbolique en parlant de « réunion de deux morceaux d'un miroir brisé ». Car le reflet intercède comme la filiation passe des traits du père à ceux du fils. (Non pas comme d'une image à une image, mais comme d'un visage à un reflet qui traverse le corps de la femme après l'étreinte et surgit par l'échancrure de son ventre.)

Cette symbolisation vient *en surplus* du réajointement de reconnaissance entre les fragments du morceau de bronze poli et brisé en deux.

*

Le vert intense des mousses gagne le visage de l'homme qui les traverse.

*

Qui cherchons-nous dans les paysages ?
Quelque chose qui nous dévore.

*

Qu'est-ce que la mer ? La montagne ? Qu'est-ce que le ciel ? Qu'est-ce que le soleil ? Pourquoi cherchons-nous autour de nous des choses aussi grandes, aussi peu proportionnées à notre forme et à notre mode de vie, aussi étranges en comparaison de notre morphologie ?

Sont-elles en nous des formes des ancêtres ? Mais tout est ancêtre aux vivants jusqu'aux forêts et aux torrents qui ruissellent.

*

Jusqu'aux nuages qui passent.
Jusqu'aux étoiles.

*

Pourquoi contemplons-nous les montagnes et le ciel comme des choses aussi singulières que des visages ? Est-ce qu'avant nous elles appartiennent à notre condition comme la mort ?

Comme elle, les paysages nous fascinent afin qu'ils nous incluent.

*

Quant à la fascination, l'oreille a la musique. L'œil a la peinture. La mort a le passé. L'amour a le corps nu de l'autre. La littérature la langue individuelle réduite au silence.

CHAPITRE XXVI

La synagogue de la Ghriba

Quand nous nous rendîmes à Carthage, tout d'abord je voulus voir Utique. Je voulus voir l'antique Thysdrus. Puis nous prîmes l'avion. Nous allâmes à Er Riadh.

Brusquement, le chauffeur de taxi se gara le long de la chaussée déserte. Il se retourna vers nous avec fierté. Il nous dit qu'il ne s'approcherait pas davantage du lieu que nous lui avions indiqué.

La synagogue de la Ghriba fut fondée plus de mille deux cents ans avant l'hégire. Elle passe pour la plus ancienne des synagogues qui sont restées debout dans ce monde.

Le chauffeur avait arrêté la voiture sur une place lointaine. Nous descendîmes. Nous étions dans la banlieue de Houmt-Souk. Nous marchâmes longtemps le long des avenues sous le soleil et M. déteste marcher. Mais M. accéléra le pas. Elle marchait devant moi. Nous trouvâmes le moyen de nous glisser entre les soldats qui gardaient l'entrée de la synagogue, faisant haie, sans un mot, opaque comme la chaleur, n'interdisant pas de passer mais ne daignant pas disloquer leur alignement.

CHAPITRE XXVII

Clelia

Les amants, pour constituer la communauté la plus intense qui puisse surgir dans ce monde, rejetant loin derrière elle la solidarité familiale ou sociale, remplacent la scène hallucinée dans les rêves, la nuit, par la figuration elle-même de l'étreinte dans la lumière, dans la nuit qui s'arrache au sommeil et à l'image, dans la nuit insomniaque. Cette femme est Aziza. Ils substituent aux liens familiaux et sociaux l'emboîtement des nudités tout d'abord invisibles aux autres, ensuite à l'écart de tous, dans la mise au secret de leur échange, enfin invisibles à eux-mêmes. Cette femme est Clelia.

Clelia écrit sur un morceau de papier à la Madone : « Mes yeux ne le reverront jamais. » Le prêtre lui permet de brûler le papier sur l'autel tandis qu'il dit lui-même la messe, au moment de l'offertoire, juste à l'instant où il consacre l'hostie (*Communicantes in primis...*) afin que la promesse soit communiquée à l'autre monde au travers de sa crémation.

*

Clelia doit épouser le marquis Crescenzi. Elle s'est enfermée dans le palais Contarini. Fabrice paie deux domestiques et s'annonce comme un marchand de Turin qui apporte des lettres de son père. Le domestique le conduit à l'appartement de Clelia. Il monte l'escalier. Il tremble. Le domestique ouvre la porte et s'efface : Clelia est assise devant une petite table éclairée par une seule bougie. En apercevant Fabrice, elle se lève brusquement, elle court, elle prend la fuite, elle va se cacher au fond du salon, elle se dissimule derrière un canapé.

Fabrice se précipite vers la table et a l'idée de souffler la bougie qui est posée sur elle.

Clelia se redresse, s'approche de Fabrice : à sa plus grande surprise elle se jette dans ses bras. Ils s'aiment dans l'obscurité durant cinq jours.

Mariée, devenue marquise Crescenzi, Clelia se donne toujours, uniquement de nuit, dans l'orangerie de son nouveau palais, toutes fenêtres bouchées, à Fabrice, dont elle a un petit garçon. Mais Fabrice en a assez des ombres : il veut voir son fils dans la lumière. Clelia cède. Le jour se lève enfin dans les toutes dernières pages du roman : l'enfant meurt, Clelia meurt, Fabrice meurt.

*

Le mythe de Clelia qu'a inventé Stendhal me fait songer à la tragédie que Sophocle écrivit au sujet d'Antigone.

La loi profonde à laquelle une société est assujettie ne rencontre jamais le langage dans le visage duquel elle s'échange.

Le *mot secret* de l'économie générale d'une société ne vient pas à la conscience de chacun de ses membres ; le mythe est cette dissimulation et la conscience individuelle empêche ce savoir direct.

Pas plus que la pulsation cardiaque ou le rythme respiratoire ne sont volontaires, la polarisation sociale, dont la source est zoologique, dont l'ancienneté est radicalement prélinguistique, n'est choisie ni n'accède à la parole. La polarisation post-sexuelle, généalogique, sociale, demeure aussi impensable qu'elle n'est pas volontaire. Toute société fonctionne par prétérition. Quand le groupe tombe nez à nez devant le problème que son point phobique lui pose, il l'appelle la loi non écrite (dans le grec de Sophocle le *nomos agraphos*). C'est l'écrit sans écriture qui incise la peau de l'âme du groupe (soit l'inceste avec la mère, soit la nécrophilie, soit la sorcellerie, soit la zoophilie, etc.). Plutarque explique (*Moralia*, 83, 101) que ce que prohibe la lettre non écrite au fond de l'âme non seulement est interdit de société (c'est-à-dire aussi interdit de langage) mais est interdit de soleil : c'est pourquoi, écrit-il de façon extraordinaire, « la *littera* alittéraire (la *graphè* agraphique) surgit la nuit dans les rêves mais ne peut même pas être imaginée de jour ».

L'inenvisageable ne doit pas recevoir d'images dans le visible qui la tenteraient comme autant d'appeaux.

Tel est le morceau de papier que brûle Clelia sur l'autel.

La *graphè* en grec est un mot qui signifie aussi bien la lettre écrite, la peinture, que le crime.

En latin : il faut un *fascinus* au *facinus.*

*

La sexualité sera toujours atopique, scandaleuse, alogique, anomique, non pas asémique mais anoétique. Antéhumaine.

C'est la trace avant tout signe et toute signification. C'est le passé indestructible. Le sexe masculin que chaque image du rêve érige est cette lettre invisible. La dismorphie invisible. La première métamorphose. L'étreinte des deux corps qui se montent et se couvrent est le *premier mot* du vivant. Ce mot est invisible à ceux qui en sont le fruit comme ses lettres à ceux qui rêvent. C'est la scène invisible où l'amour puise son désir d'invisibilité. C'est l'image qui manque à l'humanité à jamais.

*

Corollaire I. L'acte honteux n'est possible que la nuit et ne peut recevoir de nom sous peine de le faire surgir dans la cité ou sous l'œil unique du soleil. La bestialité, par exemple, est prohibée d'image, de langage, de lettre symbolique, de *nomos* et de soleil.

C'est ainsi que l'argument de Plutarque fait aussitôt songer à la zoophilie enfermée dans la nuit des grottes paléolithiques. Ce n'est pas encore l'iconoclasme à l'instar de celui que méditèrent les Celtes, les Gaulois, les Byzantins, les musulmans. Mais c'est enfermer les images dans la nuit. Ce n'est pas encore détruire l'icône : c'est déjà garer le graphe agraphique hors du jour, à l'écart de l'œil solaire.

*

Corollaire II. La Clelia qu'invente Stendhal ranime la loi non écrite, invisible, impensable, de Plutarque. En aimant la nuit Fabrice, l'étreinte est inexistante. Ni l'un ni l'autre ne rompent leur engagement : c'est la visibilité de l'enfant qui fait entrer le jour et les tue tous les trois (l'œil solaire). La fin si bouleversante de *La Chartreuse de Parme* est comme celle d'un conte de vampire. Le jour prend de court les monstres et les tue impitoyablement.

*

Corollaire III. L'aube la terrasse.

*

Pourquoi la marquise Clelia Crescenzi ne se donne-t-elle à Fabrice que dans le noir le plus absolu ?

Ce n'est pas qu'être vue en proie au désir l'emplisse de honte.

Se savoir visible ôte à l'abandon sa tempête informe.

Seule l'invisibilité permet d'être tout entier à la sensation intérieure et laisse l'âme être dévorée par son sentiment.

*

Corollaire IV. Un amour dès qu'il prend à témoin le regard des autres perd la vue inquiète, avide, affamée de l'autre (*alter* pur) qui le définit, songe à son apparence, corrige son impudeur, réfléchit le mouvement qui le porte, redoute le jugement auquel il s'expose — lequel, en définitive, ne se distingue pas beaucoup du regard. En montrant sa nudité, il prend la pose ; en perdant son secret il devient comédien ou menteur ; en se dévoilant il s'organise et se fait plus théâtral qu'invisible, se met de profil ou carrément se voile d'un bout de drap qui se trouve là ou d'une branche qui tend ses feuilles. Les sentiments le guettent. Il tend à s'opposer ; il s'enlumine. Or on ne peut pas éclairer l'amour ; c'est même trop parler que de prétendre qu'il peut luire. L'amour ne peut que s'étreindre, écrasant la vision dans l'étreinte. Tout ce qui le soumet à la distance le désunit.

*

Sainte Lucie s'arrache les yeux pour s'offrir à son prétendant.

Clelia (lors de sa métamorphose de Conti à Crescenzi) désidère l'amour qu'elle porte à Fabrice en l'obligeant à la nuit.

*

Clelia ne veut pas voir celui qu'elle aime.

Corollaire V. L'inconscient n'aime pas la conscience.

Clelia ne veut même pas entrapercevoir le corps dont elle jouit. Jouir et ne rien savoir de plus.

Le sexe humain n'aime pas le grand jour de la même façon que le dépôt de la semence chez les vivipares est interne.

La volupté n'aime pas la lucidité. Cf. les romans, les mythes, les films. Surtout ne me racontez pas la fin de l'histoire. Taisez-vous ! Je ne veux pas savoir si c'est vrai ou faux. NE ME DITES PAS LA FIN !

Il y a un désir de ne pas savoir. Il y a une passion de l'ignorance. L'extase et la lucidité sont antagoniques. L'homme désirant être tout entier à son objet et en aucune façon en réflexion de lui-même, tel est l'inconscient.

*

À ne rien savoir (à la contre-curiosité) correspond comme son autre pôle la curiosité psychique inlassable.

C'est l'histoire de Psychè qu'Apulée composa à Carthage dans les années 160.

Comme Fabrice, Cupido avant chaque aube s'évanouit. La *psychè* se plaint de ne pas connaître le *physique* de son mari. (*Physis* traduit en grec *fascinus* et c'est d'ailleurs ainsi que l'emploie l'auteur grec, Loukios, qu'Apulée retraduit en latin.) Psychè dit à ses sœurs : «Je subis l'approche nocturne d'un mari qui n'est que le son d'une voix, dont le statut est incertain (*incerti status*) et qui fuit la lumière (*lucifugam*).»

L'amour humain, opposé à la sexualité animale, est lucifuge. C'est l'un des tabous universels qui l'affectent.

Psychè se munit d'un rasoir en demi-cercle, d'une lampe à huile et d'une marmite (pour masquer la lampe à huile portative). Mais l'huile très chaude de la lampe brûle le bras de son mari et l'amour (*te vero fuga mea punivero*) s'enfuit à jamais : ses bras brûlés se transforment en ailes. Devenu oiseau Cupido se pose sans mot dire sur la branche du cyprès qui fait face à la fenêtre de la chambre où Psychè commence sa plainte.

*

Quand les amoureux quittent leurs corps nocturnes, l'un se pose sur une branche au loin, l'autre s'accoude à la fenêtre.

L'amour, c'est âme contre âme.

*

L'amour se fait à l'écart comme la pensée se fait à l'écart, comme lire se fait à l'écart, comme la musique se conçoit dans le silence, comme rêver se fait dans la nuit du sommeil.

*

Pourquoi je suis un musicien. Clelia dit : Ouvrir les yeux, c'est ne pas sentir. Éros dit à Psychè : Ouvrir les yeux, c'est me perdre.

Un vrai musicien n'hésite pas à dire qu'on ne peut écouter de la musique les yeux ouverts.

Corollaire VI. L'obéissance princeps, intra-utérine, renvoie à la gestation des vivipares.

L'audition sans voix est aussi une audition sans regard.

Pour connaître le monde il faut sortir de la grotte mais en quittant la grotte il faut « ouvrir les yeux *le plus tard possible* », dit un conte d'initiation Coos.

La caresse est continue là où le visible comme le langage sont discontinus et donc contradictoires à l'union. C'est pourquoi l'amour, chez les hommes, devient une union nocturne.

CHAPITRE XXVIII

Ce qu'Héloïse écrivit en retour à Pierre Abailard

Je veux mettre en valeur cinq arguments qu'Héloïse opposa à Pierre Abailard dix-huit ans après qu'ils se furent aimés.

Arguments que Pierre Abailard récusa.

Quand cet échange de lettres eut lieu, Pierre Abailard avait plus de cinquante-cinq ans, le fils qu'ils avaient eu ensemble (Astrolabus Abaelardus) avait quitté l'adolescence, Héloïse était devenue la diaconesse du monastère du Paraclet.

Enfin si Héloïse se décida à prendre la plume, ce fut parce que Pierre avait raconté à sa manière leur amour et qu'il avait publié cette narration tendancieuse et récriminante sans la lui soumettre, en 1132 (*Petri Abaelardi Historia Calamitatum ann. 1132*).

*

Le premier reproche qu'Héloïse adresse à son ancien amant concerne l'amour conçu comme allogène au mariage : « Tu as caché les raisons qui me poussaient à placer l'amour nettement au-dessus de l'état de mariage que mon oncle nous imposait. Ces raisons m'avaient toujours fait préférer la liberté (*libertatem*) au lien (*vinculo*). »

Sur le rejet du mariage, l'idéologie était toute récente, marquée par la mystique arabe et la lyrique provençale : c'est la courtoisie. Mais Héloïse y ajoute une deuxième argumentation plus radicale, plus ancienne. Celle qui aime ne peut être obligée pour ce qui concerne son corps ni dépendante pour ce qui concerne sa personne. Ni le devoir conjugal (ce que les matrones romaines appelaient l'obséquiosité) ni la sujétion économique ni la contrainte juridique ne peuvent domestiquer la relation amoureuse. Il ne s'agit pas d'un lien mais d'un contact direct récalcitrant à tout mandataire social ou familial. Il n'est en aucune façon égalitaire parce qu'il serait bisexué mais parce qu'il est copulatif, de sexe à sexe, et communicatif, d'âme à âme. L'amour est une atteinte. L'idée d'une union publique, négociée par son oncle Fulbert (lui qui a organisé et payé la castration de Pierre Abailard), union elle-même conclue financièrement, éternisée par un engagement écrit, prédisant ou du moins assurant le temps futur, approuvée par les communautés familiale et sociale et retenue par la mémoire de tous la révolte toujours comme si le temps ne s'était pas écoulé.

*

C'est précisément la troisième affirmation d'Héloïse : si la mémoire de la fulguration ignore le temps, alors elle est soustraite à l'usure ou l'oubli. C'est pourquoi Héloïse écrit à Pierre Abailard : « Mais comment peux-tu supposer que le souvenir (*memoria*) s'efface ? » L'amertume est impossible. Le repentir ne peut avoir lieu, n'est tout simplement pas envisageable. L'infidélité est plutôt une vantardise impossible, un mensonge des lèvres. On ne peut tromper que dans le langage, que dans le mariage, que dans l'argent, que dans le regard d'autrui, que dans les images. Mais ce qui a été imprégné ne peut être détaché de ce qui l'a empreint. La faute ignore l'âge et le siècle comme l'image obscène qui visite l'intérieur des paupières, qui n'a jamais pu être vue, trouant chaque culture, déchirant la paroi de toutes les sociétés et de toutes les époques, venant de l'en-deçà du temps humain, est inaccessible à son cours et persiste à l'état neuf, irrefoulable, surgissant, érigeant, naissant : « On vante ma chasteté parce qu'on ignore à quel point je suis fausse. (*Castam me praedicant qui non deprehenderunt hypocritam.*) Des images obscènes de nos voluptés les plus honteuses passent devant mes yeux, soudain, même pendant le service de l'office. (*Inter ipsa Missarum solemnia obscoena earum voluptatum phantasmata captivant animam.*) Leur netteté et leur attraction impudique (*turpitudo*) en dépit des années qui ont fui sont celles de la première fois. »

Cette quatrième affirmation est extraordinaire.

Rares sont les femmes qui nomment la lettre onirique.

Plus rares encore les diaconesses ou les abbesses qui en font l'aveu public durant le temps de leur charge.

Je ne sais comment faire sentir l'audace d'Héloïse : la scène obscène (les *obscoena phantasmata*) est inoubliable même dans le temple de Dieu. Plus encore, Héloïse prolonge cette affirmation en revenant sur la castration de son amant et de nouveau le mot d'Héloïse est inouï. Les deux castrateurs de son mari ont été jugés, castrés, puis énucléés — mais ces deux castrations n'ont en rien apaisé la scène imaginaire de la castration de Pierre qui hante le corps d'Héloïse ; Héloïse revit sans cesse l'*Amissio* durant la *Missa* elle-même alors qu'elle n'était pas présente quand les domestiques de Fulbert immobilisèrent son amant, qu'ils lui ouvrirent les jambes et que le couteau le trancha. Elle dit cette perte ; elle la répète ; elle exprime son regret du fascinant ; le sang, le hurlement de Pierre, la suppression de la lettre agraphique l'éprouvent encore ; elle ose écrire : « Je souffre incomparablement plus de la manière dont je t'ai perdu que de ta perte même. » (*Et incomparabiliter major fit dolor ex amissionis modo quam ex damno.*)

*

Cinquième argument sur la domiciliation dans l'âme de l'autre sans retour, irrégrédiente. La formulation à laquelle Héloïse recourt est antique. Elle est très proche du tour que lui avait donné Caton l'Ancien mais la chute en est neuve et superbe de radicalité taciturne : « Mon esprit (*animus*) m'a quittée et il vit avec toi. *Sans toi il ne serait nulle part.* »

Ce cinquième argument de l'abbesse du Paraclet concerne l'union, la *mixis* sexuelle qui se métamorphose en *unicitas.*

Son amant, elle le nomme *Unice*, l'Unique. Son sexe, elle le nomme *unicum*, l'unique.

L'union, sans qu'elle existe entre les femmes et les hommes, possède un sens absolu à leurs regards. Manger, ce n'est que cela. Lire aussi c'est cela. Incorporer, intérioriser, boire, dévorer, c'est fabriquer de l'un.

Mais l'autre sexe, même en le dévorant, même en le retranchant, n'apparaît pas où il n'est plus.

Sans toi, si toi tu ne l'as plus, il n'est nulle part.

*

Dans le cas de Madame de Vergy le mystère de la gravité mortelle du tabou du silence (la mort des deux amants dès que l'un d'eux parle) s'explique aussi comme lien rhétorique : si c'est le langage régressif, muet, sensoriel qui est incorporé, parler normalement devant tous, c'est-à-dire *excorporer* leur amour, le détruit, interrompt la dévoration psychique, la sensualité muette, l'unisson de l'union, l'eucharistie du silence sensoriel (c'est-à-dire l'échange en continu des silences du Jadis).

*

Volupté, mariage, amour, enfantement sont quatre fils qui sont indépendants et flottants.

Du moins voilà les quatre éléments que détachent à jamais les deux lettres qu'écrivit Héloïse.

*

« Nous ne sommes qu'un tous les deux. » Telle est l'invention de l'amour.

« Nous sommes deux et autres. » Ainsi se définit la sexuation chez les vivipares.

« Nous sommes deux, semblables et réciproques. » Voilà à quoi assujettit le langage, la dialogie qu'il invente, l'égophorie de tout interlocuteur qui recourt à lui.

Le signifiant (la scène passionnante, l'unification impossible des deux sexes au cours de la copulation hétérosexuelle) a aussitôt un signifié (un sens) : « Nous sommes un. » Le sens échoue toujours. L'autre n'est jamais l'un. C'est d'ailleurs comme cela que si flatté, si loué, si sacré que soit le « sens de la vie » de nos jours, nous mourons.

*

Pourquoi tant de femmes et d'hommes jouissent dans l'inconfort ?

Ou dans la rareté ?

Ou seuls ?

Pourquoi le sexe est-il une telle souffrance pour les hommes ?

Le passé fusionnel terrifie.

La Panthalassa engloutissante terrifie.

Pourquoi la nécessité de s'accoupler inévitablement comme des bêtes l'une sur l'autre qui se montent inspire-t-elle à leurs traits cette stupéfaction ? À leur cœur cette hâte ? Puis cette gêne à peindre ou à dessiner ou à sculpter cette image ?

Sinon dans l'âme ensanglantée d'Héloïse pendant le service de la messe.

Mais pourquoi l'image que les femmes et les hommes donnent d'eux-mêmes lors de la saillie de reproduction les effraie-t-elle le plus souvent ?

L'étreinte abaisse. Son bruit confond. Sa disposition commune à tous les animaux mammifères ouvre les lèvres sur un rire dégoûtant.

Seul le langage la hisse dans l'amour en la projetant dans le silence qu'il lui réserve et qu'il lui assure comme une ombre protectrice.

*

Unir veut dire faire un.

Unio ne se distingue pas d'*incorporatio.* Ni *incorporatio* ne se distingue de *devoratio.* C'est ainsi qu'il faut poser que la volupté en mangeant ou en étreignant dérive de l'union.

L'amour, l'éros n'ont rien à voir avec la reproduction, avec la parturition, avec la société, avec le monde naturel externe, avec le langage, avec le plaisir.

C'est être dévorant et être dévoré que traduit et immobilise le stade de la fascination visuelle.

L'amour, en tant que fascination désidérée, en tant que dénudation, a à voir avec la métamorphose, avec l'*alter*, avec le Jadis, avec la mère, avec le dévorant comme une espèce de mélancolie, comme une espèce d'adieu.

*

Achille Tatius, dans son roman *Leucippè et Clitophon* (I, IX, 4), affirme de façon très crue que l'union des yeux est plus étreignante que le coït : c'est la définition érotique de la fascination.

Clinias affirme qu'a lieu dans la vision amoureuse une *symplokè* plus impliquante que la *mixis* des corps.

Il explique longuement à Clitophon que les images des corps des amants s'impriment plus loin que la surface des yeux où ils se répercutent. De la sorte le visage de l'homme et celui de la femme s'unissent dans l'âme *à plus de profondeur que ne saurait atteindre le sexe masculin dans le sexe féminin.*

*

Deux corps font un : l'enfant dans la mère *post coitum.*

Un corps fait deux : la mère expulsant l'enfant *ex utero.*

Axiome. Deux corps adultes ne feront jamais un, même en s'étreignant aussi étroitement que la lune éclipsant le soleil.

La polymorphie (la copulation, avec la parturition

qu'elle déclenche, est la première polymorphie) est aussitôt déduite en rhétorique.

Voici une thèse peu mise en avant : il y a une union rhétorique et non physique chez les amants.

Cette *unio* n'est pas *ineffabilis* mais *infantilis.*

Cette *unio rhetorica* est la langue infantile des amants, la langue silencieuse, la langue régressive (néotène, infante).

Dans le langage deux êtres fusionnent comme à l'aube : ils le peuvent parce que auparavant un être s'est dédoublé obscurément. Dans l'amour, il s'agit d'un relais — et parfois d'une pause — quant à l'acquisition de la langue qui est à la source de l'humanité de l'humain.

Conséquence. *À la condition que le langage devienne le plaisir, une incorporation réelle se produit : celle du langage de l'autre.*

L'éros est une dînette de langage archaïque, d'idiome faible, de langue imminente. L'amour est une incorporation rhétorique. Pierre Abailard enseigne Héloïse et commence par la faire lire, Francesca da Rimini et Paolo lisent en chuchotant, Roméo et Juliette chuchotent en s'écrivant, etc.

Le langage incorporé empêche le banquet archaïque, empêche la fusion destructrice de l'étreinte qui ramène au jour comme son autre la défusion du corps nourricier de la mère perdue qu'on buvait jusqu'à plus soif et qui était nous-mêmes.

*

Si ce qui étalonne le plaisir est dévoration, alors il n'y a pas à proprement parler de plaisir sexuel.

Il n'y a que des fragments de plaisir sexuel, des incorporations fragmentaires : sexe, semence, lèvres, bouts de sein, doigts, excréments, etc.

Chuchotements.

Fragmenta et *scruta.*

(Comparables à *fulgura* et *symbola.*)

*

L'omophagie était le cœur de la bacchanale romaine : c'était la *bacchatio* elle-même. Lors du rite dionysiaque l'*omophagia* consistait à manger cru le jeune homme dont les membres étaient déchirés tandis qu'il vivait encore et avant qu'on dévorât son cœur.

C'était tout d'abord le sexe qui était excité puis arraché par les bacchantes. Puis dévoré cru.

La corrida.

L'*interdictio.*

Ce que les chrétiens appelaient la *communio* consista à ingérer sous les deux espèces la chair et le sang de l'homme crucifié.

Unir, c'est manger.

*

Artemisia endeuillée mangea volontairement les cendres de son mari mort afin de lui succéder sur le trône de Carie. C'est cette ingestion qu'il faut appeler mausolée. La reine Artémise se fait une maison de son deuil après qu'elle a fait de son corps une tombe vivante pour celui qu'elle aimait. Dans l'invention d'Artémise, concernant le mausolée qu'elle confectionne pour Mausole, on touche à l'invention de l'âme. Cicéron dit que ce faisant la reine Artémise avait fait de son deuil une « conservation imputrescible ». C'était au point, continue Cicéron, qu'Artémise pouvait penser que sa douleur serait toujours « fraîche » (*recens* est le mot beaucoup plus temporel qu'emploie Cicéron) parce que le sang l'irriguait et la renouvelait constamment. Cicéron décrit ici la transsubstantiation.

Enfin Cicéron avance que la reine Artémise mourut contaminée par la cause de la mort de son mari qu'elle avait mélangée à du vin et qu'elle avait avalée en même temps que ses cendres.

De là la légende qui impute à Artémise l'invention des couvents : moins parce que les religieuses vivaient dans une espèce de mausolée dont Jésus était le Mausole que parce qu'en imitant la passion de leur époux elles se communiquaient sa mort.

*

La reine but les cendres du roi encore chaudes.

Boire le mort induit le comportement sexuel que privilégiait la reine du vivant de son époux : téter la *vis genitiva* du vivant. C'est ainsi qu'on peut déduire la préférence voluptueuse, dans ce cas fellatrice, de la reine et supposer le sens mésopotamien, africain, qu'elle donnait à cette préférence : boire la vie est décrit comme l'incorporation de la matière immortelle.

Il s'agit d'une nourriture rénovante, immortalisante.

La reine Artémise immortalisait le roi Mausole en le mêlant à son sang et à sa chaleur comme pour une nouvelle gestation.

En lui prêtant son corps vivant en guise de temple.

*

Il y a deux mondes parce qu'il y a deux sexes (ou du moins il y a une paroi parce qu'il y a une différence sexuelle).

Ce qu'est la différence sexuelle : l'asymétrie faite chair.

De là le mot d'Héloïse : « Je souffre incomparablement plus de la manière dont je t'ai perdu que de ta perte même. »

Et incomparabiliter major fit dolor ex amissionis modo quam ex damno.

*

La différence sexuelle est le fait qu'il n'y a pas de symétrie possible entre l'homme et la femme.

C'est l'amour tout entier qui peut être résumé dans la vieille règle médiévale : *Expressio unus est suppressio alterius.*

Exprimer l'Un, c'est supprimer l'Autre.

L'amour n'est pas une union unitive. L'amour en voulant être un, en s'identifiant, se rend impossible parce qu'il veut supprimer la différence sexuelle qui fait obstacle à l'union.

Deux sexes distincts ne peuvent s'identifier, ni s'unir. Ils peuvent se toucher, jouir chacun pour la jouissance qu'il peut, émettre l'émission qu'il peut, mais ils ne peuvent s'échanger, s'annuler, ni être le même.

De là la ruse des anciens Romains : il n'y a qu'un sexe (le *fascinus*), qu'une *domus* (la vulve maternelle et obscure), qu'une *dominatio* (la domiciliation, la domination). Et enfin, de façon circulaire : qu'une séduction (la *fascinatio*).

De là la position grecque : les caractères sexuels de la femme sont toujours ceux de la mère. L'amour ne peut s'adresser que d'homme à homme. À l'institution du gynécée correspond l'initiation par pédagogie. La relation sociale, la relation hiérarchique de maître à disciple est fondamentalement *paidophilia*, pédérastie.

Au-delà des solutions que les sociétés norment et imposent, reste l'inexauçable polarisation sexuelle, c'est-à-dire la désunion tour à tour polarisée et désidérante. Attelante et désastreuse.

*

Un fantasme impossible d'unisson charnel couvre tout le Moyen Âge chrétien. Le principe de l'*una caro* fut posé au concile d'Elvira. Il définit le mariage comme *unité de chair*, interdisant de ce fait la polygamie aussi bien que le divorce (la dissolubilité du lien indissoluble devenant elle-même contradictoire).

Yves de Chartres a écrit que le rapport sexuel (*copula carnis*), étant un mélange de deux chairs (*commixtio carnis*), aboutissait à une seule chair (*una caro*), que ce fût dans le mariage ou dans la fornication, et quelle qu'en fût la nature, et sous quelque mode que ce fût. En d'autres termes, par ce biais, c'est la fusion des substances elle-même qui devenait indissoluble.

Mais c'est la différence des sexes qui ne peut être dissoute.

Il n'y a pas « une » chair qui se reproduirait elle-même. C'est le langage, c'est la société qui produit les mythes de l'*una caro*, de l'hermaphroditie, de l'unité rompue, de la bisexualité des individus, etc. Toute négation de la différence sexuelle trahit un univers fabulateur, mythique.

Même dans l'inceste il n'y a pas une seule chair — *una caro*.

Il y a deux chairs et une lettre errante, quelque chose d'asymétrique qui s'interpose et qui déchire deux nuits, et qui clive deux mondes, deux soleils, deux plaisirs, deux vies, etc.

*

Thèse. Il n'y a pas d'union sexuelle. C'est l'individualité qui est sexuelle. L'individualité est le contraire de la porosité. Elle n'est pas altérable. Elle est au contraire *inaltérabilité* quant à l'*alter*.

*

Pour les hommes et les femmes un assemblage de corps est l'aube. C'est la monte de l'aïeule par l'aïeul. La rencontre d'un homme et d'une femme est la nuit qui les précède. Le silence qui précède la naissance et le souffle qui visite la prime enfance en sont le crépuscule. Toute vie d'homme commence par ce crépuscule du jour d'avant.

Pour chacun d'entre nous la lumière est seconde et c'est pourquoi rien n'est plus obscur que les unions entre humains.

CHAPITRE XXIX

Loredano

Quand le monde est obscur les traces des pas ne guident plus. Reste les astres dans la profondeur noire. Le plus grand nombre de ces espèces étranges d'oiseaux ne bouge pas. Certains d'entre ces bêtes ou ces êtres célestes reviennent au printemps. Les hommes sont des animaux confiés à la garde des étoiles comme les nourrissons aux nourrices.

*

Giovan Francesco Loredano écrit en 1684 à Venise : « Si les étoiles ne subjuguaient pas les arbitres de notre cœur, celui-ci n'inclinerait pas ses penchants vers d'odieux objets. »

C'est ainsi que le fond de l'amour persiste à demeurer romain même dans Venise, par-delà les siècles.

Aussi à la sidération astrale Loredano ajoute-t-il la fascination des regards : « Il ne se trouve pas de femme qui se sache aimée qu'aussitôt elle ne tyrannise. Si elle se voit méprisée, elle ne demeure pas indifférente mais se fait ennemie. Au fond du cœur, elle a le fiel de l'envie. Avec ses yeux elle fascine. Avec ses bras elle enchaîne. Avec les autres délices qu'elle sait déclencher elle arrache l'esprit, elle vole la raison, elle dérobe l'humanité. »

*

Walter Benjamin a écrit à Paris cette phrase sidérante, elle-même romaine : « Une image est ce en quoi l'Autrefois rencontre le Maintenant, en une fulguration, pour former une constellation neuve. »

*

La nuit est ce qui ouvre le regard humain à la question de la perte. Dans le cas de la nuit, c'est le jour, la chaleur, l'ensemble des visibles qui sont perdus.

Dans le cas de l'hiver, il en va de même. Aussi l'hiver est-il une notion contenue dans la nuit.

Dans le cas de la mort, il en va de même. Aussi la mort est-elle une épreuve contenue dans l'hiver.

Argument I. La négation dérive de la mort dans la reproduction de l'espèce qui elle-même dérive de l'hiver dans la reproduction de l'année.

Argument II. La négation dérive de la nuit qui suit le jour, de la faim qui suit le rassasiement, du rêve qui emplit l'âme d'un leurre.

La privation du visible dans la nuit invente du visuel, de l'image (des scènes de rêves qui trompent momentanément le dormeur sur ses besoins).

La nuit est le lieu où le visible manque, où toutes les choses manquent, où le perdu manque de façon terrifiante, de façon absolue.

La nuit doit être conçue comme profondeur sans surface, comme non espace, comme dimension une, continue, comme *unio.*

La nuit est l'épreuve de l'absence sans fin, de l'absence sans même de visages de ce qui s'absente en elle.

*

Qui a mis de l'image dans la nuit ? Le rêve.

*

L'art désidère. L'art ouvre l'antre de ce qui nous regarde au sein de ce que nous voyons. (L'antre, l'autre, la mère absente.) Tout ce qui nous fait naître nous laisse tomber.

*

La seconde question que Loredano pose dans ses *Bizzarie Accademiche* est la suivante : peut-on se soustraire à la fascination féminine alors qu'elle a d'abord été sidérale ?

La contention sexuelle peut nous soustraire à l'influence des étoiles, explique Loredano.

Mais dans ce cas Loredano quitte le Lazio. Il cesse d'être romain. Il devient vénitien. Il devient chrétien.

Le *desiderium* cesse d'être désir pour s'appeler continence. À vrai dire l'argumentation de Loredano est confuse : la copulation de l'homme et de la femme étant involontaire, destinée par le ciel, passionnée par la chair, alors que le fait de se nourrir et de se mettre à table est un acte volontaire, la continence est une vertu plus grande que la sobriété alimentaire.

Cet argument est faible. Je ne vois pas pourquoi la *manducatio* peut être considérée comme un acte entièrement volontaire. Je doute qu'elle puisse même être déclarée plus volontaire que l'*ejaculatio* de la semence humaine.

Par chance Loredano ajoute un argument stupéfiant et dont je ne comprends pas qu'il ne cherche pas à le mettre en valeur et à en tirer tout le profit possible : dans l'amour l'homme quitte son corps quand dans la nourriture il le retrouve et le complète.

L'amour désunifie. Le Vénitien du XVIIe siècle reste un Romain de la République. Manger s'oppose à aimer comme fasciner s'oppose à désirer.

CHAPITRE XXX

Il n'est pas sûr que ceux qui s'aiment se voient vraiment.

Quand deux êtres tout à coup s'appuient l'un sur l'autre, quand ils découvrent qu'ils s'aiment, il semble qu'ils contemplent leurs yeux. Quand on les appelle par leur prénom pour demander quelque chose, leurs corps sursautent, ils atterrissent, ils prennent cette expression particulière que la langue nomme en effet atterrée ; et leurs yeux clignent. Ils semblent troublés comme s'ils sortaient d'un rêve. Ce point est certain : ils voyaient autre chose que ce qu'ils voyaient et que ce que nous voyons.

*

Au regard fulgurant ou brûlé s'ajoute du langage à la limite du langage.

C'est l'enfance. Du colosse maternel au minuscule nourrisson (qui sont tous les deux le même sujet pas encore divisé, ni dans l'âme, ni dans la position) s'échange du regard et se suppose du langage à la limite du langage, de la voix entraînante vers le langage — mais dans tous les cas, avant même les signes, la polarisation qui va du colossal au petit anime du sens —, de l'orientation polarisée qui se transporte et se suppose alors dans la langue nationale maternelle et qui se lie au regard qui en fait l'arrière-plan.

*

Voilà comment est possible que la lecture passionne un être humain.

*

Ce point est difficile à délimiter et pourtant il est ce qui fait tout le déchirement de l'amour dans l'âme humaine comme il fait toute la fragmentation de la littérature dans les langues orales dites naturelles. Il faut penser ensemble, temporellement ensemble, ces deux propositions : Il n'y *aura* pas d'union sexuelle. Il y *eut* un unisson rhétorique.

*

L'intuition naît de l'identification temporaire à l'autre. L'intuition se préforme dans l'accession au langage : c'est la compréhension à demi-mot, tout à fait mystérieuse et que cependant toutes les mères supposent chez le petit sans parole à qui elles s'adressent. Tandis qu'elles lui parlent, rien ne signifie encore. Seuls le sensoriel et l'affectif communiquent *et pourtant le langage fraie un espace.*

C'est la frayère propre au langage.

C'est la relation du Jadis au présent. Cette relation relaie celle de la mère à l'enfant dans sa polarisation la plus précise : de la mère qui parle à son soi qui ne parle pas (enfant absolu), à partir de la relation naissante de la mère au petit affamé, relayant elle-même la relation prénatale du corps de la mère qui construit et alimente spontanément de son corps la petite forme d'elle qui se développe en elle dans son obscurité. C'est dans l'aversion au langage courant social que l'intuition peut naître, c'est-à-dire à contre-courant des stades de son acquisition, c'est-à-dire quand le système infraverbal est rallumé ; quand les signes se mettent à chercher dans la zone qui se situe à la limite de l'idiome. L'intuition est en rapport direct avec l'investigation dénudée. *Id est* le vestige de l'enfant. Le vestige de l'*infantia* dans l'homme : l'ancien régime de silence. Voilà ce qui vient s'ébrouer dans le chuchotage des amants comme dans l'intonation silencieuse propre à la littérature. L'ancien régime de silence, ce n'est point encore l'amour. Mais la dénudation de la différence sexuelle l'approche.

*

Chacun d'abord n'a pas su distinguer de soi celle dont il est issu. Puis pour être soi a cru distinguer de soi la figure de sa mère sinon la langue qu'elle lui a adressée sous l'égide de son regard.

Premier dialogue de langue qui ne s'adressait qu'à elle alors qu'elle la supposait en nous pour nous parler.

*

Pour ce qui est de l'humanité il faut parler de vassalité à l'empreinte.

Mais il faut parler d'esclavage au langage.

L'homme ne peut se libérer du langage.

Ce ne sont pas des images.

Il n'y a qu'un cas de servitude volontaire : c'est l'acquisition du langage. Mais cette acquisition n'est pas vraiment volontaire. Elle est involontaire et cependant il faut y consentir. L'autiste refuse quelque chose qu'il ne rebute pourtant pas entièrement. La servitude volontaire concerne l'*usage du langage vocal.*

*

Il n'y a ni psychologie ni conscience, etc. Il y a le lien social qui est le lien parlant. Le lien social s'ancre au cœur de chacun en même temps que le langage s'imprime dans le corps de celui qui parle, le fascine, se dépose en effet de structure, fait écho sous forme de conscience, situe celui qui le possède dans le groupe qui le sidère et dans lequel il s'identifie toujours en se méprenant, toujours en s'aveuglant, toujours en s'y croyant.

Lien social auquel tout homme s'identifie toujours à l'excès.

CHAPITRE XXXI

Sur la langueur

Là où le français parle de défaillance, là où Stendhal à Civitavecchia parlait de fiasco, les anciens Romains usaient du terme de *langor.*

Si je poursuis avec un peu de conséquence la recherche bifurcante — si incroyablement bifurcante — que je cherche à mener sur la vie secrète, à la frontière du natal, littéraire, amoureuse, pour mon plus grand embarras, il se trouve que le mot français de défaillance ne paraît plus convenir.

L'impuissance sexuelle n'est pas une défaillance.

Argument I. Si la fascination est première, s'il faut dans un second temps cette si extraordinaire désidération pour que le désir puisse s'élancer vers la forme qui jusque-là le paralysait (au point d'épouser les traits de la mort animale), le *langor* n'est pas un accident.

La langueur n'est pas un défaut momentané et pour ainsi dire mécanique qui affecte le corps de l'amoureux. Il en est le signe étrange.

Le *langor* est premier.

La thèse que je veux discuter se dégage de la sorte : l'impotence sexuelle est initiale dans l'amour. C'est sur cet écart que l'amour se définit en regard du coït comme en regard du mariage.

*

Corollaire. Soudain fasciné tout homme amoureux est impuissant à désirer.

*

Argument II. L'*impotentia* a la même source que la *fascinatio* qui la déclenche puis qui l'installe. Pourquoi ? La faiblesse, la non-motilité, la néoténie, la non-puissance, la fascination, la tombée sous la mort de Alter tout-puissant ressortissent à l'expérience première. Renouvelant l'ascendant initial dans la femme aimée — qui était encore soi-même — l'amour renouvelle la passivité originaire (*i. e.* avant la fascination des yeux, *i. e.* du temps de l'obéissance auditive d'avant la lumière).

*

C'est dans le dialogue du *Phédon* que Platon explique ce qu'est l'*anamnèsis.* Pour passer du paraître à l'être il faut qu'il y ait réminiscence de ce à quoi l'âme était apparentée, à quoi le corps fait écran. Platon définit la philosophie comme l'*exercice de mort* nécessaire, avant que l'âme redevienne vivante, remémorante de l'Un, de l'ancienne Union (alors que le corps passe enfin à l'état de fantôme).

Cette *mélétè thanatou*, cet « exercice de mort », écrit Platon, c'est l'initiation philosophique.

Mais avant l'initiation philosophique — et même avant l'invention, dans toutes les sociétés de chasseurs, de l'initiation des adolescents — se situe la mort feinte des chasseurs et la renaissance feinte des proies.

De même la répétition de l'amour qui est une obliviscence active de l'adolescence. *Obliviscere* est l'acte contraire à ce que laisse entendre le mot grec *anamnèsis* ou le mot latin *rememoratio.* L'amour fait le mouvement inverse : non pas l'exercice de mort mais l'exercice de naissance. C'est pourquoi d'ailleurs on parle d'un coup de foudre : une *fulguratio* de la lumière tout à coup *comme* à la naissance tout à coup apparut la lumière.

C'est un exercice de vie avant que le corps devienne vivant (c'est-à-dire avant que l'âme devienne un fantôme, un double du corps, un principe personnel interne).

*

Deux civilisations étaient persuadées de l'incapacité princeps : l'empire romain et l'empire chinois.

Montaigne préconisait, à son propre usage, pour ne pas souffrir d'impuissance, de se préparer à être certain que ce serait le cas.

Stendhal a écrit : « S'il entre un grain de passion dans le cœur, il entre un grain de fiasco possible. »

*

Argument III. Stendhal parle de cristallisation pour définir l'amour. Je parle de désidération. Ces deux notions sont contradictoires.

La cristallisation ne correspond pas au désir. Cristallisation et fiasco chez Stendhal correspondent à fascination et langueur chez les anciens Romains.

La fascination : une lumière ancienne vient nimber un corps et un visage et les doue de la puissance et de l'or des divinités.

Stendhal écrit : « Aux mines de sel de Salzbourg on jette dans les profondeurs abandonnées de la mine un rameau d'arbre effeuillé par l'hiver. Deux ou trois mois après on le retire couvert de cristallisations brillantes. Les plus petites branches, celles qui ne sont pas plus grosses que la patte d'une mésange, sont garnies d'une infinité de diamants mobiles et éblouissants. On ne peut plus reconnaître le rameau primitif. »

La cristallisation définit cette sidération de la vue qui embellit sans limites dans l'impulsion de la remémoration et avec le secours de l'imagination ce qui est vu, au point de plonger la maîtresse et l'amant, ajoute Stendhal, dans « l'impossibilité de manœuvre défensive ».

Il s'agit bien de fascination quoiqu'elle soit d'une nature plus précise que celle à laquelle les textes de l'antiquité font allusion. Il s'agit de voir en ne voyant pas, d'imaginer ce qu'on est train de voir pour ne pas le voir comme tel.

Le désidération est l'étape suivante et c'est celle qui délanguifie le *fascinus.*

Corollaire. Je fais du fiasco l'état premier, fasciné, inquiet, infantile, recroquevillé, fœtal ou plutôt gestatif. Et du désir l'état désidéré, désabusant, individualisant, érigeant, c'est-à-dire adolescent, puis adulte.

*

Toute ma vie sait combien la défaillance de langage et la défaillance de sexe ne sont que les deux profils d'un même visage.

Stendhal rapporte un avis de Monsieur Rapture à Messine selon lequel le fond de la relation amoureuse est de rester court dans le corps comme dans le langage.

*

Le vrai silence est un blanc qui peut interrompre le silence lui-même.

J'appellerai vrai silence ce qui interrompt le langage interne, la musique, l'attention, la lecture. La mort interrompt quelque chose, cela est certain, voisin, concret, comparable. Cette interruption est en nous et ne survient pas seulement à la mort. L'interruption est l'ombre du commencement précaire et incertain de la naissance de tous les êtres qui ne procèdent pas d'eux-mêmes. Elle est engendrée par cette discontinuité de la naissance post-obscure, post-gestative, bestiale, hasardeuse, initiale en nous dans l'air et la violence sonore et sensationnelle de l'atmosphère. Quelque chose de la nature chôme dans la mort. Quelque chose se débauche pour toute espèce en laquelle le continu s'interrompt pour ne se reproduire dans la mort individuelle et l'étreinte sexuée. Le vrai silence, l'interruption est dans notre corps, dans notre pensée, dans chaque nuit à deux ou trois reprises en dehors des rêves, dans chaque œuvre, dans notre sexe même. Le langage précisément est impuissant à justifier l'impuissance qui prend soudain le *fascinus* dans le désir insuffisamment désidéré au point de le laisser dans l'état d'un pénis de tout petit enfant ; ni les serments d'amour ne le peuvent ; il faut confier à du silence ce silence ; il faut accepter de se taire alors.

On ne pourra jamais justifier auprès de la personne qu'on aime plus que tout au monde l'interruption.

À elle d'apprécier ce silence à l'image de cette interruption qui lui est apparue à elle aussi, un jour, au bas de son ventre.

L'interruption ne peut que déchoir dans le silence, comme l'interruption elle-même nous a déchus ; le langage ni les serments d'amour ne sauraient être au service de l'abîme. Il vaut mieux se taire quand le réel est là et nous abîme dans l'inimaginable. Il faut vraiment savoir tout abandonner dans l'abandon. Il faut savoir s'interrompre comme cela s'interrompt. La vie qui nous a été accordée est interrompue aux deux bouts et le sexe en est la trace parce qu'il en est la fabrique.

CHAPITRE XXXII

Je cherche à écrire un livre où je songe en lisant.

J'ai admiré de façon absolue ce que Montaigne, Rousseau, Stendhal, Bataille ont tenté. Ils mêlaient la pensée, la vie, la fiction, le savoir comme s'il s'agissait d'un seul corps.

Les cinq doigts d'une main saisissaient quelque chose.

CHAPITRE XXXIII

Masochisme

Les poissons qui retrouvent l'eau connaissent la joie et s'engloutissent dans leur élément. À peine ontils bondi entre nos mains, ils n'ont plus de souvenir de nos mains ni de nous. Ils ne gardent en mémoire, peut-être, que la lumière et la suffocation.

Moi, je pense que nous sommes ainsi (ainsi que sont les poissons devant l'air et la lumière) devant la nuit et l'abandon.

*

La force d'un attachement ne dépend pas des circonstances qui l'ont vu naître. Une chimère soudain brouille l'âme et a tout fait avec la force de l'avalanche qui s'amasse elle-même et écrase tout ce qui se trouve par hasard être là, sous elle, sur la pente de la montagne.

Chaque amour est indémêlable à ce qui l'emporte.

Le sens d'aucun amour sur terre n'est déchiffrable.

Le corps se tend pour on ne sait quoi qui n'arrive jamais.

*

La gourmandise, c'est l'empreinte devenue consciente.

Le nez obéit au passé.

*

Corollaires. Tous les gourmands sont des esclaves. Tous les plaisirs sont masochistes.

*

La polarisation chimique, phosphorescente, végétale, animale, carnivore précède ce que les anciens Romains ont décrit en tant que la *fascinatio* du *fascinus.* C'est le *on* collectif qui a peur. Ce n'est pas la naissance qui a peur. Ce n'est pas davantage le *je* de l'individuation qui puisse être jamais l'objet de l'effroi.

*

Le visage hérite déjà de ce qu'il voit dans l'expression qu'il lui offre. Il en va ainsi de la composition des livres et de ce à quoi ils songent, à quoi leur forme les adresse. Ce qui est vu hérite son sens de l'expression du visage qui l'observe. Le livre hérite du lecteur son orient. Au moins son avenir. Comme les larmes se communiquent d'expressions de visage à expressions de visage sans rien savoir de quoi on peut, on doit, il faut pleurer. Comme les rires se transportent de face à face, puis de groupe à groupe, puis d'âge en âge alors qu'il n'y a rien de drôle.

C'est un fou rire que déchaîne sur la terre entière la bouche d'Amaterasu, faisant sortir la lumière solaire de sa grotte ancestrale et la faisant resplendir sur le monde, après qu'elle a vu Izume déplier sa vulve avec ses doigts tout en tendant un miroir à la déesse confinée.

Comme les applaudissements se communiquent de mains en mains et comme les mains se soulèvent et se tendent qui désignent les Führers que désignent les hurlements dans la chambre d'écho collective du hurlement lui-même qui accompagne la fascination de la mort.

*

L'amour est d'abord une douleur à quelque âge que ce soit.

À quelque âge que ce soit parce que ce que les hommes reconnaissent comme amour est une deuxième fois.

La si poignante douleur de se sentir de nouveau amoureux, malgré l'âge, l'usage, le savoir, la mémoire, le regret.

Qu'est-ce que l'amour ? Ce n'est pas l'excitation

sexuelle. C'est le besoin de se trouver tous les jours dans la compagnie d'un corps qui n'est pas le sien.

Dans l'angle de son regard.

À portée de sa voix.

(À portée même imaginaire. Même sous forme d'image interne. Beaucoup d'hommes, beaucoup de femmes ont éprouvé qu'on peut aimer un mort. C'est même cette possibilité d'attache par-delà la présence qui définit l'amour.)

La violence dévastatrice de la découverte d'un amour : un autre a envahi le cœur, le besoin de lui est plus obsédant que soi et plus puissant que la volonté.

Plus rien de soi ne reste à soi : c'est cela qui déchire. C'est cela qui fait mal tout d'abord dans l'amour. Car l'amour est une expérience non pas féroce mais cruelle.

J'use du mot de besoin à dessein car il ne s'agit pas d'un manque ; il s'agit d'une espèce de propulseur ; il s'agit d'une force qui tire la présence à elle. Qui renforce la force.

Dans les premiers temps de l'amour le regard subit de véritables hallucinations du corps dont les yeux exigent la présence. On court soudain en vain vers une forme qui n'est pas elle.

*

Visages qui restez dans le regard où que nous soyons et quoi que nous voyions, vous êtes un singulier enseignement pour ce qui concerne le voir *car le rêve a vu en nous avant même que le monde s'offrît à notre vision.*

*

Je pensais : « Demain n'est pas un autre jour. »
Demain n'est jamais assez demain.
Demain n'est jamais suffisamment un autre jour.
Demain n'est qu'un jour.

*

On croit se libérer des lieux qu'on laisse derrière soi. Mais le temps n'est pas l'espace et c'est le passé qui est devant nous. Le quitter n'en distance pas. Chaque jour un peu plus nous allons à la rencontre de ce que nous fuyons. Et ce que nous avons toujours fui, comme nous sommes des créatures interrompues, nous ne l'étreignons pas à l'instant de la mort. C'est pourquoi on peut rester au fond de soi comme en dette de redire la charge et dans le même temps consacrer sa vie au mouvement de dételer sa vie. Ce sont les livres. On peut dételer.

*

Il ne faut pas croire à ce qu'on voit ; ça ressemble trop à ce qu'on espère. Il faut fermer les yeux dans l'ascenseur, il faut fermer les yeux devant la boîte aux lettres, il faut fermer les yeux dans la rue, il faut fermer les yeux en traversant la rue, au bureau, au restaurant, au cinéma, etc. Sans quoi on verrait partout des souvenirs.

Mais il ne faut pas croire davantage à ce qu'on voit les yeux fermés, dans notre sommeil, cela ressemble trop aux désirs.

Finalement on ne voit rien. On n'a rien vu. Et c'est ce que disent d'ailleurs les gens qui meurent.

*

Qui échappera à ce qui l'a atteint ?

CHAPITRE XXXIV

Dic verbo

Un rituel avait lieu dans la chapelle bombardée de l'enfance, dans le port du Havre.

Le port du Havre était un champ de ruines.

À l'instant de la communion, après que le prêtre avait procédé à la fraction de l'hostie innocente, avant le rite de la manducation du fantôme du dieu méprisé et en sang, tous les pécheurs, après qu'ils s'étaient mis à genoux, s'accusaient de saleté et de l'indignité de leur bouche ; ils demandaient à Dieu :

— *Sed tantum dic verbo et sanabitur anima mea.* (Mais il suffit que tu dises un mot et mon âme sera guérie.)

Toutes les femmes, tous les hommes se frappaient trois fois la poitrine. Trois fois ils répétaient qu'ils n'étaient pas dignes du symbole du corps du dieu sanglant. Trois fois ils suppliaient :

— *Sed tantum dic verbo et sanabitur anima mea.*

— Dis seulement un mot.

*

— Surtout pas !

*

Surtout pas ! chuchotait Némie. Surtout pas ! criait Madame de Vergy. Il suffit d'un peu de silence, que les mots régressent, que l'âme se purifie un peu du social, que le corps se dénude un peu.

*

Naguère les marranes qui entraient dans une église chrétienne devaient dire muettement, en même temps qu'ils levaient les yeux sur le crucifix et qu'ils posaient les os de leurs genoux sur le banc, au fond de leur cœur, sans que leurs lèvres frémissent :

« Tu n'es qu'un dieu de bois ! »

*

Dieu dit dans son discours sur les pratiques (Matthieu, VI, 6) : *Tu autem cum oraveris, intra in cubiculum tuum, et clauso ostio ora patrem tuum in abscondito.* « Pour toi, quand tu veux prier, entre dans ta chambre la plus retirée, dans ta cabane de jardinage, ferme la porte à clé et adresse ta prière à ton *père qui est là dans le secret.* »

Tout homme qui lit parle à son père secret.

*

Pendant deux ans je servis la messe dans cette chapelle chancelante. Elle était située dans l'enceinte du vieux lycée. Elle tomba en morceaux en 1957. Au terme de la messe s'élevait le Dernier Évangile ; il fallait que je le lusse en latin, seul, non à l'unisson ; j'en aimais la sonorité ; j'en appréciais l'atmosphère de persécution ; mais il me fallait m'empêcher de le nier (*In principio non erat Verbum,* etc.). Il me fallait sans cesse m'empêcher de nier tout. C'est ce qu'Horace appelle le *ductus obliquus.* Il fallait mettre non à tous les mots afin de les dire sans les dire.

Intérieurement je luttais pour ne pas mettre non partout.

Il ne fallait être ni reconnu, ni accepté, ni reçu.

Plus tard écrire me permit de dire sans parler.

Je me retrouve soudain en aube, dans l'odeur de bois pourri et d'encens, les sens aux aguets, plein de prières secrètes, passionné de silence.

CHAPITRE XXXV

Coniventia

Si on abandonne la description de ce qu'on éprouve parce que tout est déjà ressenti avant qu'on le suggère, alors on commence d'aimer. Quand on s'approche encore plus de l'autre que ne peuvent le faire le langage, la main, le sexe, la bouche, on aime.

*

La réciproque est un mystère de l'amour. Je dis mystère car la relation réciproque est difficilement fondable : la sexualité est le contraire de la symétrie. Je continue de suivre ici scrupuleusement les thèses des anciens Romains : la filiation est le modèle des liens irréciproques. La réciprocation entre les deux pôles (je serai pour toi ce que tu seras pour moi et vice versa) est impossible à l'amour puisque la sexuation empêche que le sexe *alter* soit le sexe *idem.* Les positions seront à jamais ininterchangeables. C'est d'ailleurs pourquoi, au contraire des Romains de l'antiquité, les Grecs anciens soutinrent que seule l'amitié masculine (la *philia*) pouvait être présentée comme le modèle de la réciproque.

Mais la reine Didon attend d'Énée à Carthage la réciprocité bouleversante.

Mais l'impératrice Messaline attend de Silius à Rome, dans les jardins de Lucullus, la *philia* plus profonde que le désir et plus réversible que la volupté.

La thèse que je veux défendre est celle-ci : il y a une amitié qui se cherche dans l'amour et qui ne résulte pas de quelque chose qui serait solidaire entre les deux sexes à jamais esseulés, discontinus, opposables, polaires. Une *entente* qui n'habite pas la sphère d'un partage préalable.

Un ouïr prévisuel.

Quelque chose de mutuel survient qui s'adresse aux deux.

*

Le premier argument concerne le don qui contraint à l'échange. La réciprocation suppose l'égophorie qui découle du langage (n'importe qui pour peu qu'il prenne la parole dit je ; tout individu qui parle est égophore et semblable ; tu et je sont interchangeables dans le dialogue indépendamment des sexes et des âges). Or, que chaque pôle du langage puisse l'énoncer et puisse l'entendre renforce l'opposition entre les deux pôles de la relation, lors de l'échange.

La différence sexuelle, renforcée par le dialogue, approfondit l'impossible amitié réciproque. Car la différence sexuelle, quant à elle, ne s'échange pas du je au tu.

Elle, elle est irrémédiable.

Ce n'est qu'un *prêt* d'un instant.

L'amour est l'invention de ce *mutuum* actif dans l'affection non affiliée et dans l'amitié non homosexuelle.

*

Il y a une communication humaine hétérosexuelle. Ce partage du secret est l'amour. Je pense que cette définition particulière de l'amour fut donnée pour la première fois par Homère. Je la reprends sur les lèvres de Circé. L'*Odyssée* a sans doute été notée pour la première fois vers −800 dans l'alphabet sémitique phénicien. La scène met face à face la chamane Kirkè (en grec L'Épervière) et le héros du voyage Odysseus (Ulysse). Tout commence par un rapport de forces où le langage est aussi peu présent qu'il est possible dans la relation hétérosexuelle : le pôle masculin menace de son épée le pôle féminin.

« Arrête ! crie Circé. Range ton épée dans son fourreau, Ulysse. Montons sur mon lit. Couchons ensemble afin que, devenus amants, nous puissions nous fier l'un à l'autre. »

Pour qu'un homme et une femme puissent se parler vraiment, il faut qu'ils soient montés sur un lit, s'être vus nus, être montés l'un sur l'autre. Pour reprendre les mots d'Homère, ce que Circé appelle l'amour (la *philotès* par la couche) ne se distingue pas de la relation intime, de la communication des *secreta*. Il s'agit à ses yeux d'une seule et même transitivité.

Ulysse se range à son argument. Tous deux montent sur la couche, se dénudent, s'étreignent et, une fois étreints, se conseillent mutuellement au sein du langage sans plus douter un instant de la confiance réciproque qu'a conclue la copulation ou qu'a déclenchée la volupté.

*

Ulysse à Circé : Du secret de ton secret (que ton ventre est le trou obscur d'une maison obscure) je serai le confident. De ton âme je serai le bâton à âme.

Circé à Ulysse : Du secret de ton secret (que ton ventre est terminé par un sexe instable et double, dimorphe) je serai la gardienne. Comme s'il s'agissait de la nudité de ton *phallos* désirant, j'enfouirai ton secret dans la maison obscure de mon ventre.

*

Quelle emprise secrète gouverne chacun ? Quel chantage archaïque le mène par le bout du nez ? Quelle sommation ? Quelle caresse précise ? Quelle lettre initiale ? Quelle violence particulière ? Quel est le demander-pardon particulier à cette bouche ? La volupté s'extorquera comment dans la gestuelle de ce grand corps toujours si ancien ?

L'assiduité de la nuit complète, les manies de la jouissance, les images des rêves murmurés et les effrois contés, l'abandon de la nudité puis du sommeil extraient le secret mieux que le langage, le jour, les vêtements, etc.

Je résume ainsi l'argument II : l'âme s'extrait d'un corps exactement comme le signifié du signifiant.

*

Circé décrit moins l'amour ou la sensualité que ce que les Romains et les Modernes appellent le concubinage.

Le concubinage est l'idéal de l'amour selon Circé face à la sexualité et au mariage.

L'acte de coucher ensemble dans un même lit, la foi, la « fiance » qui naît de la couche mutuelle et de sa promiscuité, l'humilité des besoins élémentaires qui s'y témoignent, la gravité de l'abandon auquel expose le sommeil, enfin les aveux verbaux ou non, volontaires ou oniriques, qui en résultent.

C'est du moins ainsi que le concevait Homère. Il le confirme dans l'épisode final, quand Pénélope et Ulysse se retrouvent, après que Pénélope a reconnu Ulysse, après qu'ils se sont étreints, vingt ans ayant passé, sur leur couche, Homère dit (*Odyssée,* XXIII, 300) : « Puis après avoir joui des plaisirs de l'amour (*philotètos*), ils goûtèrent le plaisir des confidences réciproques (*muthoisi pros allèlous*). »

Une nouvelle fois la volupté sexuelle de la couche partagée est conjointe dans le texte homérique à la jouissance elle-même partagée des « mythes » réciproques chuchotés dans le noir.

(Toutefois Circé ou Pénélope évoquent un peu plus que la *concubitio* dans la mesure où elle use d'un mot grec plus ancien par lequel le *coïtus* et le *lectus* se trouvent confondus, exactement de la même façon que « coucher ensemble » en français contemporain dit autre chose qu'avoir dormi sur une même couche.)

*

J'en reste à l'affirmation de Circé. Se confier les *secreta*, c'est coucher sur la même couche. Pour Circé l'amour ressemble aux mystères.

1. Circé dit que, s'il y a un lien sexuel, c'est la confidence des secrets.

2. Circé dit que, s'il y a un mystère, c'est la communication des organes génitaux.

3. Circé dit que, s'il y a un lieu, c'est le lit.

Aristote a expliqué que les *mystèria* comprenaient trois parties : *ta drômena, ta legomena, ta deiknumena* (les actions mimées, les formules dites, les choses dévoilées). Les choses-réservées-aux-mystes concernaient la sexualité et la mort.

Notamment un *fascinus* caché dans un *liknon* et recouvert d'un voile (recouvert de ce voile jusqu'au moment cérémoniel du dévoilement sacré).

Le rapport sexuel n'existe pas mais la mise en rapport des *secreta* du corps et de l'âme a lieu. Sans que les *legomena* et les *deiknumena* se mêlent dans les *drômena.* Les amoureux vont au rapport : ils se disent tout. Ils forment la seule relation sociale qui ne se cache rien. Le lit est à la cité ce que la vulve est à la nudité masculine qui s'y confie et y dépose sa semence : une cache. C'est même la cache des caches, la pré-crevasse, la pré-grotte puis la pré-domus.

*

Circé définit l'amour comme l'aveu de l'inavouable. Elle n'affirme pas que cet aveu ou ce dépôt doivent être une offrande volontaire. Elle sait que tout chiffre se déchiffre tel quel. Dans la dénudation devenant la nudité, sur la couche durable, tout témoigne. La vérité, c'est la vérité de la jouissance.

Où peut être trahie, mise à nu, sentie, découverte la vérité inavouable de sa jouissance pour un homme sinon à l'extrémité de son corps et dans sa volupté ?

Dans l'endormissement nocturne ?

Ou dans la confidence de son rêve ou de son cauchemar juste à l'instant où il l'a tiré du sommeil à force d'épouvante ?

Ou sa peur et l'odeur de sa peur ?

La connaissance de sa vraie voix tient à celle de son râle.

*

A-lètheia dit en grec la vérité comme dés-oubli tandis qu'en latin *re-velatio* ôte le voile, le *velum* de la *velatio,* voilement sacré du *fascinus* dans la corbeille des Mystères.

Choses cachées par rapport aux choses révélées.

Le non-voilé dit tout d'abord le dés-habillé, le dénudé. (Et non le nu.)

Ce n'est pas la copulation qui fait la vérité. C'est la couche partagée toute la nuit ou plusieurs nuits de suite qui donne la dimension de l'*alètheia.*

C'est l'échange de l'inavouable, la gêne du déshabillage, le sans voile du sommeil, le décaché des hommes, l'ostensible de leur jouissance.

Telle est la *re-velatio.*

Objectio présente le même sens à Rome : le retroussement de la tunique dévoilant le sein (l'*objectus*).

Il y a une curiosité empathique de la jouissance masculine vouée à la terreur de la tension, de l'ostension. Circé dit : Alors je sais ce qui le particularise, ce qui le limite, le régule, fait retour, l'obsède et dans le même temps le leurre. Voilà ce qui est accessible seulement à la promiscuité lectale et nocturne.

*

Argument III. Le secret impossible aux hommes à qui tout échappe. Le mode de leur jouissance, qui ne peut pas être feinte, prescrit leur problématique réserve.

L'éjaculation imminente et inévitable les domine.

Comme le printemps dans le temps.

*

Héloïse refuse l'obséquiosité sexuelle de l'esclave romain (l'*officium,* ce que les chrétiens ont appelé le devoir conjugal). La définition de Clelia repousse la vision. La définition de la châtelaine de Vergy extermine le langage. La définition de Circé dans Homère (*Odyssée*, X, 335) fait s'équivaloir le dépôt du secret de la nudité sexuelle et le dépôt des secrets de l'âme.

*

Le mot de Circé : Ce que je ne montre pas je te le montrerai.

*

Circé dit : Confier sa nudité (dévoiler le trou de l'excrétion, dévoiler le trou de la reproduction, dévoiler le sexe et les génitoires), avouer son corps ensommeillé dans la nuit, confier son nom et raconter son secret, telles sont les quatre marques de l'amour.

*

Aimer, c'est pouvoir penser tout haut avec un autre être humain. Confier ce qui passe par la tête, c'est comme arracher le voile sur sa nudité et ses états. L'intimité ne se discerne pas de l'extrême franchise. C'est l'indécence même. C'est Circé : On ne se livre à une femme qu'après l'intimité. Cette intimité est

1. extrêmement dangereuse,
2. totalement passionnante.

Plus rien n'est en arrière des yeux. Plus rien n'est en réserve de la vue.

L'association libre a un sens d'abord social : deux individus forment une « société libre ». Ce qui est une contradiction dans les termes. Ce n'est que dans un second sens que l'expression veut dire parler sans entraves. Mais cette expression dans son sens premier présente l'avantage de définir de façon très agressive le contraire de l'état de mariage.

L'association libre la plus libre provoque l'union la plus audacieuse. Le désir traverse la paroi de l'identité personnelle et sociale.

*

Ce n'est pas Héloïse en 1134 mais la comtesse de Champagne qui, en 1174, édicta l'amour impossible au mariage. Le *De amore* d'André Le Chapelain fut conçu dix ans plus tard, vers 1184. Il cherche à codifier la *fin'amor*. Le Chapelain écrit : « Le but de la *fin'amor* est l'union des cœurs des deux amants par toutes les forces qui sont disponibles à la passion. La *fin'amor* consiste dans la contemplation spirituelle, dans les sentiments du cœur, dans le baiser sur la bouche et dans le contact respectueux des corps entièrement dénudés des deux amants, mais la volupté suprême ne leur est pas possible. »

Selon l'idéologie néoplatonicienne, soufie, cathare, courtoise l'amour était chaste. Sa définition était non sexuelle et tendait au contraire à l'inséparation. L'amour était même à leurs yeux le seul sentiment capable de désincarner le corps humain de son désir. Les chefs de rituels (ceux que les historiens nomment les parfaits) définissaient le mariage avec une incroyable violence comme *jurata fornicatio.*

Le mot fornication renvoie aux salles voûtées des bordels de la Rome antique. Antique mais toujours honnie.

Il faudrait traduire par *prostitution assermentée.*

Il se trouve un proverbe latin que cite à deux reprises l'évêque de Gênes : « Le mariage remplit la terre. La virginité remplit le paradis. » *(Nuptiae terram implent, virginitas paradisum.)*

Héloïse a écrit : « Je préférais le mot de maîtresse (*meretrix*) à celui d'épouse. J'ai le désir d'employer le mot brutal de débauche (*fornicatio*) pour dire l'ardeur du désir (*libidinis ardor*) que j'éprouvais auprès de toi. Dieu le sait, jamais je n'ai cherché en toi que toi » (*Epistolae Abaelardi et Heloissae*, 1782, p. 48).

*

En 1200, en Bourgogne, Madame de Vergy aurait détesté autant cette ancienne façon courtoise d'aimer que la conception archaïque de la chamane épervière grecque par laquelle l'amour constitue un partage des secrets. Elle exigeait 1. que son amant se tût, 2. l'étreinte secrète (l'association secrète) en cachette de tous, pacte sauvage et muet, entente antisociale plutôt qu'asociale, sans mot, sans aveu.

La solitude passionnée.

Qui non celat amare non potest. (Qui ne sait pas celer ne sait pas aimer.)

À la fois quelque chose qui n'est pas aux deux et

quelque chose qui n'est ni à l'un ni à l'autre communiquent. Ce qui m'a poussé et me pousse encore, pour prendre cet exemple qui hante ces pages et s'est peu à peu ramassé dans mon âme comme une culpabilité, trente ans après, et par-delà la mort, à éprouver encore ce que j'ai vécu, à commenter la moindre action de Némie en sorte d'approcher seulement, modestement ce que je vivais avec elle, ce que nous vivions ensemble mais que je n'éprouvais pas encore tout à fait, apporte la preuve d'une donation difficilement exprimable de cet ordre.

Ce point est difficile : ce que je n'accomplissais pas, ce que l'étreinte n'exauçait pas (dans son retour dans l'âme), ce que je n'avais pas achevé se réciproque luimême dans la sexualité comme dans la mémoire. C'est d'ailleurs cela, la mémoire, ou du moins le caractère le plus paradoxal de la mémoire et ce qui en explique la souffrance, l'attente, les maladies. Quelque chose va nécessairement d'un pôle à l'autre et s'y attire, et dont on ne peut faire l'économie (l'aller-retour des saumons qui fraient où ils furent frayés).

Ce sont souvent les manies des ascendants qui fascinent ce que nous avons à vivre.

C'est prodigieux à surprendre dans nos gestes.

Il n'en va pas différemment pour ce qui concerne le dépôt de la musique en moi. L'enseignement que j'avais reçu m'avait inculqué quelque chose qui n'était pas en moi et Némie me l'avait inculqué à partir de son expérience de musicienne à elle (Circé aussi est dite musicienne). Mais l'amour nous a livrés tous les deux ensemble à un mutuel qui ne procédait d'aucun des pôles de la relation absolue qui soudain s'établit entre nous.

(Non pas un prêté rendu. Non pas une équité, etc.)

*

Argument IV. Lors du dédoublement du corps de la femme en enfant par l'élargissement de son sexe se fonde une relation dont le modèle est hétérosexuel : la mère à l'enfant, la Vierge à l'Enfant, etc. C'est l'histoire de l'art à partir de sa diffusion au Proche-Orient, en –9000. Une femme colossale tient sur ses genoux un fils ou un guerrier mort. Je souligne ce point : même, au sein de la scène néolithique, la femme a les yeux baissés, le mort a les yeux clos.

*

Argument V. Que veut dire télépathie ? Souffrir à distance. La thèse que je veux examiner peut être présentée sous ce nouveau jour : la lecture des livres fonde en raison l'expérience de la télépathie — qu'on prétend infondable — et qui pourtant gère les consciences de tous les hommes au point d'être à la source de l'acquisition du langage. La lecture prouve à chaque page que tout ce qu'on perçoit, que l'on ressent, que l'on pressent, que l'on ignore presque mais que l'on présuppose est partagé au plus intime de sa substance, au plus pervers de sa ressource par le simple fait de l'égophorie par tous les hommes et par toutes les femmes. La télépathie de l'amour est certainement plus intense et plus prompte mais elle n'est point totalement autre dans sa nature. La pathie de l'amour n'est pas la pathie de la lecture, de l'antique, du loin, la sympathie du séparé avec l'autre âme, avec les morts, avec l'autre temps. La pathie dans l'amour est plus contiguë encore que la sympathie immédiate : c'est l'empathie même, l'empathie de l'extrêmement proche, de l'autre quand on le touche. Les corps sont les vases communicants dont l'eau est la nudité et le contact le désir et par lequel l'homme et la femme ne sont pas l'avers et le revers d'une médaille mais les deux fragments nullement appareillés, mais nullement dépareillés, dont les parties s'emboîtent en partie, vraiment en partie, véritablement « plus ou moins », unissant tout à coup et pour fort peu de temps, en une seule forme encore plus déconcertante deux pièces dont les dessins jusque-là étaient déjà déconcertants, parfois nettement carencés, parfois presque autonomes cependant. Ils déverrouillent en s'assemblant une seule et unique porte. Cette porte permet d'accéder, peut-être, à un seul et unique monde (aussi unique qu'il l'a été en effet quand mère et fils étaient indistincts, lors de la gestation, plus encore que confondus).

*

Pour étreindre et désirer, le verbe romain *coire* dit plus que s'unir, il dit : aller par le *co*. Empathie et télépathie sont des allers.

Des allers sans retour pour soi : mais non pour l'autre.

Imbrication et allusivité se mettent côte à côte, se touchent, communiquent.

Argument VI. C'est ainsi que je suis conduit à un autre mot romain dont j'estime qu'il faut aussi le faire entrer dans la définition de l'amour.

C'est le mot de *coniventia*.

La connivence est un mot d'autant plus étrange qu'il est extraordinairement précis. *Conivere*, ce n'est pas le clin d'œil, le clin d'une seule paupière, le signe brusque d'une reconnaissance. Ce n'est pas non plus fermer les yeux involontairement, s'endormir. *Conivere* veut dire abaisser les paupières ensemble, de façon préméditée, de façon appuyée. Laisser lentement tomber les deux paupières sur les deux globes oculaires et les presser au point que de minuscules rides les froncent.

Ce signe de peau concernant le regard et n'en offrant que les paupières, c'est le signe de l'entente tacite.

L'approbation humaine ancienne se fonde dans le pardon d'avance. Fermer les yeux sur quelque chose veut dire simplement la laisser faire. Je ne vais pas voir ce que tu feras. C'est l'indulgence anticipée. Tel est le sens de la connivence et ce qui la distingue de l'allusivité immédiate, de la prédictibilité silencieuse, de l'entente à demi-mot, de la coïncidence intérieure.

*

Coniventia.

— Vous êtes de mèche.

Les amoureux sont les connivents.

C'est brûler. C'est brûler ensemble. Ce n'est plus aller : c'est marcher au quart de tour. La *coniventia* est directement liée à la *fascinatio.* Dans la connivence *ce sont les yeux eux-mêmes qui marquent leur volonté de ne pas sidérer.* Les yeux se ferment de façon appuyée : ils témoignent d'un désir de ne pas voir. C'est ce regret qui renonce à la vue. La connivence hétérosexuelle dépose l'ancien pouvoir ainsi que les souvenirs de l'amour filial.

*

Ce que les Romains appelaient *coniventia* ne correspond nullement à ce que les anciens Grecs et Platon appelaient *antiblepsis* (le regard en réponse).

Plus encore, la connivence, c'est le *non-regard en réponse.*

*

Abyssale est la communication antérieure au langage. Abyssale parce que *ineffabilis.*

Argument VII. Parce qu'il fallut qu'une communication confuse et préalable insiste longtemps au fond de l'homme, à l'arrière des yeux de l'homme, pour que le langage survînt et trouvât à s'éployer dans sa gorge et à déborder de ses lèvres.

La divination silencieuse.

La divination silencieuse des amants pour ce qu'ils sont en train de ressentir et à l'endroit de ce qu'ils songent.

*

Le plaisir de la communication empathique que le musicien ou l'écrivain supposent toujours en interprétant ou en écrivant est déçu par les lettres qu'ils reçoivent, par les critiques qui leur sont adressées, par l'accueil qui leur est généralement réservé dans la société dans laquelle ils vivent.

Argument VIII. Le plaisir de la communication empathique des artistes et des amoureux est strictement délirant, si bien que rien de social ne peut l'assouvir à supposer qu'une société puisse avoir idée de ce véritable « contact en direct », c'est-à-dire *non social*, qui s'y cherche et qui la met toujours plus ou moins à mal.

Et qui par conséquent pousse toujours l'amoureux ou l'artiste à haïr la société.

Plus encore, le plaisir de la communication empathique de sujet à sujet est extrême mais s'ajoute à lui le plaisir de participer d'un même inconnu. De partager tous deux (amant-amante, musicien-auditeur, lecteur-auteur) une même quête, une même *chasse en dehors* des murs de la cité. La connivence est asocialisante et c'est pourquoi elle pardonne *avant* ce sur quoi elle fermera les yeux *après* — et qui est ce sur quoi la collectivité ou la famille tient au contraire ses yeux grands ouverts (ils surveillent).

La collectivité déteste la messe basse — qu'on peut définir comme toute communication où l'instance (et le langage) ne figure pas en tiers.

Corollaire. La messe basse pour les prêtres est l'équivalent de la lecture muette pour les lettrés.

*

Ce plaisir de devenir un duo indivisible, invisible, indénouable, insanctionnable, est un des plus beaux traits de l'amour.

Argument IX. Peut-être aussi ce duo constitue-t-il le plus beau de la danse, comme le plus beau de la musique. (De la lecture aussi, même si ce duo est invisible à l'œil qui lit.) Le duo, c'est le deux. C'est la relation absolue quand cette relation est hétérosexuelle. C'est la différence sexuelle elle-même. Il n'y a que deux sexes. Ni plus, pas moins. Le secret dans ce sens qu'exigeait avec tant de force Némie, le secret que requérait avec tant de violence la châtelaine de Vergy traduisent ce refus de toute sanction autre que la complicité, ce refus de passer sous le regard de la société ou du Conservatoire de Paris ou de la cour du duché de Bourgogne ou de la famille ou de quiconque n'est pas ce duo d'altérité pure à l'état pur lui-même.

*

Le plaisir de la pensée comme ouverture où la maîtrise intellectuelle se confond avec un total abandon à une chose plus vaste, à une logique plus infinie que celle dont dispose l'esprit isolé, l'esprit monosexué, l'esprit seulement contemporain. Le plaisir d'une extraterritorialité de la terre noétique à la terre physique, à la physis, au réel, à l'astral, telle est l'extase, qui n'est rien de mystique sauf au sens le plus strict de mystique : silencieux, secret.

*

Un éprouvant le Deux. *Idem* éprouvant *Alter.* C'est la sexualité même.

Mais dans ce cas cet infini, *c'est le fini lui-même.*

*

La bouche des égophores est en contradiction avec la différence sexuelle entre leurs jambes.

Je reprends l'argument I. L'amant se prend pour l'aimé : c'est le pouvoir du langage. Les linguistes appellent égophorie cette possibilité qu'offre le langage au dialogue interhumain d'échanger les positions.

Mais, à cause de la différence sexuelle, si jamais l'amant se prenait pour l'aimé, il s'autodétruirait. Ou comme Pierre Abailard il perdrait son sexe. Et ceux qui le lui retranchèrent perdirent à leur tour et leur sexe et leur regard. Quoi que les hommes et les femmes fassent, le langage (la conversion des positions entre je et tu) ne peut se mêler à la différence sexuelle (l'impossible conversion de sa place).

Mon désir n'est pas ton désir.

La différence sexuelle est intraitable malgré tout le langage du monde.

Corollaire. Les amants ne furent jamais, ne sont jamais, ne seront jamais les aimés.

*

Si l'amour désigne la vie que rendent plus intense les deux yeux qui vous regardent et qui se ferment lentement sur ce qu'ils sont en train de voir, c'est que la racine fascinatrice est inextirpable.

La *coniventia* est la ruse que les deux yeux ont inventée devant la bifocalité propre à la chasse des carnivores.

La *coniventia* est elle-même encore animale. C'est un inhibiteur.

*

Les amants avancent. *Ibant.* Ils allaient. Ils allaient comme les rois venus d'Orient suivaient le *sidus* du roi des Juifs.

Les amants avancent à partir de cette crevasse, de cette paroi absolue, intraversable de la différence sexuelle.

L'amour ne s'atteint pas. Ainsi la chute violente de l'orgasme dans le plaisir est-il le non-voir, est-il le vide même.

Il faut consentir à l'amour comme à l'autre du langage. C'est un pacte qui suppose un adieu au langage, une confiance dans ce qui le précède, alors qu'il s'agit de l'extase mortelle de la fascination dans l'enfance.

S'entendre au doigt et à l'œil, comme il en va de la mère au nourrisson.

C'est le clin d'œil, l'œillade, l'attendrissement incommensurable de la même chair pour elle-même qui va de la mère à son petit.

La connivence au contraire consiste à fermer profondément les yeux simultanément. La connivence consiste à *ne pas voir.*

Elle désidère. Elle réclame une nuit.

*

Jadis, à l'origine du monde des Tupi, il faisait jour tout le temps. La fille du Serpent était la femme d'un Indien. Or, un jour, l'Indien dit à ses trois serviteurs : « Éloignez-vous. Ma femme refuse de coucher avec moi. » Mais la femme dit aussitôt à son mari devant les serviteurs : « Ce n'est pas d'être vue prise par toi sous les yeux de tes trois serviteurs qui me gêne. C'est te voir. » Elle lui expliqua qu'elle ne voulait plus faire l'amour que la nuit. Son père détenait la nuit et aussi tous les animaux dans une grotte car les animaux sont des horloges, comme les étoiles. Elle alla chercher la nuit, les animaux et les étoiles et les ramena.

*

Argument X. La première chose qu'on voit, bien avant d'être soi, chose qui est bien avant d'être soi et bien avant de se ressentir comme soi, et bien avant de pouvoir songer à se voir, est ce que nous nommons, longtemps après être nés, la mère.

*

À l'origine le regard de l'enfant s'appuie sur le regard de sa mère. De même que l'humain naissant ne marche pas sur ses deux jambes trop frêles, de même qu'il était porté dans le ventre de sa mère, puis porté dans ses bras, il est porté dans son regard avant qu'il puisse se dresser. Le regard dresse le corps et tout regard se repose dans le regard de l'autre. Le regard n'abandonne jamais le premier passé, où notre regard était le sien, et c'est ce qui fonde le regard connivent.

*

Pour les hommes la honte d'être maltraités, l'horreur d'un refus, la pauvreté de ce qu'ils vont déshabiller, la grossièreté de leur apparence sexuelle, l'incertitude sur ses états, l'effroi de la langueur, la crainte de manquer au désir qu'ils ressentent font l'essentiel de l'amour. Certaines femmes aiment cette honte, confondent cette horreur, sont touchées de cette nudité, accompagnent cet effroi et se font les reines de cette crainte qui les bouleverse dans le même temps qu'elle les prémunit contre les abus de l'impatience, de l'importunité, et quelquefois de la violence.

Elles ferment les yeux et abordent la connivence non empreinte, le premier fermer-les-yeux non biologique et non généalogique (ce que j'appelle l'amour).

*

Les Renaissants italiens élurent les seins libres et le visage individualisé. Pour moi, à cause de celles qui m'aimèrent ou qui me rejetèrent jadis, ce fut le silence (c'est-à-dire la parole mise au secret), la nuit (c'est-à-dire la lumière mise à l'écart), l'insomnie (l'intensité de la sensation, la nudité sans image).

Argument XI. Le plus étrange consiste à penser que le télépathique provient de la fascination. L'empathie est une conséquence de la dévoration immobilisée.

De l'affût. (C'est par cette guette que l'amour se trouve relié à la chasse et à la lecture.)

*

Argument XII. Recommencer est le contraire de répéter. Répéter en musique est le contraire de jouer. Sur terre on peut cesser de répéter (on peut interrompre la réitération de l'entendu, on peut débrancher le circuit électrique de la propagande propre à l'éternelle prise sociale des petits *atomoi*, des petits *individua*).

Répéter en cessant de répéter, cela s'appelle recommencer.

L'amour est rare : c'est ce qui recommence (la *coniventia*) et non ce qui répète l'œillade de l'enfance (la *fascinatio*). C'est la relation non affiliée (non paternelle, non maternelle). La non-affiliation et la non-*philia* sont ce que je veux toucher par le mot ancien de connivence. Ce fermer-les-yeux ne peut s'adresser qu'à l'autre sexe. (Pour accéder à l'égophorie, on ferme les yeux sur la non-identité de chacun d'entre nous. Que nous puissions tous nous servir du langage et tous dire *je* au travers de lui nous prouve à tout instant que nous ne sommes rien de bien précis.)

Ce qui recommence concerne la naissance, ce qui se répète concerne ce qui s'ensuit. Ce qui lui serait inhérent — au contraire de ce qui recommence — ne serait que satellisé. Et il est vrai que souvent la relation entre homme et femme s'arrête dans la fascination. Le couple sexuel s'immobilise dans le transfert dévorant.

Il y a de nombreux virtuoses qui ne font que reproduire ce qui est attendu d'eux. Ce sont ceux que le public préfère à juste titre, puisqu'en les approchant ceux qui les recherchent reçoivent ce qu'ils en attendent. Ce sont les spectacles les plus fastidieux et les plus inutiles.

Le plus grand nombre rassemblent ceux qui répètent ce qu'ils ont entendu ou dont leur maître leur a donné le goût. Ils cherchent à transiger avec tous les savoirs et les enregistrements dont ils sont la mémoire à demi vivante et le plus souvent somnambulique.

Mais il y en a quelques-uns qui recommencent à zéro la partition et pour qui une ouverture n'est pas un savoir, ne sait plus rien, mais ouvre. La partition surgit sous leurs yeux comme l'autre sexe — et soudain ces musiciens *ferment les yeux*. Ils l'éprouvent. Alors quelque chose d'inouï en elle, à un moment d'elle, surgit soudain. Inouï ne veut surtout pas dire original. Ce qui est original est toujours sous le regard de tous, dont l'original cherche à se distinguer à tout prix. L'original est attelé au collectif comme à un pôle contraire. Or ce point inouï n'est ni collectif ni subjectif : il est le point qui sidère la partition tout entière et l'auditeur comme l'interprète.

C'est le point originaire, c'est-à-dire la différence sexuelle à l'état pur qui s'est leurrée dans l'œuvre d'art.

Dans les contes anciens, la musique sidère même l'instrument.

Soit il se révèle être le corps d'un mort. Soit ses cordes sont ses cheveux. Soit sa peau tirée sert de résonateur. Soit c'est celui qui a composé le chant, son inspirateur, son fantôme.

Alors l'instrument reconnaît son créateur et tombe en morceaux soudain à son approche.

Tous se retrouvent comme à l'aube du monde sonore, à l'instant de choisir entre ou bien parler ou bien se taire, entre ou bien manger ou bien mourir, entre ou bien appeler à l'aide ou bien tourner le dos à ce monde, entre ou bien l'humain terrifiant ou bien l'animal hostile.

*

Marsyas, qui est l'inventeur de la musique, est l'homme écorché vif.

*

Quel est l'art par excellence ? Quel est l'art premier, prélinguistique ? Quel est l'art où la surface se déchire, saigne et se traverse comme si le corps individuel ou les fausses peaux des fantômes collectifs n'étaient que des frontières de convention ?

C'est la musique.

Pourquoi dans le mythe grec écorche-t-on le musicien ? Pour aller derrière le visage. Parce que la musique s'introduit inexplicablement, invisiblement, aussitôt, derrière la surface.

Pourquoi l'aède est-il aveugle ? Pour aller dans la nuit à l'arrière des yeux, dans le pays où naissent et se déploient les rêves.

C'est l'autre monde, l'arrière-visage, le musical, le rythme du sang obscur de la gestation qui s'est marié, qui s'est accouplé, lors de la naissance, au second rythme, au rythme du souffle invisible, qui couronne l'enfantement.

*

Pourquoi l'autre mythe sur la musique chez les anciens Grecs démembre-t-il Orphée ?

Il y a pas de visage ni d'humanité dans la musique : aussitôt le cœur qui bat est gagné par son rythme, qui d'ailleurs le présuppose, aussitôt les poumons qui refoulent et qui hèlent l'air, et la voix humaine qui parasite leur expiration sont oppressés ou agrandis par le chant qui les atteint et qui se souffle en eux comme un feuillage est soudain à la merci du vent qui s'est levé tout à coup et qui plie les branches et qui couche les cimes.

*

Argument XIII. On parle d'intuition amoureuse. Cela veut dire : l'amour est allergique au langage.

Celui qui aime pour la première fois se ferme à toute confidence.

Ce qu'il ignorait alors (ce qu'il ignore maintenant puisqu'il n'avait pas moyen de l'appréhender jadis ni de le mémoriser) est ce qu'il croit qu'il ignore. Et ce qu'il croit qu'il ignore, il le recommence.

Même à lui-même, sous le coup d'un souvenir qu'il ne retrouve pas — puisqu'il précède la mémoire personnelle, la descente de croix, la dépose langagière — *même à lui-même celui qui aime ne sait pas confier ce qu'il éprouve.*

L'incapacité des mots à nommer des affects n'est pas seulement une déficience du sens. Ce n'est pas une carence sémantique propre au langage (ou caractéristique de la fascination qui engloutit le sujet). Pour des êtres infiltrés par le langage du groupe instillé en eux seconde après seconde et dès avant la naissance, le langage lui-même est devenu un sens.

Le langage qui a épousé le corps humain est un sens.

Inventer un langage de signes qui rompt ses épousailles ou ce destin affilié à la prise de l'enfance, inventer un langage de signes à la fois anticollectif et antéfamilial, qui se suppose un sens — bref inventer un langage de silences connivents : voilà comment l'amour se précède lui-même.

(Puisque c'est ainsi que la fascination elle-même s'est éployée dans la langueur infante.)

L'amoureux, l'amoureuse, chacun élabore 1. un moyen de communication plus privé que social, 2. une mise à l'épreuve. Aimer, c'est pouvoir deviner l'autre. Ce devinement est une condition, sans qu'il corresponde cependant à une définition de l'amour.

Ou plutôt c'est une *definitio* au sens ancien : c'est l'établissement d'un territoire rectangulaire s'opposant au nid circulaire animal ou astral. (En langue ancienne une *pagina*, un *pagus*, un pays.) C'est le rectangle céleste de la page augurale où va passer l'*oiseau personnel* sous les yeux de l'augure qui « considère » le ciel et les astres mobiles.

*

Aporia. La difficulté est la suivante : l'ennemi (qui est peut-être le congénère qui sait le plus fidèlement aimer) et le paranoïaque restent les meilleurs devins.

Argument XIV. L'ennemi est un meilleur aruspice, le paranoïaque est un meilleur astrologue que ne sauraient l'être les amoureux. (Aruspice parce qu'il fouille l'entraille viscérale.)

Je ne me suis jamais repenti d'avoir consulté un ennemi sur la conduite à tenir quand les jours étaient difficiles. Avec l'ennemi il faut prendre soin de ne suivre ni le conseil qu'il donne ni en prendre le contre-pied. Simplement il prophétise là où il cherche à égarer.

Avec le paranoïaque, c'est encore plus simple, il faut observer scrupuleusement, au détail près, à la nuance près, le contraire de tout ce qu'il suggère. Ces malveillances lumineuses sont presque des miracles. Il faut consulter les paranoïaques plutôt que les voyants. Leur seconde vue est sûre. La malveillance quand elle atteint ce degré de générosité peut tourner soudain à la raison de vivre.

*

Argument XV. L'amour nomme la réciprocité la plus impossible (plus impossible que la réciprocité homosexuelle à mort : la fraternité, la rivalité, le duel) mais il lui est difficile d'y échapper à cause du langage. L'indifférence au désir est rare. Peu de Buridan. Parce que le désir humain est toujours le désir de l'autre. L'amour redouble le désir physique de la lettre qui se détache *sans répit* du corps parlant de l'autre. (L'amour multiplie le dépit par l'envie, la *concupiscentia* par l'*invidia,* où la vue fascinante persévère et s'indure.)

*

Argument XVI concernant le lieu.

L'âme et le lieu ne sont pas sujet et objet. Ils sont l'un pour l'autre résonance, appel, corythmie ; ils se répondent l'un à l'autre allusivement comme des cordes harmoniques. Dans l'allusion, il ne peut pas y avoir de médiation. L'allusion est l'absence soudaine du relais, du transporteur, de la métaphore, du messager, de l'écran entre deux êtres.

Immédiatement, chacun dans son ordre, vibre de l'autre dont il n'a même pas le temps de recevoir l'appel. Parce que le même du monde est encore dans le lieu. Parce que l'*idem* de la matière persiste encore dans les animaux nus qui se flairent.

Le corps qui frissonne de joie et le bout de chair qui se met à frémir tremblent ensemble s'épanchant l'un dans l'autre dans l'unique source.

Définition. Toute source ruisselante est le lieu du lieu.

*

Les cordes des pianos qui sonnaient et se détendaient soudain dans le silence étaient nos partenaires comme nous étions les leurs peut-être. Tout dans cette part du lieu et du temps explorait l'accès qu'il avait à l'autre dans la nuit.

Il y a des lieux, ou des moments, où tout aborde.

Il y a des moments où nous sommes absorbés. Alors le passé invisible s'est refermé sur nous. Notre existence voyage.

Dans ces cas-là le temps se ralentit. Le lieu s'agrandit et débarque dans son propre espace. Le lieu devient un animal intense.

*

Je relevais mes paupières et regardais ses yeux. Un ciel dépourvu de nuages n'aurait pu devenir plus clair. Nos gestes n'empruntaient plus le manteau de la gêne ou la brusquerie de la peur. L'allégresse s'ajoutait à la nudité ; et quand la honte survenait encore elle n'était plus qu'un souvenir touchant.

Dans la minuscule chambre nos inhibitions nous attendrissaient comme des restes d'enfance qui jouaient sur la peau comme des ombres de feuilles.

*

Argument XVII. Épicure disait que la vie, quand elle se rencontre elle-même, fait sonner un fond euphorique qui est aussi mystérieux et simple que le ciel sans nuages.

Somadeva divisait le monde en deux groupes : les vêtus de blanc et les vêtus d'espace. Il entendait par là que les hommes qui sont nus étaient en contact avec l'univers alors que ceux qui sont habillés non seulement cherchaient à se dissimuler à lui mais l'univers prenait ses distances vis-à-vis d'eux.

Un linge sur un sens est comme un nuage devant le soleil.

*

L'autre sexe parasite l'âme.

Parfois le clocher résonnait. On aurait pu appeler cela la folie du bronze. La folie qui affole le bronze. Il fallait qu'un certain nombre de conditions fussent réunies. Soudain l'harmonique d'une note que je venais de jouer sur l'orgue familial gagnait les trois cloches dans le clocher de l'église de Bergheim, malgré les abat-sons de bois verts. Une fois que la vibration les avait prises, sans que les cloches sonnassent pour autant, une résonance de rhombe naissait d'elles, insupportable, s'accroissant de façon autonome, augmentant non seulement de volume mais aussi, progressivement, de tonalité. Il n'y avait plus rien à faire. Il fallait cesser brusquement de jouer de l'orgue, arracher ses pieds et ses mains aux claviers, à la stupeur du prêtre et à la réprobation justifiée des fidèles.

Il fallait attendre que la matière du bronze se fût reposée, longuement calmée, il fallait demeurer silencieux jusqu'à ce que le son se soit complètement effrité à l'intérieur de la voûte de la cloche, avant de pouvoir reprendre sans qu'il y eût de séquelles sonores à cette crise de panique du bronze née presque animalement devant tel rythme, ou telle résonance particulière, ou tel vestige inscrit dans la fonte du bronze, à la fois jadis, maintenant et soudain.

*

Le plaisir fait flotter sur le visage une espèce de lueur de triomphe, de connivence odieuse avec l'univers, de stupidité animale ou peut-être même végétale, comparable aux pétales des fleurs sur les plantes, à la moue de digestion du lion.

*

La connivence est un mot plus mystérieux que l'amour.

*

Les vieux, plus puérils que les enfants, connaissent une joie de plus en plus indécente. L'âge affaiblissant leurs ressources les voue aux étais, aux souvenirs, aux ruses, à la patience, à l'humiliation, aux leurres et aux reflets. Décoordonner l'étreinte pour jaillir lentement, telle est la voie ordinaire que suivent tous les amants. Mais plus ils vieillissent plus la conscience les envahit en les contraignant aux regards. En aimant la beauté touchante de la flaccidité, vos forces remontent du passé. L'inhabileté, la langueur, l'excitation inefficiente, la honte partagent les heures. Atteindre la cible n'est plus rien. Découvrir la cible est la beauté douce de la conscience. Les amants plus âgés redeviennent des débutants que la sève a abandonnés mais dont la nudité persiste et même s'aggrave. En perdant de sa beauté, elle ne s'éloigne pas de la gêne. Ils sont l'un et l'autre des reflets de leur jeunesse et ensuite des reflets de créatures humaines qui se répercutent sur la surface du miroir. Alors la femme et l'homme, après avoir fait de nouveau connaissance avec la gêne, retrouvent la honte, une honte que l'âge redouble et que la déficience triple. Une honte sur laquelle le temps ferme trois fois les yeux. La sexualité les quitte, le plaisir ne les préoccupe plus autant qu'autrefois, la différence sexuelle prend le pas et peu à peu occupe tout le terrain, l'amour a devant lui tout le champ et toute l'anamnèse du champ.

*

Argument XVIII où je retrouve la fascination mais ici comme origine de l'image.

L'image est ce qui vient dans le rêve du fond de l'absence comme ce qui est convoité et que l'âme fait venir dans les *yeux fermés* (les yeux fermés de la *coniventia*) comme un mirage (comme l'eau de l'oasis apparaît dans le désert, là où elle fait le plus défaut).

Je pense que les yeux fermés de la connivence relaient les yeux fermés du rêve.

L'image est d'abord un mirage : c'est ce qui est perdu qu'on voit. C'est le là de ce qui est ailleurs. Toute image est le mirage d'une mère nourricière.

Je pense que les yeux fermés de la *coniventia* persistent à l'état d'yeux de mère.

La première image est le mirage d'une mère. Ce que nous avons perdu nous regarde et nous tombons dans ce regard dont nous sommes tombés. Nous nous réenfouissons dans ce corps dont nous sommes tombés. C'est la fascination qui reprend dans la connivence.

Dans ce regard qui ne tue pas.

Dans ce regard qui ferme ses deux yeux comme les yeux d'un rêveur.

J'évoque des choses difficiles à exprimer et qui virent sans cesse à l'étrangeté. Je suis surpris que l'amour, que cette relation extraordinaire et finalement extrêmement rare chez les humains mais qui les hèle tous comme un rêve éveillé (comme des paupières refermées ouvertes), ait si peu été dégagée de la gangue même de sa chair prélinguistique, préphilologique, et je suis un homme étonné de se retrouver si seul sur la rive.

CHAPITRE XXXVI

Nukar était un chasseur de phoques célibataire. Il ne se lavait plus. La peau de son kayak était toute moussue et recouverte d'algues qui pendaient. Jadis il avait affronté l'ours mais il ne chassait plus. Il ne pêchait plus. Il ne parlait plus. Ou du moins il ne parlait que quand il était sûr d'être seul. Et même, alors, il se parlait à lui-même en ayant soin de ne pas utiliser le même langage que celui qui avait cours chez les autres membres du groupe.

Un soir, dans la maison commune, un des hommes évoqua une femme dont la beauté était extraordinaire. C'était une femme qu'il avait entrevue dans un iglou de neige qui avait été construit au bord du lac le plus élevé. Un groupe de chasseurs s'était installé là pour pêcher le saumon à la remonte.

Au milieu de la nuit, Nukar se leva sans faire de bruit, revêtit sa peau d'ours, prit son bonnet en peau de phoque, saisit sa rame courte, enjamba les corps qui dormaient.

Dehors, il frotta longuement son visage avec de la

neige. Il racla la peau de son kayak avec un couteau en os. Il nettoya et lissa sa barbe, puis sa moustache, puis ses sourcils, puis ses cheveux. Quand le soleil jeta son premier rayon, il monta dans son canot fait de peaux assemblées.

Pendant deux jours il longea la rive de la rivière en pesant sur sa pagaie.

Au crépuscule du troisième jour, il pénétra dans le lac. Quand il fut parvenu à une certaine distance du ponton que les hommes avaient installé au bord du lac devant l'illuliaq, il immobilisa son canot. Les gens s'assemblèrent sur la rive et le regardèrent sans prononcer un mot.

Leurs chiens de traîneau aboyaient. Nukar hurla : « Je ne suis pas un fantôme ! »

Il saisit son nez avec ses doigts et le tira.

Un des hommes qui étaient sur la rive cria alors : « Approche ! »

Le kayak toucha le bois du ponton.

Un chasseur lui dit : « Débarque ! »

Nukar attacha son canot au ponton. Il se hissa sur la rive et s'approcha des hommes dans la neige. Mais tous reculèrent. Il répéta très fort, en tirant sur son nez : « Je suis un homme vivant. Mon nom est Nukarpiatekak. » Alors les hommes lui montrèrent l'iglou de neige et lui dirent : « Entre ! »

Il franchit le seuil de l'iglou. Il accoutuma ses yeux à l'ombre. Il vit la femme qui se tenait au fond, près du lieu des lampes, sur le mur du nord. Le chasseur d'ours qui avait évoqué cette femme avait dit la vérité. Jamais Nukar n'avait vu une femme dont la beauté fût aussi grande. Tout son corps fut empli d'une grande chaleur. Cette chaleur fut si étouffante que sa tête fut prise de vertige et qu'il tomba. Aussitôt Nukar se releva. Il ôta sa pelisse d'ours et la suspendit. Il enleva son bonnet en peau de phoque. Mais quand il se retourna, quand il regarda la femme devant le mur nord de l'iglou et qu'elle se mit à lui sourire, ses genoux de nouveau fléchirent et il tomba évanoui.

Quand Nukar revint à lui, comme il se tournait vers elle, il vit qu'elle avait allumé une lampe de pierre sur la plate-forme et qu'elle y ajoutait de la graisse de phoque qui grésillait. Mais lorsqu'il eut vu qu'elle lui souriait tout en lui faisant signe de la rejoindre sur la couche, son désir bondit si violemment dans son corps qu'il en perdit encore le sens.

Sa tête tomba avec un grand bruit sur la plate-forme de couchage.

Lorsqu'il reprit connaissance, il découvrit qu'il était tard et que tous s'étaient couchés. La femme finissait de préparer la couche pour lui et pour elle en entassant des fourrures. Il s'agrippa à la plate-forme. Elle était si belle qu'il pensait mourir en la voyant. Il avait son visage au-dessus de son visage. Elle suça son nez. Mais le désir qui le tenait fut le plus fort. Il écrasa la mèche qui grésillait dans la lampe de pierre. Il s'allongea sur la femme en écartant ses jambes. Son sexe tendu trouva le trou de la femme. Il poussa en elle son sexe et tout son corps s'enfonça en elle tandis qu'il se mettait à pousser un grand cri.

Tous ceux qui étaient en train de dormir s'éveillèrent brusquement en entendant crier. Ils demandèrent : « Qu'est-ce qui se passe ? » Mais personne ne leur répondit.

Quand le soleil se leva la femme sortit de l'iglou. Elle marchait en chantant mais Nukar n'était pas à ses côtés. Et il n'était pas non plus à l'intérieur, sur la plate-forme de fourrures. Pourtant son kayak vide était toujours là, sur la rive, accroché au bois du ponton.

Mais la femme ne se dirigea pas vers le lac. Elle contourna l'iglou en chantant. Elle s'éloigna au-dessus du lac et du camp. Elle se dissimula derrière un monticule de neige où elle s'accroupit et où elle se mit à pisser.

CHAPITRE XXXVII

Le 18 août 1818 le capitaine John Ross découvrit dans le Groenland des hommes qui résidaient là depuis le paléolithique et qui criaient à ses marins : « Ne nous tuez pas ! Ne nous tuez pas ! Nous ne sommes pas des fantômes ! » Mais ils étaient des fantômes de soixante mille ans. Les Danois s'allièrent aux Américains, qui avaient donné des preuves de leur faculté à bien exterminer, et sous les armes et la piété desquels les Noirs des côtes d'Afrique et les Indiens des plaines d'Amérique avaient péri par nations entières. Et en effet ils les exterminèrent. Les quelques Inuit qui survécurent, comme leurs chasses aux phoques à l'aide d'un harpon en os avaient lieu sur le territoire de l'Europe, devinrent membres de la CEE.

*

Il ressent un vertige, il a un étourdissement, il tombe dans l'évanouissement, il tombe enfin dans l'étreinte où il a pris source jadis et est réabsorbé. La jouissance est contiguë à l'endormissement mortel et l'endormissement mortel est contigu à la mort. Le désir de Nukarpiatekak ne veut plus voir. Il éteint la mèche qui brûle dans la graisse de phoque. Le désir est si fort que la femme est seulement la femme, la femme sans nom, la femme sans parole, *haec* innommable. *Haec* à laquelle il ne parle jamais. (Ou femme au nom encore taboué, « femme entre toutes les femmes », si le conte, comme je le pense, remonte à un stade paléolithique.) Le désir est si fort quand dans la nuit l'homme se fond à la femme, que tout l'homme qui provient de la femme s'enfonce entièrement en elle. Le chasseur d'ours est réabsorbé dans la nuit elle-même, la nuit primitive, dans le sexe féminin de la grotte originaire où la même scène fusionnelle l'a conçu et l'a métamorphosé en corps.

*

Dans le mythe concernant la disparition de Nukarpiatekak, il n'est pas question d'un véritable iglou mais d'un illuliaq — un iglou provisoire le temps de chasser le saumon qui fraye.

La plate-forme de couchage se nomme en inuk l'illeq (le mur du sud) et est opposée à l'ippat (le lieu des lampes, le mur du nord). Aussi la lampe en pierre du conte, emplie de graisse de phoque, avec l'herbe sèche tortillée qui sert de mèche, est-elle placée du côté où il ne faut pas.

*

Elle, la femme *haec* sans nom qui sourit, à qui revient le soin de la graisse de la lampe, acquiert finalement le chant. Et la joie qui la caractérise dans toutes les séquences sans exception du conte non seulement semble se perpétuer en elle au-delà de la nuit d'amour mais semble en avoir été renouvelée.

De lui, du chasseur d'ours, ne reste rien que son embarcation vide sur la rive.

Ce mythe trahit une substance nettement ancienne (femme sans visage, rire comme celui d'Amaterasu, matrifocalité obscure, perpétuation divine de l'espèce, nom propre taboué, surveillance de la lampe à huile par laquelle la femme maintient le feu de la même façon que son ventre perpétue le groupe). Ce qui est plus singulier, c'est que l'homme y est saleté, silence, asocialité ; le kayak où il pêche est pourri.

Cette pourriture n'est pas celle de l'homme mais de sa proie. C'est celle d'un saumon.

Nukar est un saumon. Il ne régresse pas dans la femme : il remonte dans la source.

Son canot moussu, son corps qui se desquame en font un saumon de remonte qui se rend en trois bonds à contre-courant vers la source et meurt en frayant.

La femme anonyme à la fin du conte n'urine pas seulement lorsqu'elle s'accroupit : elle couve. Laitance et frai. Le frayage décrit ici coïncide avec ce que le français appelait naguère la vieillonge, l'âge humain suivi immédiatement de la mort. L'origine est synchrone avec la fin. Nukarpiatekak est un homme saumon. La femme est source. Si elle urine, le conte précise que c'est en amont du camp printanier et du lac. Nukarpiatekak en fait la source renouvelée, printanière, déglacée, ruisselante où les saumons fraient. Elle chante.

*

Le conte sur la disparition de Nukar dit ceci : À un certain degré, voir, c'est disparaître. Tel est l'homme qui désire et qui disparaît dans ce qu'il désire avec son désir.

Ce thème est toujours celui de la fascination.

La pénombre, éteindre la lumière des allus et des phoques pour se vouer à celle des sources et des saumons : c'est le thème de la désidération. C'est éteindre la fascination. C'est arracher les yeux à la vision. C'est dans la nuit que l'homme désire ; à la lueur de la lampe ravivée par la femme ou devant son regard et son sourire constant, il s'évanouit constamment. Il s'endort sans cesse. Il meurt.

Au contraire, dans la nuit, il désire.

*

L'hypnagogie est une épreuve déroutante. Elle suppose une prodigieuse perte d'étanchéité.

À l'instant où il s'endort, celui qui veille encore un quart de seconde est un point qui se met à flotter dans l'espace. J'insiste sur le fait que la langue appelle simplement « point » ce qui n'a plus de dimension.

À l'instant où la frontière entre la vigilance et l'hypnose nocturne commence à se défaire, la frontière entre l'interne et l'externe s'abolit.

La peau n'existe plus, s'effrite à une vitesse vertigineuse. La paroi entre Dans et Hors s'est rompue et se traverse.

À cet instant de vertige spatial, le moi, sans peau, sans frontière, sans pied (il est allongé et il flotte), avalant tout ce qui l'entoure, est lui-même entièrement avalé par une espèce de bouche ou de cavité ou de grotte mystérieuse.

Il faut souligner ceci : tout être humain qui s'endort se ressent comme avalé. Ce point qui flotte, déjà poreux, mais encore absorbant a l'impression d'être absorbé à l'intérieur d'un espace qui ressemble à celui d'une voûte plus ou moins crânienne ou plus ou moins vulvaire.

S'endormir est une expérience très difficile pour certains humains, comme toutes les extases.

*

Le mot de frayage décrit le cerf qui desquame ses bois contre le tronc des arbres. Puis le dépôt des œufs à la source remontée à contre-courant par les saumones et les saumons.

Frayage est avancée à mort, jusqu'au bout de l'inconnu, jusqu'au rebours de ce tout ce qui a été connu. Jusqu'au bout du monde. Jusqu'au bout de l'eau.

L'homme est un saumon.

Tout lit est une frayère.

Le coït est la mort.

Plus précisément, associant mort et naissance, *mourir est dénaître.*

Si mourir est dénaître, le naissant est un revenant.

*

Nukarpiatekak déchaîne la rétroaction : il se livre à l'amont. Il plonge dans la source. Avalé dans la source il déclenche le nouvel aval. Le vieux Nukarpiatekak a débouché la jeune femme source, la source urine, elle ruisselle de nouveau.

Il n'y a pas lieu de distinguer entre accoucher, ruisseler, assourcer, faire revenir le printemps, la sève, la ponte, etc.

*

Les poissons qui remontent le lit des ruisseaux pour frayer à leur source ruisselante rougissent, vieillissent, se desquament et fraient rapidement à la naissance du torrent avant de mourir.

Le temps ne coule plus, rétrocède et décrit tout à coup la figure d'un cercle. D'un soleil au solstice qui soudain se retourne.

Nous sommes de vieux poissons pourrissant, en lambeaux, qui ne parvenons pas à sauter les petites cascades, les petites saccades ultimes, les chutes pour rejoindre la petite goutte d'eau où nos mères ont frayé.

Les poissons qui rejoignent le lieu de leur naissance pour frayer sont les hommes dans la position face à face. La femme se retrouve dans la position de l'accouchement. Les hommes remontent sur les femmes pour déverser en elles à l'écart du jour et de la vision solaire le frai dans l'ombre et l'eau — et ce faisant nous rejoignons le lieu de notre naissance, nous poussons la porte de la plus ancienne maison.

*

Il y a un ancien amour.

L'ancien amour se tient au fond de l'amour. Comme tel, il ne s'agit pas d'un premier amour : alors il n'y avait pas de soi constitué, d'identité personnelle, de langage, de *personna*, de position, etc. Ce n'était pas un amour et ce n'est qu'ensuite, en se survivant dans son inconnaissance, dans sa prétérition, parce qu'il n'est pas possible au sujet d'y accéder jamais, qu'il est devenu l'ancien en nous.

C'est l'emprise en plus de l'empreinte. C'est la fusion. C'est la porosité totale. C'est, avant la fascination, le corps un (mère-enfant), le corps qui tend ses membres et qui dans le même temps s'attend, qui aspire à refusionner ; c'est cet engloutissement imminent.

Les chasseurs de saumons donnent la version stricte de l'ancien amour : à l'image du poisson totem, là où tu as été frayé tu fraieras-effraieras-mourras. Où tu es sorti tu t'engloutiras. Sexualité et mort sont la même porte.

La thèse de Nukarpiatekak parcourt un cercle comme la fascination emprunte sa figure au demi-tour solaire. Les bisons rétrospectifs du paléolithique déboîtent ainsi leur cou pour voir ce qu'ils excrètent. L'amour est le contact avec le continu. Quand l'égaré retrouve le perdu il s'y engloutit.

*

La société redouble la frayère dans les sociétés des Inuit : la mort des vieillards et la naissance des enfants sont l'une et l'autre des décisions collectives. On peut tuer les vieillards pour peu qu'on leur ait arraché leur nom (pour peu qu'on les ait *dé-nommés)*. On peut tuer les enfants à leur naissance pour peu qu'on ne les ait *pas nommés.* Autant de morts, autant de noms libres. Autant de noms libérés par la mort, autant de vivants depuis l'aube du monde. S'il y a plus de nouveau-nés que de noms disponibles (s'il y a plus d'enfants qui naissent que de grands-pères en attente de mourir) on les jette aux chiens (eux-mêmes nommés car il en va pour eux comme il en va pour les chasseurs, il ne renaît pas plus de chiens que ceux qui aboyaient). Le langage est la société. Le véritable narrateur des mythes est le groupe et non le locuteur. C'est le stock nominal (même pas le décompte des membres du groupe) qui fait la sélection du groupe social, qu'il soit humain ou canin.

*

Le plaisir assouvit peut-être. Je n'en suis pas sûr. Mais il n'exauce jamais.

Il faut autodétruire sans cesse le désir : c'est la porte de l'amour ; c'est le seuil. S'arrêter devant le déchaînement, l'indifférencié, le continu, l'interne. Il faut rester dans la différence sexuelle elle-même (qui est l'origine de l'externe), dans l'abri du signe, de l'arbitraire, du fragment, de l'indépendance.

Ne pas tomber dans la dépendance, dans le monisme dont on est sorti en naissant, l'emprise, l'absorption fascinée, fusionnelle, le silence.

L'amour joue avec le feu parce qu'il joue avec l'union. (Avant même l'identification.) L'amour est un se-fasciner. Deux personnes qui s'aiment sont deux se-fasciner qui s'aiment. Mais ce sont deux autofascinations qui aiment au fond de leur amour leur modèle-empreinte-regressus-mort (leur bête propre). Jouer avec le feu, c'est jouer chacun avec sa bête, la mère d'avant la séparation d'avec elle, celle qu'on habitait, qu'on mangeait, celle qui se mangeait elle-même en nous, jouer avec la carnivorie régressive d'avant l'enfantement, la succion et l'agrippement d'après l'enfantement. Jouer avec le feu, c'est jouer avec soi avant soi, c'est vouloir s'internaliser, s'interner dans la vulve qui vous a expulsé. S'externer s'oppose à se faire interner. Issir. La santé s'oppose à la folie comme naître à dénaître.

Corollaire I. C'est en quoi la plupart des femmes

sont amoureuses et point tous les hommes. Les femmes dans la vision de l'autre sexe ne rencontrent pas le lieu de leur naissance.

Corollaire II. C'est en quoi l'homosexualité devrait être plus fréquemment masculine que féminine.

Corollaire III. La sensualité qui irradie en chacun n'est dirigée vers personne. Pour la honte de chacun, l'amour dissimule un écoulement anonyme et agréable où l'espèce puise indistinctement inhumation et rénovation. Nous tentons de le rendre personnel afin de ne pas devenir fou. Fou comme les fleurs sans doute quand elles s'ouvrent. Fou comme les tortues de mer qui s'amassent sur une seule plage du monde, en une seule semaine, se chevauchant, se piétinant, se caparaçonnant de leurs propres carapaces. Fou comme les saumons qui ne veulent mourir que là où ils sont nés, où ils deviennent des êtres du passé en frayant juste là où les êtres-du-passé-du-passé les avaient frayés et de ce frai naît un nouveau voyage, sidérant parce que aller et retour, c'est-à-dire d'une certaine manière circulaire comme les astres, du moins pour ceux qui surmontent les chutes qu'ils remontent. La vérité est singulière. Nous tendons les deux bras vers nos mères mortes. Mais la source vivante est plus jaillissante que la figure morte que nous mettons à la place de ce brusque écoulement voluptueux et impersonnel qui nous couvre de honte. C'est à partir d'elle que parfois on aperçoit que cette unité anonyme est plus profonde que cette folie personnelle qui cherche à la masquer, à laquelle l'amour cherche à s'identifier alors qu'il ne peut que s'y ouvrir. L'insomnie meurtrière et obsédée mendie vers une région plus lointaine et plus originaire que n'importe quelle identité.

CHAPITRE XXXVIII

Les montagnes sont des têtes étranges qui sont émergées du sol et dont les rivières sont les pleurs.

S'abreuvent les cerfs à la tristesse des montagnes.

Les saumons remontent le courant qui afflue de la source et qui se perd sans arrêt.

Le perdu quant à cette perte inlassable des sources se nomme la mer. Je définis la mer comme l'assemblée du perdu.

Les hommes contemplent sur la berge la perte ruisselante.

Les vautours les survolent. Les vautours survolent montagnes, sources, cerfs, hommes, mers en tournoyant comme les astres en silence.

CHAPITRE XXXIX

En lisant les vieux livres, ayant accru ce que j'ai éprouvé de l'éloignement de ceux qui furent, ayant augmenté mon expérience de la prétérition de ce qui a été, l'ayant minée de la péremption de ce qui est mortel, je plonge le tout dans l'abîme du silence qui précéda et qui suivra.

Je doute d'avoir autant aimé le silence que je n'ai été entièrement enivré par la musique. Mais je suis de plus en plus attiré par le silence. Ce n'est pas que tous les musiciens s'éloignent de moi : ils suivent je ne sais quel carrosse au loin. Il est vrai que quelque chose en moi dès l'aube n'a pas pu s'éprendre du langage du groupe.

En aimant le langage tombe. S'il aime, celui qui s'approche de la nudité s'avance vers l'autre.

En naissant ai-je hésité ?

Musicien, j'ornais peut-être ce qui ne s'était pas assagi en langage.

Enfin je suis revenu au silence comme les saumons viennent mourir dans leur aube.

Le moine Kei a dit : « Le moine peut se cacher mais le temple ne peut fuir. »

CHAPITRE XL

Sur le pied négatif

Masaccio peignit tout d'abord le ciel qui est détruit.

À vrai dire, pour ce qui concerne le ciel, il fallut attendre exactement 333 années pour qu'un architecte désirât implanter, en 1747, sur trente centimètres, en haut de la fresque, un nouvel arc d'appui en plein cintre. Ce fut ainsi qu'il consolida l'entrée de la chapelle Brancacci dans l'église Santa Maria del Carmine à Florence et ce fut alors que la tête de l'ange disparut.

Les ailes furent rognées.

L'épée se rompit.

*

Le deuxième jour de 1414, le plus à gauche qu'il pût, en entrant, toujours brinquebalant sur l'échafaud de fresque, Masaccio s'appliqua à peindre la porte par laquelle le premier homme quitta le premier monde.

Il commença à peindre le pied droit d'Adam pris dans la porte du paradis.

Le troisième jour le peintre peignit tout le corps du premier humain : il poursuivit ce pied.

Pour les traits de l'humain, Masaccio reprit à l'*Adam tenté au Paradis,* que son maître Masolino avait déjà peint (et qui lui fait toujours face sur la paroi de droite de la chapelle), le menton marqué, les épaules robustes, le dos voûté, la fesse ronde, le ventre plat, la nudité très peu pileuse, le sexe court, les cuisses longues, les mollets pâles et fins.

Quatre siècles plus tard un savant originaire de Vienne a apporté la preuve que l'Adam de Masolino, que reprenait l'Adam de Masaccio, avait lui-même emprunté ses traits à une statue romaine du Ier siècle après Jésus-Christ qui représentait l'empereur Tibère.

Le 13 mars 37 l'empereur Tibère mourut après qu'il eut enfoncé un épieu dans le flanc d'un sanglier (je me souviens qu'il concourait dans l'arène de Circéies). Après quoi il ressentit un point de côté. Il fit venir la litière. Il s'alita. Sa main gauche se crispa et il ne put plus la déplier. On ne put lui ôter ses bagues ni son sceau. Il mourut dans une chambre de Misène, un oreiller sur la bouche, Macron désirant étouffer les cris qu'il poussait.

*

Le quatrième jour de 1414 Masaccio fit Ève hurlante qui se dirige vers le monde qu'elle découvre bien avant qu'Adam ne l'aperçoive.

Adam se tient derrière elle.

Curieusement, dans la scène entière, c'est le sexe flaccide d'Adam qui reçoit toute la lumière. Ève est pâle. Son ventre est lourd. Elle a la face tendue en avant vers le ciel. L'homme dissimule son visage — qui est penché vers le sol. Ses épaules sont voûtées. L'amant de la première femme est sans visage. La première femme tend son visage, ouvre la bouche, hurle, voyant le monde. Lui, il est le premier homme et il ne veut rien voir. Le premier homme est sans visage — ainsi qu'il l'est en effet sur les parois des grottes les plus anciennes qui aient été conservées par hasard et qui datent d'avant la paysannerie et l'histoire.

Les amants se croient toujours à l'origine de l'humanité, dont ils manient comme au premier jour la différence particulièrement ancêtre qu'ils trouvent entre leurs jambes, et qu'ils risquent en effet, s'ils n'y prennent garde, de renouveler encore une fois au cours de l'étreinte que leurs parties génitales commencent à apparier tandis qu'une impatience incompréhensible fait briller leur regard.

Mais le plus profond de cette fresque ne me paraît pas consister dans ce regard du premier humain aveuglé opposé à la face féminine mise en avant et hurlante. Le secret de l'image tient tout entier dans le pied pris dans la porte dont il vient, ainsi que dans le regard taboué. C'est bien sûr la main droite qui presse le regard de l'homme et l'aveugle. C'est bien sûr le pied droit qui est retenu dans la porte paradisiaque. L'image dit ceci : fuir le paradis veut dire avoir encore un pied dedans. Et le bon pied. Le pied est peint. Il s'agit donc d'un pied positif. Maintenant je veux parler d'un pied négatif.

*

Les préhistoriens appellent main positive le vestige d'une main peinte apposée sur la paroi puis retirée, abandonnant derrière elle ce vestige peint. Ils ont accoutumé d'appeler main négative l'empreinte vide que laisse derrière elle la main nue appliquée de l'homme après qu'il a soufflé la peinture sur ses doigts tandis qu'il la scellait à la paroi de la grotte pour entrer en contact avec la force invisible et nocturne qui s'y dissimule. Les mains entraient dans la paroi. Ce que nous voyons en elles, des dizaines de milliers d'années plus tard, ne sont pas des signes mais des vestiges d'actions. C'est la main elle-même, une fois recouverte de la couleur sanglante qui la fondait à la paroi, qui pénétrait dans l'autre monde.

*

À l'extrême gauche de la porte elle-même de la chapelle Brancacci à Florence, Adam a encore le talon droit sur le seuil de la porte du paradis. Ève le devance, tout son corps est dans le « en-dehors » du paradis, dans le réel.

(Ou plutôt : dans le monde à deux mondes. Dans le monde où la nudité est recouverte de couleurs, d'incisions ou de linges. Tout monde où la nudité peut être voilée ou incisée ou peinte est aussitôt deux mondes. Dès l'instant où l'on parle le non-dit et le dit se partagent. Le monde humain est deux comme l'homme et la femme.)

Ève n'a pas plus de taille qu'Adam n'en présente. Peut-être cette absence de taille est-elle le signe que la première femme est déjà gravide à l'instant où elle quitte l'Éden. L'image dit : l'étreinte sexuelle est édénique. Toute femme n'est pleinement une femme que pleine. Toute femme remontre à tous les hommes que c'est là le seul état, la seule étape qu'ils ignoreront toujours, qui passent toutes les expériences qu'ils pourraient avoir, toutes les comparaisons qu'ils voudraient faire, toutes les créations qui prétendraient les imiter ou les défier.

La transmission est la seule chose intransmissible.

La main droite de la femme dissimule ses seins ; sa main gauche dissimule ses parties génitales qui sont plus humaines qu'originaires parce qu'elle les a épilées (du moins elles sont épilées sur l'Ève de Masolino) mais surtout parce qu'elle les a soustraites à la vue. Elle marche en pleurant, devançant Adam, avançant la jambe droite, sans regarder où elle va, la tête levée vers le ciel, les yeux clos, hurlante devant le monde humain qui l'attend.

Et hurlant devant ce qui attend l'enfant qu'elle attend.

Adam, derrière elle, avance quant à lui le pied gauche, uniquement le pied gauche, *sinister*, sans regarder davantage ni l'Éden qu'il quitte ni la terre sauvage, imprévisible, réelle, vers laquelle il se dirige.

Il ne tente pas, pour ce qui le concerne, de cacher sa nudité. Il a porté sa main droite à ses yeux et il a serré contre elle sa main gauche pour étreindre davantage ses yeux. Il pleure et il ne veut pas que le monde où il pénètre voie qu'il pleure.

*

La thèse de Masaccio est simple : la figure du premier homme se détache de la paroi, un pied encore pris en elle, mais c'est les yeux fermés qu'il voit encore.

*

Le dos voûté s'explique par la tête penchée.

La tête penchée nettement en avant d'Adam, enfermée dans ses mains, est la tête qui pense. C'est la tête interne qui se remémore le monde perdu.

Des deux mains il imprime dans son regard le souvenir du monde qu'il est sommé de fuir : ses deux mains, si fort appuyées sur ses yeux, pressent son regard sur l'autre monde qu'il aura vu après qu'il sera entièrement entré dans le monde humain, entièrement entré dans l'air atmosphérique, l'espace coloré, la terre brune, entré dans le ciel bleu.

Ève est tout entière épanchée dans le visible, grosse sinon enceinte, hurlant, vaste et pâle. Elle est aussi épanchée dans l'univers visible qu'elle l'est dans l'univers sonore en hurlant. Son corps est tout entier dans le désert de l'en-dehors du paradis. Sur Adam la lumière blanche tombe seulement, plus violemment, sur les deux cuisses, beaucoup plus sombres que la peau d'Ève, sur le pénis, sur la couille droite, sur le ventre plat, autour du nombril, sur l'épaule droite, sur le bras droit, sur les deux mains et les doigts appliqués sur les yeux. La tête d'Ève est relevée en arrière, criant son angoisse au réel du monde qui entoure déjà son visage décomposé, criant déjà son angoisse à ce qu'elle découvre dans la lumière et dans la douleur, avec un réalisme beaucoup plus soutenu que ne le sera jamais le souvenir nostalgique dont son geste témoigne (aussi bien dans le visage de la femme que dans l'âme constitutive de la femme), que ne peut le connaître l'homme qui s'avance derrière elle, essentiellement derrière elle en raison de la naissance, toujours derrière elle dans le monde humain parce qu'il ne se reproduit pas, sempiternellement le pied entravé dans la trace de ce qu'il perd et pleure — qui est aussi celle de la fonction qu'il ignore.

On ne sait plus si Adam cache les larmes qui résultent de la déréliction éternelle (ce que les chrétiens appellent le péché originel mais alors il faut souligner ce point qui reçoit trois visages : le coït fut édénique, le péché originel lui-même appartint à l'Éden, le *lapsus* dans son essence est prélapsaire, seule la dénudation est postlapsaire), ou s'il retient l'autre monde dans ses yeux, à l'arrière de ses yeux, dans la pénombre de la caverne crânienne où chez les humains se déroulent les rêves durant le sommeil, sous l'emprise de ses mains appuyées fortement l'une sur l'autre.

*

Son pied droit est empreint dans le paradis.

Nul homme n'est à sa source. Tout homme sort d'une femme qui hurle et en hurlant. Nous fuyons le paradis en hurlant. Nous jouissons en hurlant. Nous quittons le monde en jouissant. Le vrai quitte. Le pur partir est jouir.

*

Masaccio a peint en perspective, dans une perspective gauche, cette porte du paradis elle-même inscrite dans la porte de la chapelle. La porte du paradis semble une porte très étroite, très mince. Elle semble une fente.

De nombreux contes de la Chine ancienne évoquent cette brèche du mur par laquelle homme et femme se rejoignent dans l'obscurité totale. Ils la rapportent eux-mêmes à cette brèche du corps féminin au travers de laquelle leurs chairs s'unissent.

*

Les animaux, tournés vers l'intérieur de la terre qui les réabsorbe dans la fissure des grottes, la profondeur les aspire.

Argument. L'homme sans visage, l'homme de Masaccio n'avance pas. Il est aspiré vers l'arrière.

Adam, c'est, peut-être, Nukar.

*

Parfois des animaux nus ont accès à quelque chose de plus précieux que le langage et de plus profond que le monde.

La vérité est simple et nullement indigne. Tous nos sens sont nos plaisirs. Tous nos besoins sont nos cérémonies. Toutes nos fonctions sont nos joies.

*

Cette fresque sur la paroi de gauche de la petite chapelle Brancacci était à mes yeux une *preuve administrée.*

Il était possible que nous retrouvions l'autre monde lui-même, en personne, à rebrousse-poil, à reculons, en quittant ce qui nous vêt, en fuyant ce qui nous lie non pas dans la nudité, mais dans la dénudation de la nudité.

Non pas dans la fascination, mais dans le désir.

Masaccio en apportait le témoignage. Dieu le prouvait.

Car la scène de la chapelle Brancacci dans l'église du Carmine à Florence n'a pas tout son sens en elle-même. La fresque illustre le texte de la Genèse. Et les versets qu'elle montre comptent parmi les plus étranges des textes anciens. La Torah porte que cet instant est celui de l'invention de la nudité humaine. Le verset 7 dit : « Les yeux de l'homme et de la femme s'ouvrirent : et ils connurent qu'ils étaient nus. » Le texte décompose trois temps :

« Ils s'ouvrirent », c'est la fascination.

Ils dénudèrent, ils désidérèrent, c'est le deuxième temps.

Et aussitôt ils se cachèrent : c'est le troisième temps. Ils se cachèrent 1. dans les vêtements (les ceintures en feuilles de figuier qu'ils confectionnent illico), 2. derrière les arbres de la forêt. La traduction de saint Jérôme dit : *Et aperti sunt oculi amborum : cumque cognovissent se esse nudos.* Aussitôt après Adam explique à l'Éternel qu'avec la désidération de la nudité lui sont venus la peur et le besoin de se cacher *tant il lui semblait être nu.* Alors Dieu lui demande : « Qui t'a appris que tu es nu ? » *Quis enim indicavit tibi quod nudus esses ?* C'est juste l'instant qui précède la malédiction. Et la malédiction est juste l'instant qui précède cette scène : quand, chassés du paradis terrestre, la différence sexuelle a surgi entre le premier homme et la première femme là où elle était mais où elle ne divisait pas encore, introduisant avec elle la honte, le trouble, le manque, le désir, l'effroi devant la voix de Dieu.

Qu'est-ce que la voix de l'Éternel ?

C'est le langage.

C'est le langage qui les chasse sous la forme d'une voix entendue dans l'angoisse et cette honte précède la chute mais elle en est la cause : la nudité humaine est la chute dans le temps humain. Les yeux ouverts sont ceux de la dénudation et de la dissimulation dans les feuilles du figuier et derrière le bosquet quand la voix du Langage éternel s'élève.

*

Cognovissent se esse nudos. « Ils se découvrirent nus », pour peu que les mots aient un sens, cela veut dire quoi ? Cela veut dire qu'ils se découvrirent pour la première fois sans image. Le talon n'est point encore décollé du seuil de la porte divine et Adam est en train de se découvrir pour la première fois sans image. C'est l'instant de la peinture humaine. Le premier homme va découvrir la nudité comme dénuement et il serre ses mains sur ses yeux. L'en-dehors du monde, c'est la dénudation du corps qui n'était jusque-là que nudité.

Les oiseaux qui jouent dans les branches et la pelouse du jardin sont nus mais ils ne se découvrent pas dénudés. Les chatons qui sauticotent et boulent sur le divan sont nus mais ils ne se découvrent pas obscènes. Les poissons rouges qui tournent dans le bocal et portent les gros bourrelets de leurs lèvres à la surface de l'eau ne se découvrent pas nus.

La nudité de l'autre, la nudité singulière et non leur corps, c'est ce que les amants découvrent sur leur corps. C'est la curiosité insatiable dont ils sont les organes insatiables. C'est une curiosité qui ne peut pas s'assouvir puisqu'elle est celle de ce qui est autre à jamais à eux-mêmes. La nudité humaine peut n'être qu'entraperçue par les hommes et les femmes en s'étreignant. Par pudeur. Par rapidité. Par honte. Par plaisir surtout : la jouissance arrache la vision à la vision de la nudité qui suscite le désir. La volupté ne veut rien savoir. J'ai argumenté autrefois ce point : c'est le plaisir qui est puritain. On ferme les yeux comme si on ne voulait pas voir, pour jouir plus profondément. Alors les deux mains collées sur ses yeux, la scène de l'Adam de l'église du Carmine prend un sens plus général encore : la sensation exige les yeux fermés. Le contact requiert que toutes les distances et toutes les médiations soient annulées. Les deux mains collées sur les yeux, j'écrivais. Le poisson a les nageoires collées sur les yeux. Le chaton a les griffes rétractiles collées sur les yeux. Le moineau a les pattes collées sur les yeux. Comme l'écrivain ne voit jamais la page qu'il écrit. Pourquoi ? Ils courent après le monde qui vient.

*

On sort de la tiédeur, presque de la fraîcheur, et du silence de la petite chapelle d'une église italienne où on s'est laissé fasciner pendant de longues heures. On s'était mis à genoux par l'effet d'un souvenir.

On ne peut rien voir tout d'abord de la lumière. On est pris d'un vertige. On a encore un pied dans le porche.

On doit à plusieurs reprises plisser les yeux à cause de la lumière si violente et si transparente du monde.

Frotter ses yeux tant la chaleur retrouvée est brûlante.

*

Un écrivain est un homme qui n'arrête pas de vouloir se défaire de l'obscurité, qui n'arrive jamais à sortir tout à fait de l'obscurité, comme un chaman est un homme qui sort de sa grotte ainsi que le raconte le conte biblique qui concerne saint Élias. On plisse les yeux à force de ne rien voir. C'est cela. Les yeux aveuglés, pressés, vidés de leur vision, désidérant le sidérant mieux que ne serait capable de le faire par elle-même la vision. Nous naissons. En naissant nous ne commençons pas de vivre parce que nous avons vécu avant de naître mais vivants, à partir de l'ombre, nous découvrons le jour. Et c'est aussi cet effet de naissance, cette vie à deux temps, cette double vie que le visible invisible réajointe comme les deux battants d'une porte. Comme les paupières sur les yeux. On plisse les yeux. On ne comprend rien. On avance en se disant qu'on va voir, qu'on va voir ce qu'on va voir, qu'on va bientôt voir ce qu'on va voir. Mais rien n'accommode la vue à un spectacle qui est si passé. Rien n'accommode la vision à une aventure qui est si loin derrière nous tant elle s'est répétée, tant son passé passe le passé lui-même. Aventure elle-même contenue à sa source dans le spectacle que répètent, avant même la vie, les figures du ciel.

Aventure de chacun d'entre nous dans tous les cas toujours déjà commencée à l'instant même où ceux qui nous ont faits nous font croire que nous commençons. À force d'être répété, c'est peut-être le passé lui-même qui nous rejette dans le jour.

CHAPITRE XLI

Les deux mondes

Euripide raconte que le roi Ménélas, durant sept ans, n'avait jamais embrassé Hélène, n'avait pas étreint le buste d'une femme, n'avait couché qu'avec le fantôme d'Hélène. Durant sept ans, deux à trois fois chaque nuit, il avait épanché ses semences dans un ventre pas plus consistant que n'est l'ombre. Pourtant il lui semblait que l'extrémité de son corps en avait éprouvé toute la tiédeur et toute la douceur et cela lui paraissait une chose inexplicable. Nous songeons tous à nous-mêmes quand nous lisons ces histoires fabuleuses et nous nous disons : « Ce n'est pas vrai ! Je n'en reviens pas ! À Ménélas aussi est arrivé ce qui m'est arrivé ! » Et nous continuons à nous battre pour des morceaux de nuage.

En janvier 1977 j'étais malheureux au point de remâcher l'enfance et de revisiter son silence. Je ne sais pourquoi j'étais à Anvers quand l'Escaut sortit des berges et inonda le bas de la ville. Nous dûmes tous quitter au plus vite la maison de Plantin. C'était l'hiver. La nuit tombait. Nous courions comme des dératés.

La nuit fut là très vite.

*

Quand on se retournait, en courant à toute allure, en montant vers la gare, on voyait la surface miroitante du fleuve mêlé de mer derrière nous qui s'élevait.

*

S'écarter du langage à l'âge de dix-huit mois ne correspondit pas à un désir que j'aurais pu formuler, faute d'avoir eu le temps d'épouser les deux langues qui me saisissaient sans qu'il me fût possible de les saisir moi-même.

Mais j'en avais ressenti les *abois.*

*

Plus nous nous écartons du langage, plus nous pénétrons dans cet ailleurs qui n'est nullement un double de ce monde. Qui est une chambre d'écho du langage où son défaut s'émancipe. Jusqu'à l'hallucination de la faim. Jusqu'au désir sexuel. Jusqu'au fantasme. Jusqu'au rêve.

*

Plus on va loin à l'autre bout du monde, plus la rive est violente au retour. Mais cette mélancolie intense accompagnée de ce réveil dur est encore cet ailleurs qui se répand sur nous quand nous aimons.

Nous nous retrouvions enlacés, nos deux corps nus, frissonnants, sur la rive.

Les chambres aussi sont des rives.

Les lits sont des sortes de berges extrêmes.

Nous nous taisions. Je ne puis assez dire combien je sais maintenant que nous avions raison de nous demander à nous-mêmes de nous taire. L'intérieur et le dehors s'effleuraient encore. La nudité est le seul vestige dans la vie humaine qui demeure encore perméable, couverte de l'eau silencieuse de l'autre monde.

*

De retour ici, dans ce monde-ci, dans le jour, c'est seulement le regard qui s'ouvre sur ici.

Non le silence.

Les mots en rompant ce silence qui a permis le voyage, en détruisant ce silence qui a une tout autre densité que les significations et les oppositions que la langue échange, anéantiraient cet autre site sur la rive duquel nous nous tenons encore dénudés. Peu à peu le lieu cesse d'être la rive de ce monde qu'on ne voit pas. Peu à peu tout le lieu envahit la rive, tout le lieu redevient la simple chambre. Peu à peu nos corps sont revenus, mais ils ne sont pas encore deux, pas encore tout à fait disjoints, pas encore tout à fait dédoublés et resexués, ils ne sont pas encore tout à fait revenus. Ce revenir doit être le plus lent et, pour ce faire, le plus silencieux. Cette détresse (d'ouvrir les yeux tout à coup, de cesser de nous taire, de ne pas donner congé à la perte de conscience et au voyage et à l'autre monde, cette détresse de s'éprouver en train de perdre la concentration où nous avons été) est un malheur (comme des poissons hors de l'eau soubresautant de douleur asphyxiée) mais est aussi une merveille puisqu'elle témoigne du bonheur et de la perméabilité sans limites où nous avons été. Nous étions là où le bonheur est extrême, là où les souffles et les âmes s'unissent, là où les corps s'ignorent, là, dans cette patrie si rare où les sexes sont réunis (et ne se voient plus ni ne sidèrent, ni ne s'envient, ni ne hantent).

*

Le royaume n'est pas de ce monde. Il n'est pas dans un monde qui suit et à proprement parler il n'est pas tout à fait hors de ce monde. Il « est » dans le monde sous forme de passé. Le royaume est un « présent » dont nous gratifie la naissance. Ce présent demeure présent à jamais mais il a un passé (le monde obscur, utérin) et une cause passée (le coït *primogenus*, comme le *fascinus* était dit *primogenus*). La naissance nous offre le passé dans l'état d'une confusion, d'un silence et d'une obscurité qui se mêlent les uns et les autres. C'est en ce sens qu'il faut entendre la réponse de Jésus à Pierre quand il l'exhortait à fixer sa demeure sur le mont Thabor. Pierre disait : *Domine, bonum est nos hic esse !* « Maître, nous sommes bien ici ! » Ni le Thabor, ni a fortiori la demeure de César, ni à l'évidence l'étable de Bethléem, ne sont des lieux où l'on peut dire : *Domine, bonum est nos hic esse !* Non, nous ne sommes pas bien *ici*.

*

Premier argument. Depuis que nous avons quitté le sexe de nos mères, nous ne sommes plus jamais tout à fait *ici*. Le royaume n'est pas tout à fait dans ce monde puisque chez les espèces vivipares il n'a pas débuté dans ce monde (le monde atmosphérique et lumineux). Le passé n'est pas dans ce monde ni n'est inhérent d'un autre monde. Le royaume est apparu comme tel après le déclenchement du temps. C'est après la déchirure de la poche des eaux intérieures que l'enfant découvre le voir dans la vision, découvre le souffle dans la respiration. Et l'*ici* est ainsi apparu après le Déclenchement du temps comme « Ce qui précédait le temps ».

Je ne mets pas au plus haut les divinités les plus anciennes que l'humanité a conçues : la bête, la vie, la fécondité, la reproduction, la mère tenant sur ses genoux l'enfant qui lui a été sacrifié. Naître me paraît plus haut que vivre parce que naître est plus contradictoire à mourir. Naître n'a rien à voir avec se reproduire. Il ne coûte pas beaucoup de regarder en étranger une lumière qu'on ignore : c'est naître. Et alors que cette vision met à feu en nous la violence d'un cri de terreur qui permet soudain de respirer, je regarde la figure du monde comme un songe qui est presque vivant, presque palpable, presque réel — et qui rend désirant et hagard.

Ce *presque* est lié au fait de naître. Parce que les vivipares ne commencent pas de vivre en naissant.

*

L'argument II peut se penser ainsi : toute sensation singulière et réelle recourt à quelque chose qui appartient à l'abandon et à la naissance. Toute œuvre de même. La naissance n'est pas vitale : elle met la main sur ce qu'elle ignore. Elle ouvre les yeux à ce qu'elle n'a pas vu. L'étrangeté est sa chair, non la reproduction du même ou la redite de la norme.

*

Argument III.

Mais si ce *presque* est lié au fait de naître (où la vue se précède, précède son décompte et sa source), ce *presque* est aussi un *quasi* lié au langage. Seuls les mots approfondissent la sensation du presque, sensation par laquelle ils ne pourvoient à rien de substantiel ni de réel dans le même temps. Très vite ils radotent parce qu'ils se mettent à bavarder sur ce qu'ils avaient permis de distinguer et, *presque*, de mettre au jour. Le langage ne reste pas longtemps vivant dans l'homme qu'il fabrique comme son sujet. C'est l'argument III : le langage n'est vivant que naissant. Et dès l'instant où j'ai le sentiment d'être soudé au rêve comme la nuit même où il se développe, je sens que je n'étreins plus que le vent que je souffle. Ce ne sont que des mots que je dis. Et je désire une autre frontière à franchir, une autre naissance à entamer, et je me précipite vers ce que je ne connais pas et ce à quoi je suis étranger comme vers une patrie ignorée ou comme, en me retournant dans la hâte, pour juger d'une mer qui monte et que je fuis.

*

Honte à ce siècle qui fait honte à ce voyage étrange.

C'est l'argument IV : honte à un siècle qui a refoulé *pour la première fois depuis neuf cent mille années* le mouvement qui porta toutes les meutes préhumaines puis humaines à ne jamais s'arrêter en un point de la planète, à ne jamais fixer leur désir ni enraciner leur faim, ni se satisfaire de l'autochtonie comme d'une proie, ainsi que font les plantes et les légumes.

Non, nous ne sommes pas bien ici.

L'argument est péremptoire. La nomadie originaire et plurimillénaire dit tout ce qu'il faut savoir sur les liens de l'humanité et de l'ici. Je veux écrire un *Sermon sur aucune patrie* qui fera pleurer des hommes qui sont maintenant morts.

*

Argument V.

L'amour n'est pas plus universel que la lecture, l'autre monde, l'écriture, etc.

Les arguments que je développe ici ne sont pas des traits définitoires au sens où la langue parlée, la mort soustraite à la vue, la fascination mimétique définissent l'humanité.

Qui ne tombe jamais hors de soi ne connaît pas l'amour.

Or, qui tombe hors de soi connaît l'autre monde.

Le coup de foudre fait tomber dans ce monde, par la densité d'une incarnation, un hors-monde. L'autre sexe est le contraire d'un fantasme. C'est un excès de réel.

La sexualité est le réalissime. Ce que l'ancien français définit finalement comme la chose, la *causa*, le cas, la langue romane le définissait auparavant comme la *rem*, mot à mot la *rien*.

En français la dérivation *causa*-chose et la dérivation *causa*-cas aboutissent toutes deux à désigner le sexe mâle (la cause de moi).

Puis vint la *rem*, la rien.

On, dans notre langue, c'est *homo*.

*

L'homme est l'espèce animale à deux mondes : vivants et morts.

*

Dès qu'il y a langage, il y a deux mondes : signifiant en même temps que signifié, présent et absent, oui et non, jour et nuit, printemps et automne, etc.

Question. Si le langage fait deux, alliant signifiant et signifié, déchirant et accouplant matière et sens, alors il pose d'un seul coup côte à côte vivant et mort, monde et arrière-monde, paroi et arrière-paroi, exhumé et inhumé, acte et arrière-pensée (intention), lumière et nuit, apparence et apparition, visage et démon.

Conséquence. La généalogie fut plus prompte que nous ne le supposons aujourd'hui. L'infection et la contagion du langage sont rapides, épidémiques.

Je ne sais pas si l'on peut soutenir comme le fait Françoise Héritier que la différence sexuelle est première (comme elle semble l'être de façon saisissante dans toute l'histoire de la pensée en Chine).

Qui précéda, de la différence entre hommes et femmes, de la différence entre vivants et morts ?

Les images gravées dans les grottes il y a trente mille années ne sont pas aussi soucieuses des traits sexuels qu'elles ont été décrites par André Leroi-Gourhan ou par Annette Laming-Emperaire alors que toutes articulent les deux mondes.

Nuit et jour aussi fut aussi une polarisation fondamentale et l'est restée jusqu'à ce siècle (jusqu'à ce que l'abolissent l'électrification et la violence volontaire, excessive et mondiale de la clarté qu'elle permit).

Mais le printemps fut le pôle régulier partout. Le but du cercle stellaire. Le but du ciel constellé, c'est-à-dire le sidérant du ciel qui « préside » aux destinées des mortels, qui « considère » le cercle végétal et animal et sexuel.

Il est vrai que le pôle du premier temps du printemps est le pôle cynégétique (l'homme s'est empêché de chasser durant ce temps).

*

Toute pensée met à nu la relation bipolaire plus ancienne et plus fascinante que toute autre construction mentale. Parce qu'elle s'est fascinée elle-même. Le langage n'est qu'une conséquence de la fascination. Comme la reproduction sexuée animale. (Les végétaux, c'est le milieu qui se fascine dans la lumière avant la vision elle-même.) La première polarisation est le rythme nycthémère.

*

Argument VI.

Il arrive qu'un amour qui ne peut avoir lieu dévore l'âme. Pourquoi ?

Pourquoi la possibilité irréaliste d'un amour qui peut lui-même être impossible (par exemple pour un mort, pour une morte, pour un dieu mort, pour une langue morte, pour une époque passée, etc.) est-elle à ce point possible dans l'espèce humaine ?

Pourquoi, alors qu'on ne peut faire l'hypothèse d'un désir pour un corps qui n'existe pas, l'amour pour un mort existe-t-il ?

Réponse. Un amour qui ne peut avoir lieu dévore

l'âme de tous les hommes parce que pour chacun d'entre eux tout a commencé ainsi.

*

Le langage humain est très limité.

Le langage ne peut parler que de ce qui est contemporain à sa propre scission, et ne peut évoquer que ceux des mondes scissipares qui en procèdent. (Comme dans les généalogies sexuelles : ces mondes sont embranchés.)

Rhétorique et spéculation sont le même. *Speculatio* veut dire guette en haut d'une montagne, fascination carencée. Guetter, c'est fixer le vide du signe, la réserve de la forme non vocalisée de l'hostile. Cette guette fut l'affût cynégétique.

La vraie parole : l'autre simultanément présent et absent.

Le paradoxe de la lumière enténébrée (voir ne pas voir). Le paradoxe de la nuit blanche (nuit et jour). Noir et blanc.

*

Qu'est-ce que la nuit blanche ?

Celui qui désire vraiment ne trouve plus le sommeil et n'use plus d'images.

Qui dort non seulement n'aime pas celle qui se tient contre son flanc mais, en dormant, perd la moitié du temps de sa vie à tromper *alter* avec des images.

Aziza ne veut pas qu'Aziz rêve. L'aimée ne veut pas

que l'amant rêve. Finalement Aziz est châtré comme Pierre Abailard est châtré. L'aimé ne veut pas que l'amante s'abandonne à des songes où il n'est pas partie prenante de sa vie.

L'amour ne veut être ni un souvenir ni une illusion : c'est le corps unique qui est là.

*

En Chine ancienne la première des fêtes était celle de la nuit blanche. La société tout entière s'assemblait pour accueillir la première lune de la nouvelle année. L'hiver était vraiment fini. Les Chinois la nommaient plus couramment la fête de la Nuit originelle.

Tout le monde sortait dans les rues avec des lanternes afin que la nuit parût être le jour.

Y compris l'empereur. C'était l'unique fois de l'année où l'empereur se mêlait à la société.

Y compris les femmes, autrefois, extrêmement pâles, blanches comme la lune, hors des gynécées.

*

La lune de miel, c'est l'écart asocial rituel. Dans la « nuit blanche », le sommeil est interdit. L'amour n'est pas un songe. L'aimé n'est pas un fantasme. La sexualité ne s'évanouit pas dans le sommeil. Aimer n'est ni hallucination ni fascination.

*

Trois définitions.

Le circuit, tel est le social.

Court-circuit la folie.

Hors circuit l'amour.

*

Les trois mondes définissent le céleste, le terrestre, l'infernal.

Silencieux est le ciel. C'est l'animal-maître.

« Nuit blanche », « langue tacite », etc. est l'épreuve humaine. Tout ce qui est ni… ni…, mi-linguistique mi-zoologique est à mi-chemin du ciel et de l'enfer.

Noir le souterrain. La grotte. L'enfer définit le sous-terre. L'inhumé. C'est l'aïeul de l'aïeul.

*

Motus et bouche cousue. Motus, c'est le silence. Bouche cousue, c'est le secret.

Silence et secret.

*

Bouche close au langage mais ouverte à la communication non verbale.

Yeux fermés ouverts sur une vision obscure de la nudité.

Nuit qui est lumière, insomnie à l'intérieur du sommeil, perception qui est rêve.

Espace privé refermant le là-bas dans l'ici, projetant

l'actuel dans son amont, sens sans parole, rencontre de deux êtres nés à partir de la scène qui fut cause en eux de l'individuation, c'est-à-dire de la naissance corporelle, c'est-à-dire de la décorporation maternelle, c'est-à-dire à la fois du cri déclencheur du langage dans la suffocation et de la lumière tout d'abord aveuglante déclenchant le regard et le monde. De là annulant le langage et le voir qui ne sont que l'aval (après la naissance).

Alors s'ouvre la porte de l'émouvoir absolu, et obscur et muet, qui s'était refermée à l'instant de naître lors de la désocclusion des cinq sens.

L'amour est cet essor, cette issue indicible, cette *ekstasis,* cette adhésion à l'autre bout du monde.

*

L'amour comme lune de miel. La lune de miel est la période asociale consentie par la société pour le coït nuptial. La conjonction crue de la nudité des époux, de façon encore très chamanique, induit un voyage (le voyage de noces) qui sert à séparer nettement les lieux (le lieu de l'étreinte zoologique du lieu des alliés et des parents).

Silence absolu sur la lune de miel.

Les trois tabous prennent leur source ici : nuit, silence, non-sommeil.

Chez les Inuit les chasseurs qui se trouvaient en difficulté ne pouvaient même pas demander assistance aux jeunes mariés qui étaient confinés dans leur iglou asocial, très loin du groupe, à supposer qu'ils tombassent sur l'un de ces couples tenus à l'écart, sacrés, impurs, au cours de leur parcours.

L'*unio* conclut, le *coire* est exclusif socialement, dans une phase rituelle, de la société (associée au jour, au temps, à la parole, à la sexualité scindée, à la domiciliation sociale).

Amour et mariage étant exclusifs l'un de l'autre la lune de miel ne concerne pas l'amour. Mais nuit blanche et lune de miel, ces deux expressions véritablement insensées forment un couple. C'est ainsi qu'Énide reproche à Érec de poursuivre en dehors de la nuit et à l'intérieur du lieu social la nuit blanche et le *coire* asocial.

*

L'homme n'est jamais seul.

L'homme n'est pas individuel (mais la société non plus). L'homme est le conflit de ce qui déchire le social en lui de la même façon qu'il a été le fruit de ce qui déchire le sexuel entre l'homme et la femme. Il en est le résultat contingent, entre deux mondes.

L'individuel, c'est déjà du social déchiré.

L'homme se définit comme l'espèce à deux vies, à deux mondes, entre le ciel et la terre, entre l'homme et la femme, entre l'avant naissance et l'après mort.

*

Argument VII portant sur les deux mondes de l'ontogenèse et sur la généalogie de la sensation de la mort, la sensation de la mort devant être distinguée de la mort effective.

Il n'y a point d'êtres qui parlent qu'ils n'aient le souvenir d'avoir pleuré à perdre le souffle dans leur berceau.

Il n'y a pas un bébé dans son berceau qui ne se souvienne, s'il a le courage de progresser dans l'enfance jusqu'à son terme génital et langagier, d'avoir été abandonné de l'*ici* de l'ancienne maison obscure.

C'est ainsi que tout homme connaît la mort dès la première seconde.

Dans la première seconde, la mort, c'est le monde, car le monde équivaut à la mère qui rejette et abandonne hors d'elle. Hors de sa propre paroi. Tel est le premier visage que présente la mort au nourrisson : la lumière, le froid, le corps sexué, séparé, la suffocation puis le cri, la respiration qui en naît, la voix qui y prélève sa part d'air, l'abandon à la voix, l'obéissance à la voix dans sa voix qui se croit volontaire. La déréliction du corps séparé, sinon autonome. L'ancien corps vous a laissé tomber — vous a abandonné au sonore volontaire et au choix sexuel. L'abandon est un vieux mot des Francs qui renvoie au fait d'être banni. Être mis au ban du sombre, de l'eau, de l'un, du chaud, du maternel, du nourrissant, de l'Ouïr sans voix et sans souffle : voilà ce que veut dire aussi le verbe naître. La crainte d'être abandonné est la peur fondamentale et elle se lit dans le monde animal vivipare sans qu'il nous soit besoin de l'interpréter pour qu'elle nous soit perceptible. La crainte de l'abandon précède même l'instinct.

*

Je propose d'appeler du mot adieu la naissance de la voix. Le cri qui fait respirer est aussi celui qui dit à jamais adieu au monde où on ne respirait pas. Le parjure est la première douleur. *Homeless* est la naissance. Ou *Heimatlosigkeit.* La perte des premiers ressentis, tel le premier cri, qui déclenche la respiration et le nouveau rythme pulmonaire qui doit concurrencer à jamais le rythme cardiaque qui le précède. L'abandon est toujours le fond de la mémoire.

L'adieu même est lié à la musique comme la non-synchronie de deux rythmes dont les âges sont différents (de deux rythmes non contemporains, cardiaque ancien en continuo, pulmonaire hurlant, récent, en *melos*, en domestication linguistique).

*

Il y a un autre monde situé dans un regard qui voit mais qui ne voit pas le monde.

Il y a un regard hagard. Tout homme qui a vu mourir a connu ce regard sur la marge, vague, singulièrement ouvert, hors champ, préoccupé des mourants.

Je me souviens d'une tête suppliante et je tremble en écrivant.

Un regard qui n'arrivait plus à se fixer.

Il y eut aussi ces regards qui n'arrivaient pas à venir sur ce qu'ils regardaient. À s'y arrêter.

Dernier regard d'une femme que j'aimais plus que tout et qui s'égarait dans l'espace même à l'intérieur duquel je demeurais. Elle vivait encore.

Regards beaucoup plus internes qui sont propres à ceux qui souffrent horriblement.

Regards de ceux qu'autre chose qu'eux-mêmes déjà dévore ou ronge.

Regards toujours persistants à demeurer dans l'ailleurs de ce qui les angoisse.

Regards déjà satellisés parce qu'ils voient intérieurement de la mort.

Regards déjà ailleurs, à jamais ailleurs de ceux dont la vie se vide hors d'eux-mêmes.

*

C'est de l'intérieur de soi que vient la défaite. Dans le monde extérieur il n'y a pas de défaite. La nature, le ciel, la nuit, l'au-delà du noir de la nuit, la pluie, la forêt tropicale, le désert, le volcan, les vents ne sont qu'un long triomphe aveugle.

*

Argument VIII.
Je ne puis méditer les yeux ouverts.
Je ne puis écouter de la musique les yeux ouverts.
Je ne puis aimer les yeux ouverts.

*

La volupté du trouble de voir derrière le visible définit la curiosité. L'homme est l'espèce pour laquelle le visible fait écran.

Cette curiosité résulte de la scène invisible.

Inventant le vêtement sinon le mur.

Par le vêtement ce qui montre paraît voiler. Ce qui apparaît fait écran. L'audition d'avant la naissance est d'avant le visible. Comme une pelure le visible fait écran pour le monde qui le précède. La musique ne peut pas être vue. Tout ce qu'on voit et dont la visibilité s'exhibe paraît dissimuler.

Qu'est-ce qu'il y a derrière le pan du manteau de Noé ?

Derrière la paroi de Ea ?

Derrière la nuit elle-même quand il fait noir ?

*

Il y a un autre monde à l'intérieur de ce monde. Les odeurs tentent.

Le parfum est la tentation de ce qui n'est pas vu.

*

Depuis l'enfance, dès l'enfance, je désirais impatiemment faire l'épreuve sans la vue des maisons que j'ignorais encore.

*

Jouer à la maison ignorée, à tâtons, était plus qu'un jeu solitaire. C'était une curiosité irrésistible où dominait l'angoisse. Pisser la nuit dans une maison inconnue était la plus passionnante nomadie.

J'aurais voulu faire de la reconnaissance dans le noir la spécialité de ma vie.

C'était une entreprise toujours compliquée, enchevêtrée, labyrinthique, douloureusement thermique car jadis les cabinets n'étaient jamais installés à l'intérieur des maisons. Mes pieds avaient un sens obscur que mon âme n'a jamais eu. Ils savaient tout dans le noir; plancher, grincements; la plante de mes pieds s'enfonçait soudain dans les tapis chauds où la sensation de l'espace se perd faute de résonance; carrelages brusques, pierre froide du jardin, poudre de la terre. Les pieds et les oreilles étaient les mains et les yeux de cette connaissance. Hululement de la chouette ou bruissement des ailes de l'effraie dans le feuillage. Clarté de la lune, nuages soudain — la partition du monde était déjà mon vice pervers. Le gras de mes doigts sur le cuivre tiède des poignées ou sur la faïence plus froide et plus gluante. Il n'y eut pas de maison de vacances ou de maison nouvelle où je ne me levasse dans la nuit et errasse.

Écrire, dire l'adieu, c'est errer dans une nuit comparable. C'est tenter le même essai dans la maison inconnue du monde. L'adieu est une joie comparable.

*

Aimer et chercher se ressemblent. C'est s'enquérir, prendre langue, prendre à cœur, prendre en dépôt le secret, la génitalité, l'enfant, la dénudation confiée, s'intéresser au plus près, ressentir, *porter dans son cœur.* L'amour fait changer de maison. Caton l'Ancien définissait de la sorte l'amour : ce qui fait vivre une âme dans ce qui n'est pas son corps.

Marcus Porcius Cato mettait en garde les humains contre cette domiciliation mystérieuse et profondément adultère des images des uns dans les corps des autres.

L'amour et la mort sont la même chose. L'un comme l'autre emporte dans une autre maison (l'un dans la maison de l'époux vivant, l'autre dans la tombe de l'époux mort). Il y a deux rapts ou deux ravissements : Éros et Thanatos. Tous deux s'assourcent dans Hypnos à cause des images involontaires du rêve qui visitent le corps humain sans qu'aucun maître de maison les accueille, les retienne ni les chasse. C'est ainsi que Hadès et Éros sont les deux visages d'Hypnos. La souche de l'amour et de la mort chez les hommes s'identifie au *raptus* nocturne.

Les ombres, ceux que le sexe désire, ceux que la vie regrette, ceux dont on rêve, peuvent être les mêmes.

La nuit est plus originaire que la sexualité : c'est le fond du ciel interne où se lisent les astres authentiques, où ils président, où ils se considèrent et se désidèrent.

La domiciliation est toujours interne (dans le corps, dans l'âme, qui n'est d'ailleurs que le corps interne, dans la nature, dans le rêve : toujours des poches, des grottes, des ventres, des tombes).

La domiciliation cherche l'interne parce que la première *domus* est l'espace interne, l'endoscopie ombreuse et vivipare, le ventre de la gestation comme de la manducation — ou plus précisément encore l'*ici* à mi-chemin du ventre et de la vulve.

*

Rien n'occupe autant le cœur des survivants que l'amour.

Mais point comme on est accoutumé de l'entendre. Pas comme les philosophes l'entendent. Non pas comme un souvenir. Pas comme un savoir concernant un amour. Nullement comme un regret. Nullement des images. En aucune façon une nostalgie.

Mais l'autre, l'aimée elle-même, l'autre qui a disparu et qui ne disparaît pas, l'autre qui demeure celle à qui on parle, pour qui on vit. L'autre qui a quitté le monde et qui demeure fiché dans l'âme.

L'autre qui est resté à l'état d'orient. L'orientation a persisté au-delà de la disparition de l'objet.

L'autre de la paroi.

L'autre de la prière.

*

Les sens sont des capteurs. Ils s'inventent des organes, des nageoires et des ailes, des bonds et des mâchoires. L'amour est un capteur dont l'étreinte est la main (qui n'a pas de vision ni de parole).

Prière *in abscondito.*

*

Qu'est-ce qui se passe dans l'autre monde ? l'étreinte qui nous fit. La scène sexuelle que nous ne verrons jamais a lieu dans l'autre monde. (Chose *admirabilis* : pourquoi le cinéma a-t-il été inventé avant lui-même ? Grottes ornées du paléolithique et cinéma dans les salles obscures : arts pour vivipares.) L'invisible est dans l'avant-naissance. L'invisible se situe compulsivement dans la source et ce visible absent, incurable, qui nous interrompt (qui nous interrompt exactement là où nous commençons dans la pulmonation et le langage actif) enveloppe le séjour des morts et non l'inverse.

Le sperme est une goutte de la Panthalassa qui tend toujours vers elle, c'est-à-dire qui tend toujours à l'engloutissement.

Les fleuves de même tendent à l'engloutissement océanique. C'est leur effort.

Le sperme, l'originaire, est la seule *substance contemporaine.* C'est le *vestigium* : voici la différence entre une trace et un souvenir.

La vie fermentante, assourçante, le naissant, l'avant-saison précède de plusieurs millénaires l'imagination de la survie individuelle — comme la confusion la défusion. La raison en est simple : la nomination était la ressource immédiate de survie au sein du groupe social. Tout grand-père était son petit-fils et son nom était son nom. Et c'est sur la base de ces noms limités en nombre par le hasard de la première donne que le groupe limitait lui-même sa reproduction (et non sur un décompte préalable. Les agroupements anciens semblent avoir été bien meilleurs généalogistes que grands calculateurs). Le langage est le grand instrument du social — au point que la société elle-même telle que nous la connaissons toujours, malgré son aggravement et son nombre, persiste à n'être qu'un effet d'écho du langage humain.

Mais, de façon paradoxale, la semence humaine est *plus neuve* que chaque organisation sociale.

*

Jadis l'homme doutait en secret qu'il pût être immortel mais rêvait à haute voix ce destin pour son âme. Aujourd'hui, plus rien ne passe dans la mort, même pas un rêve qui se poursuit ou un chant qui s'éteint en reprenant en écho sa plainte. On a débranché les morts de l'autre monde jusqu'à l'effroi.

S'il n'y a plus de morts, y a-t-il encore des vivants ? Très peu. En fuite. Ou cachés.

Il n'y a plus beaucoup de vivants, de morts, de femmes mûres, d'hommes mûrs. Il y a des étreintes, des enfants qu'on vénère plus que des ancêtres, des disparus dont on ne conserve même plus les portraits.

*

Il n'y a pas d'arrière-monde. Il n'y a pas de monde futur. Mais l'idée que le monde est « un » constitue une contre-vérité d'autant plus détestable que le marché commercial unique du temps présent rend cette idée nécessaire.

Premièrement il y a deux mondes : il résulte de la floraison humaine des langues naturelles une chambre d'écho intracéphalique à chacun des parleurs.

Deuxièmement il n'y a pas de possibilités ni réelle, ni noétique, ni linguistique pour le monisme. Thèse I : il n'y a que des relations, que des polarisations. Thèse II : il y a polarité, deux, dialectique, relation, sexuation dès qu'il y a un signe.

Le un, l'unaire, la non-différence sexuelle, le non-langage est la folie même.

*

Le monde est deux. La traduction n'est pas de l'ordre de la ressemblance de visage à visage mais de la transmigration de force. Force, sève, sang, vigueur qui est derrière la paroi du texte source et que le compositeur figure et que l'interprète exprime, l'une sous emprise directe, l'autre sous emprise différée, ou répétée.

Traduire, lire, interpréter, composer, jouer, écrire consiste toujours à transporter quelque chose qui préexistait. Dans tous les cas l'extérieur et l'intérieur se mêlaient, se scellaient l'un et l'autre peu à peu au cours d'une rencontre où ce qui était autre et ce qui était soi devenaient indiscernables et cessaient d'ailleurs au final d'apparaître comme tels. Comme dans l'étreinte. C'était cela, le bonheur : quand la nature et le soi passaient l'un dans l'autre soudain, quand l'autre et l'identique se recoupaient, quand deux corps d'une sexuation différente, faite pour les séparer, s'unissaient.

François Couperin a écrit dans la préface d'un de ses livres pour clavier ce que devait être l'interprétation. Ce qu'il avait composé pour le clavecin, disait-il, par malheur le clavecin ne lui semblait pas l'instrument le mieux fait pour le rendre.

Mais cet instrument qui aurait été accordé à la sonorité et à la technique qu'il espérait, il l'ignorait.

On peut écrire pour un instrument ou une matérialisation ou un interprète ou un alter ego, un *alter* qu'on ignore.

Quand cette possibilité était prise à la *lettre*, cela s'appelait écrire.

C'est pourquoi on s'est résigné à appeler l'ensemble de ce monde muet *littérature*.

Tous les musiciens ont l'habitude de faire de cette phrase de François Couperin (il disait très précisément qu'il lui paraissait presque insoutenable qu'on pût donner de l'âme à un instrument où les notes pincées ne souffraient ni d'être enflées ni d'être diminuées) une prémonition du piano-forte. Je pense que la mélancolie propre à Couperin va plus loin.

À l'infini : vers une différence infinie.

Vers la différence qui n'en finit pas et qui ne se remédie pas.

Entre la composition et l'instrument, entre la partition et l'interprète, entre l'auteur et le traducteur, entre l'homme et la femme, il y a quelque chose de plus vivant, dans la source même, capable de jaillir au contact de tout instrument et de toute expression.

Quel que soit l'instrument : au-delà de lui. Quelle que soit l'expression : au-delà d'elle.

Couperin pense vers le non-monde. Il laisse place à la cinquième saison. (Du moins il pense ceci : « Je pense qu'il y a un instrument d'au-delà. »)

Comme le font les luthiers, on peut appeler âme cette résonance vide, cette position silencieuse qui maintient la résonance comme caisse. Comme boîte crânienne (c'est pourquoi la musique peut être lue sous forme de partition de la même façon qu'on peut lire la langue sous forme de livre).

Permettant au silence de résonner.

Dans la musique écrite la notation enfouit le son dans sa lettre. Comme dans la littérature aucune voix ne peut prétendre lire l'écrit.

L'interprétation est plus profonde que l'archéologie. Bien sûr elle révèle un contenu inaperçu, plus ancien, préalable, secret. Un secret enfoui dans la terre. Mais le vrai sens d'une partition ou d'un instrument ou d'un corps sexué est un texte à venir. Un texte contient virtuellement plus que la traduction qui en est donnée.

Les plus anciens des hommes avaient raison.

C'est une force.

Quelque chose se transmet.

*

On transmet ce qu'on ignore avec ce que l'on croit savoir. Le prétérit, à cela nous sommes fidèles. Le passé, telle est la source intarissable. Tout homme qui interroge est un homme fidèle à un secret qu'il ignore.

Certains groupes de juifs persécutés par les chrétiens s'égaillèrent dans les villages et les montagnes du Portugal. Peu à peu, les siècles passant, ils ne surent plus très bien qui ils étaient et quels avaient été leurs pères — sinon ce soupçon d'une altérité périlleuse qu'il fallait qu'ils dérobassent en eux-mêmes. Ils oublièrent leur langue. Comme ils avaient oublié leur langue, leur *volumen* se fit inutile, s'ensevelit dans le coffre, recula dans l'armoire. Ils ne surent plus ce qu'ils cachaient. Ils ne surent plus ce que voulait dire le ruisseau qu'ils battaient en cachette des autres villageois. Ils ne surent plus ce que pouvait signifier la lampe qu'ils dissimulaient derrière la porte de l'armoire.

Mais ils la cachaient derrière la porte.

Ils n'oublièrent jamais qu'il fallait cacher pour survivre.

*

Les modes qui dataient de l'époque des T'ang, et qui avaient tenu le dé à la cour impériale dans la première moitié du VIIe siècle après Jésus-Christ, abordèrent Chypre en 1271. La cour des Lusignan s'en émerveilla. Le roi de Jérusalem, Hugues, les adopta. Les artisans des côtes sud de la Méditerranée les imitèrent. Les commerçants les diffusèrent dans les grands ports de l'Italie du Nord. C'est ainsi que les hennins et les chaussures à la poulaine, formes étranges qui provenaient de désirs et de goûts éteints depuis des siècles dans la cité impériale interdite, firent tout à coup fureur à la cour de Charles VI, le roi français fou, après l'assassinat du pont de Montereau, durant l'hiver 1419.

*

Les artistes ignorent le siècle où ils séjournent, ils tendent des souvenirs de l'autre monde, du monde sans langage, du monde infini, du monde unique.

C'est parce que la reproduction de la vie chez les mammifères est sexuée-mortelle que s'inventa le langage qui dialogue et qui pleure.

C'est parce que la nature constitue un unique système qu'il y a deux mondes à partir du langage chez les mammifères dont la gestation est interne et obscure.

Par-delà la mort, un amour cherche à s'accomplir.

Parce que aimer, mourir, chercher à passer la main au travers de la paroi de la vie, lire, interroger, écrire, à ce stade redeviennent des choses indistinctes.

*

L'homme, c'est s'ouvrir en deux mondes. C'est la paroi, la frontière entre dedans et dehors, entre le normal et le chaotique, entre l'inclus et l'exclu.

L'homme doit être deux mondes, doit être déchiré. En lui la pensée et le corps se divisent, la nature et la société doivent demeurer à l'état distinct ; la vie et le langage doivent diverger, se dédoubler, l'animal doit être incomplet comme l'homme qui fait tout pour s'en croire l'opposable. L'homme ne peut pas être plus qu'une promesse d'homme.

Saisir ce qui nous saisit. Retourner le monde à la terre. Mettre la main sur ce qui nous avale. Tenir à la gorge ce qui nous avale. C'est l'art.

*

Mettre la main dans la paroi. L'ours qui griffe tendit à l'homme le miel dans la paroi qui l'abrite. L'homme qui écrit de nos jours met toujours la main dans la paroi. La page blanche est le reste de la paroi que blanchit la calcite. La toile blanche est le reste de la paroi couverte de calcite. La partition est le reste de la paroi. Le visage humain est le reste de la paroi autant qu'il est atteint par la *denudatio* qui s'y invente. La tombe est le reste de la paroi. Le linceul est le reste de la paroi. L'écran, le miroir, etc. sont les restes de la paroi. Le sein sur le corps maternel est l'origine de la paroi. La lune ronde et blanche dans la nuit est l'éponyme de la paroi. À Rome on appelait le reste de la paroi l'*album*.

Partout il y eut des visages (des surfaces à deux mondes) qui se tendirent vers l'homme.

*

Le lointain abrite l'ailleurs. D'où vient l'ailleurs ? De l'espèce vivipare.

C'est l'espèce à naissance.

Le roman et les contes commencent quand le personnage sort de la maison. Le héros va de maison en maison pour conquérir son identité.

Il est possible que la seule maison est le moi-peau (ou plutôt la mère-peau identifiée comme moi). Et la seule intimité la cavité du crâne.

*

Le silence est lié à la chambre d'écho du langage inhérente à l'autre monde.

Le psychotique abandonné à la voix de l'Autre.

Comme Jésus. Comme Socrate. *Obediens usque ad mortem.* Obéissant à la voix jusqu'à la mort.

Le mystique s'abandonne à la voix de l'Autre et ne peut oublier l'Autre.

L'impossible oubli. La mémoire lancinante de l'Autre.

*

Argument IX.

La cloison sonore est la paroi invisible.

L'*ambispectio* des yeux : 1° ils voient l'extériorité terrestre et l'organisation sociale (ce qu'on appelle le monde), 2° ils font l'objet des rêves. Ils sont menacés des deux mondes. Voir n'est pas spécialisé dans l'externe comme courir ou plonger. La conscience n'est que la surface servant d'interface purement linguistique entre Externe et Interne. La conscience est comme la terre entre le ciel et le sous-la-terre (l'Enfer).

*

Argument X. Il y a deux mondes parce que celui qui parle fait tout fonctionner en miroir.

Le langage est égalitaire, il fait du même et du réversible à chaque pôle qu'il instaure en se prononçant. Ego est Alter qui est Ego qui est Alter, etc., tel est le principe de la dialogie. Je dit Tu à un Tu qui a la possibilité de dire Je et de me dire Tu.

La sexualité est hétérophorique : Ego est différent de Alter. Alter ne sera jamais alter ego. La femelle n'a pas le même corps que le mâle ni le mâle que la femelle ni les mêmes jouissances ni les mêmes possibilités reproductrices ni les mêmes défaillances. Les sexes ne se parleront jamais et s'ignoreront toujours dans leur position.

L'amour est la croyance selon laquelle l'autre du langage et l'autre de la sexualité se confondent.

Que la femme sera phallophore de la même façon que le Tu est égophore.

Mais les attributs sexuels ne s'échangent pas

comme les positions personnelles dans le langage. Les deux altérités et les deux sujets ne sont pas de même souche ni même de même niveau.

Ils ne sont pas symétriques.

Ils ne sont pas contemporains.

De là le non-temps comme échelle, l'ignorance du temps comme source sexuelle en regard de l'invention du langage qui n'est contemporain que de la chambre d'écho de l'âme qu'il répercute.

La différence sexuelle, de niveau zoologique, qui renouvelle le stock des individus par la sénescence des individus qui les précèdent, est irrémissible. Cet inéchangeable mortel est vital. Et l'origine du temps est sexuelle. Cette irréversion de l'hétérosexualité est ce qui fonde le temps humain après l'étreinte en le vouant à un irréversible qu'ignorent les astres, les saisons, les animaux, les fleurs.

*

Ils écoutent à demi un langage qui n'est pas contemporain de ce qu'ils voient quand ils entrouvrent leur paupière.

*

Le regard désidéré tient ses paupières à demi baissées.

*

J'aimais Piero della Francesca, la gravité stupéfiée. Yeux qui ne voyaient pas tout à fait l'*ici*.

Pierre exhortait Jésus à fixer sa demeure sur le mont Thabor.

Non, nous ne sommes pas bien ici.

Visages drogués du monde ancien. Yeux qui ne sont pas les contemporains de leur vision.

Yeux à demi fermés.

Yeux de lion repu.

Avec M. nous vînmes examiner durant l'été 1997 ces extraordinaires moitiés de paupières comme des voiles de peau humaine épaisse, hésitant à recouvrir le visible, à dénuder la vision, lisses et pâles.

Velatio lisse et pâle à mi-chemin de la *revelatio*, objet de la *denudatio*.

Les églises admirables et peintes d'alors sont devenues des usines désaffectées de l'autre monde.

Mais c'étaient ces regards eux-mêmes qui étaient des regards désaffectés à ce monde.

Désaffectés à l'Un du monde.

Tête de dormeuse à demi éveillée, presque atone, à la frontière des deux mondes, modelée de l'intérieur, pas encore tout à fait vide : regard qui se vidait de l'autre monde et point encore revenu à lui-même.

Regards en dedans.

Regards dans l'oubli de la vision.

Êtres surpris dans leur étrangeté au monde ainsi que le disait Iseut-Essylt des amants perdus dans la forêt.

Regards sans la moindre nostalgie de la cour.

Immobilisés avant le temps, dans l'imperméabilité à la société et au siècle.

Dans l'angoisse de la contingence invraisemblable, au sein de l'immensité de la nature.

Dans le silence de la lumière.

Nous allions à Arezzo. Nous allions à Borgo san Sepolcro.

Nous nous rendions à Monterchi.

*

Je retrouvais la *feritas* silencieuse.

Je retrouvais la robe crevassée.

Je retrouvais la montagne fendue.

*

Mes yeux se fermaient.

Les paupières ne tenaient plus. La fatigue venait. Je posais les pages sur le guéridon.

Je tirais le fil qui commandait les deux ampoules du lampadaire du petit salon où l'on petit-déjeunait.

M. dormait déjà dans la chambre à côté.

Je me levais dans le noir. La fenêtre était noire. Le monde s'était séparé du visible. Je ne me distinguais plus moi-même. J'étais enfin las. Enfin le sommeil me faisait signe. Enfin j'allais pouvoir dormir. Une à une, au fond de moi, j'éteignais ce qui restait en moi de fades lueurs. J'entrais dans la salle de bains. Je terminais de dénouer les lacets, la ceinture, les ultimes boutons. Je déposais les vêtements. Je me désidentifiais.

Je devenais on. *Homo* est on. On déposait ses vêtements. On laissait tout tomber.

On se séparait du monde.

Une fois nu, on nettoyait le corps pour le sommeil. Les mains étaient lavées, les dents étaient blanchies, l'eau s'égouttait sur le visage, on essuyait les paupières si portées à se refermer avec la serviette-éponge. Doucement, lentement, on effaçait la journée. On décolorait les images, les peurs et on amoindrissait les sons, les chansonnettes italiennes infectieuses, on poussait la porte de la chambre, on se dirigeait vers le lit, on soulevait légèrement le drap sous lequel M. dormait, on enveloppait des draps si doux les membres nus qu'on allongeait encore, puis on se recroquevillait, les yeux fermés, on sentait le parfum de lessive du drap. Devenu un point, on gagnait l'autre monde. Ou le premier monde. Chaque journée le hélait comme sa tanière de silence.

CHAPITRE XLII

M. à Sens

Parfois il me semble que je m'approche d'elle. Je n'entends pas par là que je l'étreins. Je l'approche, c'est tout. Je deviens proche. Je m'assieds près d'elle sur le divan devant la porte-fenêtre qui donne sur le jardin de la maison de l'Yonne. Je lui prends la main, sa main si musclée, aux doigts si doux et ronds parce que les ongles et les envies en sont entièrement rongés. Mais ce n'est pas cette scène que je veux décrire exactement en utilisant le verbe s'approcher. « Je m'approche d'elle » veut dire : nous sommes l'un à côté de l'autre. Nous voyons la même chose. Nous sentons la même chose. Nous éprouvons la même chose. Nous pensons la même chose. Mon visage se confond à son visage. Nous nous taisons tous les deux mais ce n'est nullement le silence que nous partageons : c'est la même chose.

CHAPITRE XLIII

Tous les amants lorsqu'ils s'aiment se retournent sur leur ombre et en s'enlaçant l'écrasent.

CHAPITRE XLIV

Nous garâmes la Fiat sur le plateau qui est au-dessus de Tarquinia. Je descendis avec M. dans les tombes étrusques. L'époux et l'épouse se tiennent la main dans la mort. M. parlait un italien qui m'émerveillait et par lequel elle commandait de l'encre de seiche plus noire que l'obscurité de la nuit. Les Romains n'avaient pas complètement détruit Carthage. Ils n'avaient pas complètement mis à bas le temple de Jérusalem. Il restait un fragment de pureté noire. Avant que Scipion Émilien ne rasât la cité de Carthage, les quais de Cothon, le quartier de Byrsa et n'y jetât le sel, avant que Pompée ne dérobât le chandelier, avant que Titus ne brûlât le temple bâti par le roi Salomon, avant que Quintus Lollius y eût introduit les lions d'Afrique et les chacals, il y avait cette part du temps ancien, cette trace absolue dans le monde qui s'étaient rejointes au plus noir des yeux.

CHAPITRE XLV

Noetica

Le dimanche 23 mars 1997 je me réveillai bien avant que l'aube fût perceptible entre les lattes des stores électriques. C'était dans la tour ancienne d'un hôtel étrange où nous nous étions retrouvés à Saint-Malo. Je me levai avec précaution. M. dormait. J'allai dans la seconde chambre où j'avais posé mes livres sur la table. Je m'allongeai devant la petite fenêtre encore obscure. La mer était haute ; sa substance était plus grise que noire.

Les vagues gris foncé battaient les levées de bois dans le sable.

L'aube fut d'abord laiteuse puis devint entièrement blanche.

La marée était toujours haute. La mer et le ciel étaient de plus en plus épais, de plus en plus rayonnants. Ce fut une immense masse blanche ensoleillée. Je note ces circonstances qui sont vraies mais mon hébétude ne vint pas de la mer ni ne dériva de son rayonnement. Durant toute la journée cet étrange constat trotta dans mon cerveau, me hanta, alors que je jugeais ridicule de m'y attarder, mais l'évidence de la constatation m'obsédait : je ne comprenais plus comment la pensée des hommes avait pu être si longtemps et si universellement générale.

Aussi abstraite. Aussi désimpliquante pour le penseur qui la concevait.

Aussi décharnante de la vie. Aussi collective. Plus que collective : aussi désindividualisante.

Cela me paraissait soudain vraiment inimaginable.

Même le menteur était plus impliqué dans sa fiction que le penseur dans sa raison.

*

Comme si roman et spéculation se rejoignaient soudain, je désirais qu'il n'y eût plus de distinction possible entre semence animale, sève végétale, rêve des homéothermes, souvenir crypté des êtres du langage, hallucination diurne, mensonge, fiction, prédation vitale, quotidienne, solaire, spéculation obstinée.

*

Il me fallait à l'évidence poursuivre plus obstinément ce que j'avais tenté sans le concevoir clairement une vingtaine d'années plus tôt lorsque j'avais assemblé mes premiers puzzles de minuscules traités.

Il me fallait abandonner tous les genres. Il me fallait renoncer un à un à tous les germes de la pose. Il me fallait mobiliser, atteler, mêler, et les épuiser comme des chevaux de poste, tous les virus rhétoriques.

Il me fallait mettre au point une forme intensifiante, inhérente, omnigénérique, scissipare, court-circuitante, *ekstatikos*, intrépide, *furchtlos*.

*

Faire de la *noèsis* le *desiderium*.

Une forme comme une marée. Une métamorphose comme une marée sur la laisse du sable ou la succession des bêtes zodiacales sur la ligne de l'écliptique. Un seul flot rythmé. Un seul *flatus*. Un seul flux. Une seule fluence. Une seule influence. Une seule lumière.

Un seul afflux montant. Tel le désir.

Le descendant est la jouissance — qui s'oppose au désir.

Le plaisir, la volupté, la jouissance, la joie residèrent ce que le désir désidère.

*

Se comprendre par l'*orexis*, par la vague, par le printemps au-delà du langage, adorer la complicité taciturne qui l'intensifie plutôt qu'elle ne la dépense jamais, agir inopinément en utilisant ses organes comme autant d'ancêtres, comme la pluie, comme la bourrasque, comme la chute de neige, comme la fleur, comme la grande marée, comme l'éclair, voilà quelle était à mes yeux la vraie communauté nocturne, celle qui pouvait faire lever l'autre monde sur cette terre à l'instar des pétales qui s'entrouvrent et qui se déplient, des fulgurations de l'orage, de la fascination animale, du court-circuit entre les deux pôles et de la source qui fonce en torrent.

*

Je suis comme les thons qui embarrassaient les Anciens. Le thon n'était pas un poisson parce que sa chair était rouge. Comme il saignait, il pouvait être sacrifié aux dieux au même titre que le taureau. Et pourtant ce n'était pas un quadrupède et sa présence aurait fait mauvais effet dans l'arène. Il n'avait pas de cornes et — toujours comme un poisson — le thon n'avait pas de voix pour mugir.

N'avait pas de sabots pour piétiner le sable de l'amphithéâtre.

Mais il saignait.

Aussi les dieux consentaient-ils à son offrande.

*

Tous les dieux sont attirés sans exception par le sang comme des requins.

Le christianisme ne fut pas le plus petit requin.

L'appeau sanglant du crucifix au cœur de l'église est lui aussi une image inoubliable que les hommes ne cessent de rêver.

*

Je cherche une pensée aussi impliquée dans son penseur que le rêve peut l'être dans le dormeur.

CHAPITRE XLVI

Coitus

La communauté des hommes, c'est de la chair née de la chair. Les liens qui les relient au cours du temps puis de l'histoire ne sont que sensuels et se fondent à la nuit. Ce qui les distingue n'est que la mort (que bravent les héros et qui réincarne leur nom propre) et l'aube (qui dissocie les apparences et lève la tâche qui est propre à chacun).

L'aube fait apparaître. L'aube désunifie. Le matin dégage une à une au sein de l'ombre des formes humides qu'il entoure de silence dans sa pâleur. C'est le jour lui-même qui apporte la couleur mais l'aube apporte avec elle la pâleur qui est une espèce de dénudation ; elle blanchit ; elle fait naître la brume ou le nuage qui entoure les arbres et que le jour arrache.

La blancheur monte. Les odeurs montent. Les parfums montent. Les couleurs se colorent. C'est l'aube.

*

Il y a plus nu que la nudité. C'est l'angoisse. L'angoisse qui déchire soudain un regard me fait l'impression, quand elle surgit soudain et monte dans ce corps, d'une nudité plus impudique que la nudité elle-même. Parce que la nudité dévoile le corps tandis que l'angoisse dévoile l'identité et, derrière l'identité, son absence d'enracinement dans le corps.

L'angoisse est la seule nudité impudique de l'humanité.

Tout le reste est *denudatio.*

*

Coire est le verbe romain qui signifie l'amour. *Ire,* c'est aller. *Coire* veut dire marcher ensemble. Argument I : je prétends que le coït est le seul déplacement des humains *hors de la vision.* Car même en rêve, la nuit, l'espèce humaine et de nombreux mammifères persistent dans la vision en dépit de l'obscurité qui les enveloppe et du sommeil auquel ils s'abandonnent.

*

Le plaisir érotique rend co-présents les distincts. Vont ensemble la co-présence des alter-ego et la séparation des sexués. (Selon le mot latin de *sexus* l'espèce est « sectionnée » par la sexuation. *Homo* est coupé en deux.)

L'idem et le non-idem s'encastrent mais ego et alter « vont ensemble ».

Ce voyage ensemble, c'est le co-itinéraire, le coït.

Le désir, c'est *alter* qui le détermine non dans sa nudité mais dans sa *denudatio.* Entre l'effarement et l'excitation (entre la *fascinatio* et la *desideratio*), seule l'altérité (l'autre sexe) peut faire surgir une telle aporie passionnée (une telle curiosité, une telle présence tout d'abord sidérante, ensuite désidérable).

Le voyage chamanique détermine pour la préhistoire humaine la dimension de l'autre monde et le déplacement dans l'espace qu'il suppose.

Mais où vont-ils ensemble dans le coït ? Nul ne le sait.

*

Coitus : voyage avec l'autre.
Exitus : voyage dans le hors. Mort.
Coitus et *exitus* signifient sexualité et mort.
Subit (*sub-ire*) : qui vient sans être vu.

*

Lorsque deux personnes s'aiment, la langue commune dit : « Ils sortent ensemble. » Lors de certains plaisirs, il arrive que l'amant dise à l'amante : « Attention, je vais partir ! » Les deux expressions les plus communes en français pour dire le lien amoureux et le plaisir sexuel sont actives, exodiques. Sortir. Partir.

*

Co-ire est déterminé d'abord par *ire.*

Aimer, je l'ai vu jadis à Paris, dans les jardins du Luxembourg, dans l'ombre de la fontaine noirâtre de Marie de Médicis, cela peut être suivre ce qu'on aime jusqu'à l'importuner. C'est ne pouvoir s'en éloigner. On peut être importun, contre-performant, par amour. C'est le lien à l'état nu. Il s'agit de la fascination initiale mais déambulante. Être à la colle. *Cum eo.* On marche sur les pas de l'autre. On reste dans les jupes de l'autre. On veut sa main. On ne peut se passer de sa vision, de son odeur, etc.

*

Argument II. Je conjoins sortir et partir et rassemble ces deux verbes sous le verbe plus général : issir. Ce faisant, peut-être vais-je pouvoir fonder l'asocialité de l'amour.

Issant se dit des figures d'animaux qui paraissent sortir à mi-corps de l'écu des guerriers.

Issir (*ex-ire* devant *co-ire*) n'a survécu en français que dans la forme réussir.

*

Je ne comprends que maintenant pourquoi je dus oublier Némie. Et même pourquoi je devais craindre son souvenir. Elle attirait dans la mort. Il y avait dans ce merveilleux amour, au cœur de ce merveilleux amour, une erreur. Cette erreur concernait le secret. Elle était idolâtre. C'était l'idolâtrie du secret. Elle cherchait un ici qu'elle croyait concentrer en le cachant. Tout ici est la mort. (Il faut opposer ici et issir.) Seuls les morts sont ici. Même les chats ou les fleurs ou les nuages ou les vagues ignorent l'ici, s'avancent, fluent, se voûtent, bondissent. Le vrai secret ne se coupe pas du monde dont il ne craint ni le regard ni le jugement. Le vrai secret n'a pas besoin de vigilance. Quand on a assez vécu, on sait que personne ne s'intéresse à personne. On sait qu'on n'a pas besoin de se cacher pour être caché.

*

L'échiquier déchiqueté est le seul signe qui va du chevalier Lancelot à la reine Guenièvre.

*

L'Inde se voua à l'issir.

La société indienne est la seule société que je sache où ceux qui la fuyaient (les renonçants, les anachorètes, les déserteurs, les caractériels, les fous) n'en étaient pas persécutés.

En étaient même respectés et vénérés.

Le Dhammapada dit que chacun à l'exemple du Bouddha doit devenir Seigneur de soi-même.

*

L'instant où le prince Siddharta devint « Seigneur de soi-même » est décrit ainsi dans les livres bouddhiques : le Seigneur se tenait alors dans l'obscurité de la chambre conjugale.

Il se lève sans faire de bruit, il avance le pied au-dessus de la couche princière, il quitte son épouse endormie, il marche au-dessus du petit bébé qui dort contre son flanc. Il part.

*

Une locution trouvée en Normandie affirme que le but de la vie d'un homme n'est ni la fécondité, ni la vertu, ni la richesse. Mais que la cible des ans consiste à devenir Sire de Se.

Nous étions devenus des Sires de Se en devenant des maîtres de silence.

« Sire de Se », cela peut se traduire aussi bien par « maître de soi » que par « Seigneur de Soi-même ». Mais la forme ancienne et normande me paraît plus énigmatique et plus puissante.

La langue et ses effets sont assez peu logés à l'enseigne du sens.

Tout ce qui émeut l'âme est dans ce qui transporte ce qui en elle est autre dans l'autre.

*

Pour être maître de soi il faut ne pas être asservi à soi. Il faut soupçonner l'identité personnelle d'être plus lointaine que la dépendance à laquelle soumet la figuration sociale et plus contingente que le corps.

*

Être le signifiant d'un corps, se séparer de sa naissance, se séparer du lieu où l'on est né, se distinguer des langues du premier murmure, vivre comme un perpétuel naître.

Vivre comme avant que l'on tombe dans la domination de telle ou telle langue. Avant que le sens se dételle de la chose entendue qui fonce sur nous dans la nuit.

*

Argument III. Partir est le fond de l'univers. La métaphysique préférait rentrer. Rentrer chez soi était le fond de l'être. Comme les héros dans Homère. Comme Socrate qui refusa de partir, comme Platon qui rentra, comme Jésus qui refusa l'offre de partir.

Comme Hegel, comme Nietzsche, comme Heidegger. Tous des *nostoi,* des retours. Des hommes frappés par la nostalgie. Des malades du retour. Ulysse est un homme qui souffre du *nostos.*

Tous des saumons. (Des sociaux. Des enfants.)

*

Rentrer, c'est renouer tous les faisceaux de la fascination.

Issir, c'est laisser le dé à la désidération.

*

L'amour est une extase de l'externe : l'autre en l'autre. C'est l'issue de l'issir.

La lecture est plutôt une extase de l'interne : l'autre en soi.

*

Lire. Aimer. Penser. Le plaisir de lire comme celui d'aimer viennent de l'expérience de la rencontre avec la pensée d'un autre hors de toute rivalité, et hors de tout dessein qui subordonnerait le fonctionnement de l'esprit.

On partage la saisie de l'autre.

Lire, c'est le plaisir de penser avec les morts. Lire, *co-ire* avec les morts. *Co-ire* avec l'avant-vie. Si on veut dire : « Ils s'aiment » en français on dira : « Ils sont ensemble. » Aimer, c'est le plaisir de penser avec l'autre sexe. En latin on dira non pas être ensemble mais aller ensemble : *co-ire* avec l'autre sexe.

Ils vont ensemble. Ils vont bien ensemble. Ils sont ensemble.

Concomitance et réciprocation désintéressée.

Dans la copulation amoureuse, dans le commentaire d'un mort, dans la vision impossible de la scène qui a précédé la naissance, la joie naît d'un triomphe sur la séparation (tout d'abord un triomphe sur la séparation individuelle, ensuite sur la séparation par le sexe, enfin sur la séparation que creuse la mort).

On entre en contact avec l'autre. Le sens, par tous

les sens, est partagé à deux. C'est une *fusio* à partir de la séparation et au-delà d'elle plus encore qu'une *admiratio* ou qu'une *confusio.*

Lire exhume le mort de la mort (déterre *alter* de *Alter*). Aimer fait aller ensemble ceux dont les organes sont séparés.

*

J'ignore ce que la femme rencontre dans le coït et jusqu'où elle voyage. Dans le coït l'homme rencontre le lieu dont il vient (l'issue). Et il pénètre le passé.

Coaguler est présent dans *coire* plus encore que peut l'être l'issir.

Ut coeat lac : afin que le lait se fige, se caille. Coagule.

La rencontre fait coaguler l'identité personnelle enrichie du sens partagé nouveau et de la communication avec l'altérité radicale (la femme, la mort).

Lire fait configurer l'infigurable, réorganise l'expérience de celui qui lit dans une communauté étrange par-delà le temps ; c'est l'impression du déjà vu oublié qui revient, du déjà pensé qui n'avait pu se dire à soi-même, de langue qui détend son pouvoir comme ferait un ressort dont on a libéré le cran. De l'expression qui fait mouche. Du mot qui touche. Du mot qui fait entrer en contact. Du mot extatique. *Sed tantum dic verbo et sanabitur anima mea.* Un mot va faire prendre, coaguler, tout ce que tu as vécu. Prends le livre et aussitôt ta vie sera désisolée, désentravée, refigurée, transfigurée. *Lire désobéit à l'ouïe.* Lire et aimer sont des connaître qui renversent le savoir, c'est désobéir à ce qu'il faut attirer ou penser, c'est se désenclaver de la famille ou du groupe. C'est s'asocialiser par rapport à la norme tout en pénétrant dans la communauté morte de ceux qui ont écrit en lui contrevenant. C'est se déséduquer à l'aide d'un mort. Celui qui pense en lisant et celui qui pense dans le livre se rencontrent dans le surgissement d'une pensée sans tyrannie, d'une pensée libre à deux. Page après page la rencontre de pensée se fait naissance d'un transport de pensée autre, sans emprise, désintéressée au pouvoir dont elle jouit.

Comme la mère et l'enfant quand ils ne se haïssent pas.

Comme l'amant et l'amante s'emboîtent dans *le premier hybride avant le vêtement humain* : s'adjoignant la peau de la bête morte, les plumes de la bête morte, les cornes de la bête morte, etc. (Le vêtement hybride du maître des animaux succède à l'accouplement bestial du chasseur avec la proie qu'il tue et qu'il doit renouveler s'il ne veut pas interrompre la chasse par épuisement ou par décimation, s'il ne veut pas interrompre la vie animale des chassés, s'il ne veut pas mettre un terme à la vie humaine de plus en plus exaltante et héroïque des chasseurs.)

De la même façon, dans l'amour, il faut convenir que l'orgasme qui brouille le regard, qui foudroie la chambre d'écho du langage dans l'âme, n'est pas exactement la marque d'une étanchéité complète entre les amants. On traverse la paroi de la différence sexuelle ou de la mort par ce point non étanche.

Cette crevasse où l'on sort, où l'on naît.

Cette crevasse du livre entrouvert dès l'instant où on ne veut pas le casser. (En français casser un livre signifie rompre sa couverture.)

L'avènement inattendu et la décharge stupéfiante d'un affect perdu dans l'âme. La clarté soudaine, *ekstatikè.* Les hétérogènes emboîtés, l'aimantation brusque de tout ce qui était jusque-là disséminé ou repoussé.

*

On est sorti de soi. La sortie de soi se dit en grec *ekstasis,* en latin *existentia.* Ce qui a été partagé n'est pas l'étreinte ni l'orgasme individuel ni la reproduction plus ou moins irréelle (et pas nécessairement aperçue) mais l'extase. L'extase est beaucoup plus haute que le plaisir.

Sortis ensemble de ce monde sont ceux qui s'aiment. Ces deux-là, ils sortent ensemble. « Deux » sort ensemble. On pourrait le dire aussi bien du lecteur et de l'auteur.

*

Issir et *ekstasis* sont le même. Ils sont le cœur de la vie secrète.

*

Argument IV. La connivence est déverrouillée par la communication du secret (du secret de l'*alter* qui prend le visage du secret sexuel). C'est le dépôt de la nudité de l'autre. Ce dépôt à date ancienne ne sépare pas *exo* (l'intimité en avant du ventre) et *endo* (l'intimité en arrière des yeux). L'un comme l'autre de ces secrets sont ce à quoi la magie peut jeter un sort (dépression sexuelle ou langueur spirituelle).

L'acte du coït est la clé. (Ce qui déverrouille le corps déverrouille l'âme. La confidence intime est l'implication du coït.)

Corollaire. Un homme ne doit jamais se confier à une femme qui ne s'est pas donnée dans sa nudité. Une femme ne doit jamais se confier à un homme qui ne s'est pas donné dans sa nudité.

*

Ce corollaire est exactement ce que dit Circé à Ulysse. Et il correspond à ce que *finalement* Pénélope dit à Ulysse.

L'amour se définit par le sacrifice de la pudeur : chacun exhibe ses parties sexuelles, ose des gestes impudiques, se soumet à des services peu décents. C'est un pas au-delà du sacrifice. Le concubinage dans la définition qu'en donne Circé soumet les deux sexes à l'impudeur (à l'assuétude de l'impudeur).

L'amour se définit par le sacrifice de l'intégrité du corps.

Il sacrifie le voile, le statut, le genre. C'est le sacrifice du secret du corps. La dénudation déclenche la déprivation.

*

L'investigation sexuelle sur le corps de l'aimé peut s'associer un monde immense intense. Il n'y a pas d'excitation dans le monde vivant qui ne coexcite le monde vivant. Seuls les nécrophiles, les presque cadavres, les fascinés, les inétonnables contemplent avec passivité. Les enfants se lèvent et miment. Les fleurs aiment être regardées. Le soleil adore éblouir au point de susciter un amour de sa lumière pour elle-même (la photosynthèse est un cas de narcissisme aigu). La laitue, la roquette, la romaine, l'épinard et le cresson sont ses putti.

*

Ce qui conjoint l'amour et le coït est moins obscur que ce qui relie la copulation à la procréation.

À vrai dire la pro-création n'existe pas. L'équivalence entre la conception et la copulation ne peut déterminer l'amour.

Le coït est seul dans le temps. La prescience et l'antériorité sur la parturition sont immiscibles à l'attrait charnel et à la jouissance assouvie.

Le second lien (entre naissance et étreinte) n'est pas sûr. Il est récent. Durant des millénaires il peut avoir été méconnu. Même su, il est porté à être méconnu. Il est toujours une déduction ou une rationalisation. Il s'agit toujours d'un futur antérieur à la grossesse ayant été constatée puis à l'accouchement.

Une étreinte, au sortir de l'étreinte, ne peut être ressentie comme inféconde. Ne peut pas être vécue comme un enfant mort.

Chez les animaux, y compris les hommes, ce n'est pas la reproduction qui pousse les mâles et les femelles à monter les uns sur les autres.

Longtemps l'enfantement, le printemps ne furent pas des effets.

Ils étaient le temps même. Le premier temps du temps. Le *primus tempus.* Le *seul temps.*

*

C'est précisément le printemps qui fonde le cinquième argument. Le coït entraîne 1. la turgescence du pénis (la métamorphose du fascinant), 2. l'accélération des deux rythmes non synchroniques (cœur et respiration) qui lui est concomitante.

Cette turgescence et cette accélération, comme elles cherchent à être synchrones, introduisent à un état habité par ce qu'il n'est pas encore, hélé par le futur. C'est une joie d'imminence. Ce mouvement de recherche de la synchronie, d'étreinte qui se cherche et qui s'excite elle-même, on peut aussi l'appeler la précipitation. On peut arracher la précipitation à sa réputation négative. Ce n'est pas l'éjaculation qui est précoce. C'est la joie qui est précoce. Tout orgasme est de l'imminent pris de court. Toute volupté est arrachée.

Tout — le râle respiratoire, la circulation sanguine, la sueur, la salive, l'étreinte des membres, la contraction de la vulve féminine — s'agrippe dans la hâte.

Cette turgescence-accélération est brisée à son plus haut point, en un seul instant.

En un Soudain qui à mes yeux modèle toute soudaineté. C'est le *Exaiphnès* originaire des derniers métaphysiciens grecs de l'antiquité. (Ce soudain est plus brusque que tout présent. Il est ce qui prend de court le Maintenant.)

C'est le « subit » propre au « coït » des Latins.

*

Le aller-ensemble humain (le *co-ire*) est du rythme brisé soudain, *ekstatikos.* (Ce point compte si on envisage la musique, qui le domestique comme sa sauvagerie propre, son inhumanité propre.)

1. La turgescence. 2. L'accélération des deux rythmes involontaires chez l'homme. 3. La précipitation de l'étreinte. 4. Le soudain qui prend de court le *minimum* du temps lui-même. 5. La chute abrupte dans l'immobilité corporelle, dans la demi-conscience psychique (dans la demi-veille du repos, ou dans le demi-sommeil).

(Ces points 4 et 5 comptent aussi pour la figuration non mimétique des fresques antiques : c'est l'avant-chute, l'*akmè,* la fleur, c'est l'*augmentum,* c'est le *maximum* de l'*orexis* qui est montrée avant le soudain ou la mort.)

*

Si aimer est lié au secret, c'est qu'aimer ajoute à tout secret l'énigme de la différence sexuelle qui sécrète nos vies. C'est régresser en deçà de ses propres frontières narcissiques ; c'est devenir étranger à soi ; c'est issir du soi sexuel. C'est l'issue propre à l'humain.

La communication plus rapide que la foudre ou que l'éclair ou que le torrent ou que la flèche du chasseur (Éros) ou que le piqué du vautour (Zeus) est intimement liée au contact avec le secret génital, et intimement liée à la jouissance génitale de la même façon qu'il est inévitablement assujetti, pour se reproduire, aux parties génitales.

*

Pour chaque membre de son corps
Un membre du mien pleure.

Chaque sexe abandonne à l'autre ce qui le définit et dont il n'a pas exactement la fonction, que l'autre ignore. Ainsi chacun manipule-t-il dans l'expectative ce qu'il n'a pas et qu'il ne connaît pas.

Qu'est-ce qu'un symbole ? Les deux morceaux de tessère qu'un homme rompt pour son ami. C'est le moyen de la reconnaissance de la *philia*.

À la revoyure les deux morceaux se correspondaient parce c'était celui-ci et parce que c'était celui-là.

Chaque fragment rompu s'encastrait dans l'échancrure du bris qui lui faisait face.

Mais la différence sexuelle n'est pas symbolique.

*

Qu'une main serre une autre main fut une invention humaine extraordinaire.

C'est l'invention du symbolique. (Du mensonge.)

Tout scel, toute symbolisation prennent leur source dans l'étreinte du coït face à face. Pour les *symbola*, ce sont les échancrures de la poterie brisée qui entrent en contact exactement. Pour le scellement (comme pour le serrement de mains), c'est la paume et la paroi qui s'appliquent en tous points de leur surface. Pour l'amour humain opéré face à face l'étreinte est un scel.

La *resserre* des corps.

*

C'est chez les crustacés que commença l'accouplement face à face. Je ne sais pas si ce fut une bonne décision.

*

Une poésie parmi les plus anciennes qui soit montée sur les lèvres d'un homme dans ce monde, composée en langue sumérienne, compare le coït humain à la frénésie qui s'empare des naufragés quand le canot sombre dans la tempête.

Des mains, des bras étreignent des morceaux d'épaves.

Ils s'accrochent pour ne pas être engloutis dans l'union dont leur naissance les a laissés nostalgiques et qui les oppresse comme une mer.

*

Le moment à mes yeux le plus miraculeux du miracle de la Renaissance italienne, ce fut le Pogge découvrant un exemplaire de Lucrèce.

Lucrèce fut un inconnu quand il vécut.

Quand il mourut il le resta.

Cette perte ne faisait pas défaut au monde lettré. Une seule ligne de Cicéron l'évoquait. C'était tout. La République l'ayant méprisé, l'Empire l'ignora. Le Moyen Âge n'avait même pas pu nourrir le regret que rien de cet auteur n'eût été conservé puisqu'il n'en soupçonnait qu'à peine l'existence.

La description que Lucrèce fait du coït humain a quelque chose de sumérien. Elle est extraordinaire par sa violence. L'étreinte est décrite comme un désespoir. Giordano Bruno s'en inspira et parvint à la peindre sous un jour encore plus dégoûté, son homosexualité lui ajoutant un éclat puritain. Schopenhauer a repris cette description dans *Le monde comme volonté.*

Léonard de Vinci dessina et décrivit l'étreinte humaine comme radicalement laide. Il s'en prit à la maigre valeur esthétique que présentaient à ses yeux les parties génitales. L'argument de Léonard de Vinci est le suivant : les membres utilisés et leur emboîtement peu convaincant sont si repoussants que l'espèce humaine n'aurait jamais dû se reproduire. Selon Léonard de Vinci ce qui aurait fait surmonter à l'humanité l'horreur de la dénudation mutuelle : la beauté des visages, les ornements, l'érection involontaire et impatiente du pénis, l'appétit contractant sans fin la vulve des jeunes femmes.

*

La peau nue, trouée, la peau orificielle est seulement vivante. C'est la paroi trouée où plongent les mains négatives. Elles s'ignorent regardant. C'est une solitude dissoute, un patronyme égaré de la même façon que, quand le vent hurle, il n'est pas le principe de ce hurlement.

C'est le vrai patronyme.

*

Il faut voir ce qu'il ne faut pas voir parce que c'est notre destin de rechercher ce qui nous fit et qui ne pourra être vu.

Il faut se taire parce que le silence fut notre source.

À quoi sert de se cacher la vérité ? Mélusine est un poisson. Toujours son corps glissera entre les mains de Monsieur de Lusignan comme lorsque lui-même était jeune et qu'il était seul et qu'il agrippait son propre sexe et qu'il l'enduisait de salive pour l'enfler et pour l'arracher de son ventre en hurlant de plaisir.

CHAPITRE XLVII

En Alsace, dans le silence, dans le monastère de Murbach, en 1415.

Il a neigé.

L'haleine des hommes, l'haleine des bêtes persistent sur leurs lèvres.

Le Pogge découvre le manuscrit du *De natura rerum* de Lucrèce dans une des armoires à livres de l'ancien scriptorium du monastère. Il met le manuscrit dans sa carnassière, il descend dans la cour, il monte sur son âne, il monte sur le bateau à fond plat, il rentre à Rome, il lit. Il fait part de la découverte de ce livre inconnu à Nicolo de Niccoli. Aussitôt Nicolo de Niccoli le recopie. Tous ceux qui le lurent alors s'effrayèrent. Le premier lettré à lui vouer une admiration sans bornes, avant Montaigne, fut Scaliger.

CHAPITRE XLVIII

Sur le sixième sens chez Scaliger

Cette méditation de Scaliger est un posthume (*Julii Caesaris Scaligeri Exotericarum exercitationum libri XV, De subtilitate, Francofurti apud Andream Wechelmann*, 1576, page 857).

Le grand Renaissant mourut en 1558.

Dans le dessein de décrire la *titillatio* propre au plaisir du désir masculin au terme de l'urètre, Scaliger proposa la notion de « sixième sens ».

En latin le mot *penis* désigne la queue du taureau, puis celle du cheval, puis la brosse à peindre.

C'est un pinceau sensoriel.

Le français pinceau dérive du latin *peniculus*, petit pénis.

L'argument de Scaliger est le suivant : le titillement voluptueux à l'extrémité tendue et épaissie de la queue ventrale des hommes est une anticipation spéciale de joie, ouverte, expectative, intouchable. Comme la tête de l'escargot hors de sa coquille se retrait sitôt qu'elle est touchée. Comme la tête de la tortue hors de sa carapace. Joie d'extravasion du méat. Joie de fenêtre anticipant l'instant sur lequel elle donne. Excitation du futur en acte passionnant et irriguant tout le corps, réclamant de devenir le passage soudain du sperme torrentueux, blanc, chaud.

*

La thèse de Scaliger peut être ramassée de la façon suivante : il y a une joie d'imminence distincte de la volupté de l'émission.

Cette allégresse, cette *alacritas,* cette *orexis,* ce pinceau pointé et rouge, cette main tendue, mouvante, mendiante, ce « sixième sens » — poursuit Jules César Scaliger — est « comme le goût » encore qu'il ne constitue pas un *sensus* par contact. Selon cette acception il n'est nullement un pinceau, nullement une tête, nullement une main. Sa sensibilité réside tout entière dans la tension à vide. C'est même, au contraire, le contact qui va détruire aussitôt sa sensibilité, sa joie propre et précipitante. Le sixième sens n'est pas synchrone au contact entre le terme du sexe mâle tendu et dont l'œil (le chemin, le *meatus,* le passage) est grand ouvert avec le vagin, la bouche, l'anus ou la main. Il est dans cette impatience qui s'entrouvre, qui chatouille irrésistiblement la peau excitée (la paroi intumescente, essentiellement rouge chez les primates, de la seconde peau sexuelle) et qui bée.

*

Un sens béant espérant, s'évadant, merveilleux.

*

Cette description de Scaliger ne recoupe qu'en partie ce que je décrivais quant aux rythmes cardiaques, respiratoires, féminin et masculin, cherchant à s'étreindre, à synchroniser et chutant dans le soudain, dans le temps pris de court.

Dans le *subitus* du *coitus.*

Dans le court-circuit plongeant dans la mi-veille ou le mi-sommeil le corps déserté de l'*orexis.*

La description de Scaliger est plus profonde que l'analyse temporelle de l'imminence et de la précocité en ceci qu'elle se tourne vers le béer, vers le Chaos grec, vers la bouche bée tout d'abord de la parturition puis de l'*amor,* de la succion des mamelles, des *mamma.*

C'est la bouche qui est fascinée.

Bouche dépendante du regard.

Bouche de la toute petite enfance où voir fait ouvrir la bouche devant la forme (le sein) qui la remplit.

Le sexe lui-même est un fétiche, un petit homme, un petit enfant en boule qui s'anticipe et dont la bouche, l'œil, la fenêtre, bée et se plaît à béer, à s'anticiper.

Puis le sexe masculin est un tout petit enfant qui se dresse et qui se met debout en titubant.

*

Le plus extraordinaire, dans l'analyse déjà si peu ordinaire que Scaliger fait de la *venerea voluptas*, n'est pas que la volupté vénérienne se divise, se dédouble ; c'est qu'il conclut à deux voluptés. Que ces deux voluptés ne dérivent pas d'une même souche. Que l'alacrité du désir doit être nettement distinguée de l'explosion de l'orgasme.

L'évacuation du sperme peut être chez l'homme : 1. agréable, 2. indifférente, 3. douloureuse.

Nul homme ne peut anticiper quelle sera la sensation dans l'instant qui précède la violente secousse, la soudaine décharge, enfin la brusque chute dans le vide.

Au contraire le plaisir de la tension, de l'*orexis*, de béance et de futur que décrit avec force le grand humaniste italien, augmente le corps, le densifie, le coagule et l'arque vers un seul point : à l'extrémité de son pinceau rouge, moins dans l'optation que dans la replétion sanguine, corporelle, et dans la rétention respiratoire. Le corps tout entier devient l'organe de cette *joie dont l'impatience est encore la joie.* (Allégresse rouge du pinceau contre volupté blanche de la peinture à son terme.) Le corps tout entier est le muscle de cette extension rougissante qui accroît le corps et qui l'arc-boute.

La *venerea voluptas* vide le corps et le plonge dans un abandon (*derelictio*) que les Romains ont décrit soit comme nausée soit comme dégoût.

Dégoût de la *vie devant la vie* elle-même. *Taedium vitae.*

*

La sexualité masculine selon Scaliger marque quatre temps : 1° l'excitation tuméfiante, érigeante, bandante, arquante, l'*orexis,* 2° la réaction explosive rythmique (l'origine métrique du bonheur après le pouls, après le rythme respiratoire, l'éjaculation complète du sperme allant de trois à sept contractions successives, dont la battue est plus ou moins lente, qui forment la jouissance proprement dite), 3° le plaisir de la détuméfaction, l'apaisement, la rétraction, 4° la période réfractaire, détresse mi-douloureuse mi-irritée (qui est aussi une phase de déception de ne plus avoir devant soi le futur, ou la racine du futur dans l'imminence ; c'est-à-dire ni la volupté de l'*orexis,* ni la *voluptas* de l'émission vitale).

*

Quatre temps et deux joies. 1. accélérative. 2. purgative.

1. Une joie de tension et d'élévation corporelle, de *holding* ancien, anténatal, prénaissant.

2. Le soulagement de l'émission, la rupture de rythme, la chute accouchante. L'organe qui s'était épaissi et élevé tombe. L'enfant debout sous la forme du *fascinus* oscillant, titubant, très prématuré, tombe de très haut.

*

Si l'on suit la thèse de Scaliger deux grands modèles antagonistes peuvent être dégagés et se conjoignent ou du moins se juxtaposent dans l'ordre des plaisirs masculins.

1. Endo. Fascination active. Faire passer à l'intérieur. Dévoration, incorporer, engloutir.

Dans cette sphère il faut ranger *fellatio, manducatio,* oralité, carnivorie, *praedatio,* etc.

2. Exo. Joie désidérante. Expulser, excorporer, cracher, uriner, jouir, déféquer, cracher, issir. Faire sortir à l'extérieur. Extraversion. Le sixième sens de Scaliger. Désirer.

À Rome les portes des *vomitoria* étaient situées à l'opposé de la *skènè* dans la structure de l'amphithéâtre. Pousser, vomir activement, se faire vomir, sodomiser, irrumer, pousser dedans (le pénis, la langue, le doigt), tel est le prototype de la sexualité romaine. Se débarrasser de sa semence à l'extérieur de soi quel que soit le récipient. On comprend pourquoi les anciens Romains préféraient appeler *irrumatio* ce que l'Occident chrétien a choisi d'appeler *fellatio.* Imposer le sexe à la bouche de l'autre est vertueux. Accueillir le sexe sur ses lèvres est honteux.

À Rome *cupiditas,* tendre vers ce qu'on souhaite posséder, *cupere,* concupiscence correspondent à peu près au grec *himeros,* qui est le désir passionné de butin.

Quoi que disent les philologues, Cupido correspond plus à Himeros qu'à Éros. *Cupere* s'oppose à *optare* de la même façon que le penchant instinctif, naturel, spontané s'oppose au souhait réfléchi, volontaire.

*

On peut simplifier encore la polarisation qui peut être déduite de la méditation de Scaliger sur le sixième sens.

1. In. Endo. Plaisir oral. Passif. Incorporer, exaucer le pas assez. Ingérer ce qui manque.

2. Ex. Exo. Plaisir anal. Actif. Excorporer, enfiler, dégueuler. Décharger le trop-plein.

*

Si l'on suit la spéculation de Scaliger le mot le plus adéquat à l'allégresse du sixième sens est celui d'*orexis.* La tension que nous nommons douloureuse est ce que le maître italien Renaissant qualifie de joie suprême. (Les taoïstes pensaient ainsi.)

Tendre la bouche vers, tendre le sexe vers, tendre la main vers.

Trois sphères sont ainsi décrites : comme un enfant vers le sein ; comme un amant vers l'amante ; comme un homme dans le religieux-social.

Ce sont les trois âges.

*

Corollaire. Si *orexis* est le mot qui correspond le mieux à la volupté, *anorexia* devient dans ce cas un substantif grec beaucoup plus profond que le laisse entendre la spécialisation que les sociétés modernes lui ont réservée. L'*anorexia* ne définit plus le seul manque d'appétit, d'*appetitus.*

Oregô, c'est tendre la main, implorer, viser, tuer.

L'*anorexia* refuse de tuer, de prendre, de téter, de prier.

L'*anorexia* refuse le sein, repousse le sexe, rejette la religion, se coupe de la société.

L'anorexie est l'anachorèse elle-même.

CHAPITRE XLIX

Sur le sentiment d'adieu

Ce que j'ai aimé, quoique je l'aie toujours perdu, je l'aimerai toujours. On peut s'établir à demeure dans un coin sublime, d'une surprise constante, d'un rêve toujours renouvelé, et ce fut pour moi un coin où j'étais seul et où le langage se confiait tout entier au silence.

Se taire, aimer, écrire, c'est un perpétuel triomphe en toute chose de l'adieu.

La nuit du dimanche 26 janvier 1997, les crachements de sang s'accrurent soudain au point de former un lent écoulement continu. M. me conduisit au service des urgences de l'hôpital Saint-Antoine. L'anémie est un état très doux. C'est un état qui ne cesse d'être davantage lénifiant. Aussi onctueux que le sang est lui-même une substance dense et liquoreuse. L'anémie est un départ qui se déprend lui-même de lui-même. Partir l'engage déjà. C'est un adieu. On me voiturait dans les souterrains de l'hôpital Saint-Antoine sur un lit à roulettes dans le froid. Je flottais. Je m'écoulais. Je ne regardais pas le plafond des couloirs bien que je ne visse à peu près qu'eux et les tuyaux : je fixais intensément le monde pour la dernière fois.

(C'est aussi une ruse pour revenir après l'endormissement que cette emprise du regard qui cherche à se sceller aux parois ou aux objets qu'il quitte.)

Sur le mode empirique ce « regard pour la dernière fois » se révèle à chaque fois avoir été faux : dès le réveil qui le poursuit.

Il n'est jamais vrai puisque quand il est vrai il n'est plus.

Mais voici la dernière thèse que je veux défendre néanmoins : je pense qu'il y a dans l'adieu une expérience propre à l'amour. Je demande qu'on m'accorde un autre point : je pose qu'on peut regarder pour la dernière fois le monde même si on survit à ce regard.

De très nombreuses fois.

C'est même l'Orient.

*

En quoi regarder le monde pour la dernière fois configure-t-il avec le sentiment de l'amour ? En quoi le fond de l'adieu distingue-t-il l'amour de la fascination et le dénote-t-il en regard du désir ?

Quand l'adieu survint-il dans le régime de l'au-revoir, c'est-à-dire dans le circuit du saisonnier, de l'annuel, de l'astral ?

En quoi la désidération s'oppose-t-elle à l'au-revoir et pourquoi cède-t-elle à l'adieu ?

D'où vient qu'il soit possible que l'amour puise dans le « non-au-revoir », dans le « jamais-revoir », de quoi précisément déshypnotiser la fascination qui lia le naissant à l'autre regard ?

La mort apparaît-elle dès cet instant, déjà là dans le regard qui va désentraver le corps et libérer le désir humain dans l'impossession de l'autre comme dans l'impossession de la vie personnelle elle-même à la fois inachevée et irréversible ?

*

La mélancolie veille sur l'altérité dans l'amour.

Ce thème peut passer pour difficile ou difficilement intelligible car la suite de ma réflexion me met subitement en contravention avec la thèse idéologique de la fin de ce siècle (la vie est positive, la mort doit être considérée comme allogène et méchante, la mélancolie est une folie douloureuse qui nécessite d'être soignée, l'insomnie n'est pas une joie, etc.). Je souhaite que celui qui me lit prenne conscience de ceci : je cherche à approcher la vérité. Je ne cherche pas à plaire aux temps où je vis ni à séduire ceux qui fixent la norme générale à laquelle les meilleurs représentants de la société doivent se tenir. J'appelle sentiment de l'adieu ce que les bouddhistes nomment émotion de l'inconsistance. Il faut mépriser violemment les prescriptions collectives de positivité au terme de ce siècle et ne considérer les leçons qu'il a données qu'à l'aune de la mort inconcevable qu'il a répandue.

*

Je n'ai pas moyen de méditer longuement sur la raison qui poussa les Modernes

1. à employer au contraire des Anciens *libido* plutôt que *desiderium*,

2. à préférer *phallos* (écrit mystérieusement phallus) à *fascinus*.

Les deux mots de *libido* et de *phallus*, employés dans le sens que les Modernes leur confient, n'ont rien de romain et leur sens ne fait écho à rien d'antique. Je passe. Je laisse ces deux apories (qui à première vue me paraissent être liées l'une à l'autre) à la méditation d'un philologue. (Je suis un misologue.)

*

Thèse I. Il est difficile d'être heureux.

Thèse II. Il n'est pas *aussi difficile* que la collectivité a intérêt à le laisser croire d'être heureux.

Le problème que pose le bonheur est déroutant : rares, extrêmement rares sont ceux qui le désirent. On aime plus à se raconter ses malheurs et à capter par ce récit l'oreille d'autrui qu'à taire sa joie, et à y demeurer isolé.

Réponse. On préfère être sidéré que désastreux. Au sens romain, il faut en convenir, la joie est désastreuse. (En tout cas elle est désastrée, elle est désidérée.)

*

L'adieu est sans tristesse. L'adieu est la séparation qui survient ; la naissance est l'adieu au maternel ; le printemps est l'adieu à la mort ; le létal est l'adieu au vital, etc. L'imminence n'est ni heureuse ni malheureuse ; c'est le point extatique de dislocation ; c'est le moment passionnant ; c'est l'excitation ou l'angoisse à supposer qu'on puisse discerner l'une de l'autre ; c'est ce que les anciens Romains appelaient l'*augmentum* ; c'est le moment qui précède ; c'est ce qui suspend le suspens.

*

L'adieu est l'*augmentum* de l'au-revoir. Comme la mort est l'augment au cours de la reproduction de la vie.

*

1. On dit que les bonheurs sont des toiles d'araignée tissées entre deux branches d'arbre et qui brillent dans la rosée. Où s'agrippe la moindre lueur qui s'élance timidement dans l'aube.

2. Les toiles d'araignée sont des pièges à mort où se pressent les moucherons.

Les bonheurs aussi sont des pièges où le désir s'entrave.

Il faut aussi se méfier du bonheur.

Bonheur *dont l'adieu se méfie.*
Mort à laquelle *l'adieu ne dit pas au revoir.*

*

Ce qui m'anime est la joie de l'adieu. Ce qui m'anime quitte la société. Les libérables ne sont pas que les vieux. Mais il est certain que la déprise, toujours incomplète en raison de la fascination initiale, ne saurait voisiner la source. Je voudrais que chaque livre qui serait écrit donnât la marque de l'abîme qui le menace. Chaque œuvre authentique non seulement n'est pas attendue mais est anxieuse de son arbitraire au point d'en être touchée. Chaque homme, chaque femme de même. Nous tenons à un rien. À la *rem.* La *rien* jadis disait en français ce que les Romains appelaient *fascinus.* Le langage ne rendra jamais compte de l'arbitraire du signe, même dans le mot de *rien.* Il n'est même pas besoin que je nourrisse l'illusion d'essayer de dénuder l'extrême contingence mais je voudrais que cela fût senti par celui qui me lirait de la même façon immédiate que par celui qui me regarderait dans les yeux.

*

I. Une portée imaginaire nous asservit depuis toujours. Une portée hallucinatoire se déploie dans un corps chaque nuit. La situation d'origine qui gouverne notre existence peut s'y cristalliser jusqu'à l'émerveillement funèbre. Il faut y consentir : l'adieu émerveillant est une des plus grandes joies de ce monde. Là où le désir se fascine, là n'est pas exactement ni le monde ni le réel. L'impression de réalité qui se fait jour alors est presque miraculeuse et complètement noire.

*

Longtemps dépressif, durant plusieurs dizaines d'années je ne comprenais pas un des plus beaux vers que Jean de La Fontaine a écrits. Je comprenais mot à mot le début : « J'aime le jeu, l'amour, les livres, la musique… » mais je n'admettais pas qu'on pût y inclure : « Jusqu'au sombre plaisir d'un cœur mélancolique. » Se faire un « souverain bien » de l'angoisse, cela me paraissait une préciosité, une hâblerie, une épigramme pour les salons, un mot de cour. Voire une complaisance à l'horreur, ou une insulte à de plus authentiques détresses. Il ne me paraissait pas qu'on pût jouir de l'effrayante morsure panique. Qu'on pût rendre vivifiante la proximité de l'abîme et s'approcher d'elle pour ainsi dire à discrétion. J'ai été crevassé. Sans cesse je désirais hâter ma mort ; j'aiguisais les dents, les crocs, les défenses, la corne de la bête fauve ; j'épointais ses griffes jusqu'à les rendre de plus en plus douloureuses et déchirantes. Maintenant je comprends ceci : sans doute la mélancolie n'est-elle pas une décharge soudaine comme le rire, mais c'est un rire. Un rire silencieux. C'est une volupté plus lente que ne le peut être le rire aux éclats. C'est un rire sans éclats. C'est une joie latérale mais qui est peut-être la plus étendue de toutes les joies.

C'est une joie de perspective.

La meurtrière du langage.

« Non sans plaisir, en dépit de la terrible tristesse qu'il venait d'éprouver, il s'abandonna encore quelques instants à la mélancolie… »

*

II. L'expérience de l'adieu en tant qu'elle s'oppose à celle de l'au-revoir, dans la mesure où elle fait fructifier ce qui ne sera plus de l'ordre de la vue dans la vision, est inhérente à cette autre relation : l'expérience de l'invisible opposée à celle du revisible.

*

III. Le sentiment d'évidence est lié au passé. Comme le panorama remonte à la rétrospection. Comme le rêve dérive du désir. *Evidentia* veut dire la vue entière. La vue entière est bien plus que la perception. Elle ne peut être focale. C'est la fascination animale : le puzzle entier auquel le morceau du vu s'emboîte lui-même tout entier dans la forme qui le voit. C'est l'empreinte qui fait retour sur le regard et l'accomplit panoramiquement. (C'est un voir passif, ce n'est pas une observation ni un guet de chasseur ni une scène voyeuriste.) L'évidence est la sensation du passé. L'évidence est l'organe de la situation passée qui revient. Son surgissement fait quitter le fantasme, dissout l'hallucination :

c'est quand le réel surgit de la même façon que la situation ancienne. C'est quand toute l'histoire personnelle sombre dans le paradis ancien qui naguère l'absorbait. (Jadis s'oppose à naguère comme l'originaire s'oppose à l'empreinte.) C'est l'osmose qui est retrouvée ; c'est l'absence des perceptions *qui n'étaient pas encore là alors* qui fait retour dans la sensation si singulière de leur contingence ; c'est se refondre à la fusion. C'est la mélancolie même, la mélancolie qui n'a pas renoncé, la mélancolie qui sait qu'elle est le seul sentiment humain qui n'a pas renoncé au bonheur, à l'ancienne volupté, à la jouissance totale.

La mélancolie se définit ainsi : la *joie dont on peut mourir* dans la retrouvaille imprévisible.

Le fasciné meurt à tous coups dans le visage de sa retrouvaille. Il y confond sa vue.

Le propre de l'évidence qui met dans la situation qui précède le langage est de pouvoir être odorée, vue, ouïe, mais de ne jamais pouvoir être dite. C'est du vécu dans lequel le moment s'encastre, pas du dicible qui s'apprend. La fascination n'attire pas dans ce qu'on a acquis : c'est l'empreinte qui hèle ce qu'elle a empreint. Elle ignore le temps puisqu'elle le précède. Elle ne peut souffrir la distance, ni s'accommoder de la division, puisqu'elle est de la fusion qui fait retour et qui confond.

*

IV. L'expérience de l'adieu en tant que relayée sur l'expérience ontologique renvoie à l'expérience paléologique de l'hivernal, de la nudité, du froid, de la faim, de la mort. En ce sens désidéré s'oppose à considéré comme l'expérience du *dé-* caractéristique de l'hiver (dés-astrée, désastreuse) s'oppose à l'expérience printanière du *re-*, re-considérée, réinfluée.

On comprend le passage de la désidération au regret, c'est-à-dire au manque intériorisé, affamé, zélé, actif de la considération.

À cet étage adieu et au-revoir ne se distinguent pas.

L'expérience de la désidération est assimilable à l'épreuve de l'hiver que le corps doit franchir (le froid, la décoloration, le dé- jusqu'à la mort).

Le Dé- *usque ad mortem.*

Dans l'homme la mort surgit *après* la survenue de l'hiver — étant provoquée par l'hiver. Comme la recherche de la grotte elle-même qui abrite de lui.

Épreuve diamétralement opposée à la revie, à la survie, à la recoloration, la réanimation, la ré- attisant la vie.

Dé- et ré- sont les flux les plus puissants de la duplication, en amont de la négation et de l'affirmation, dans le pressentiment du premier langage humain, dans la première vision littérale, sidérale (dans la prévision astrologique nocturne).

*

Argument V.

Vieillesse et mort curieusement s'opposent. La vieillesse dégénère. La mort regénère, recycle.

La mort brasse le brassé.

Conséquence. Je doute que la vieillesse soit une expérience humaine moindre que la mort.

*

VI. Le désir de voir s'éveille quand le sujet éprouve le réafflux, la réaffluence des images qui hantent, le revoir du « voir les objets resurgir » (l'eau dans les fleuves, les *sidera* dans la nuit, les petits hors des ventres obscurs des bisonnes ou des femmes, les fleurs qui bourgeonnent au bout des os morts des arbres). Alors on instrumente dans la perversion le plaisir de la revue volontaire et on accroît cette revue sur le fond de l'adieu qui ne renaît jamais.

L'adieu est au revoir ce que la nuit (le fond du ciel) est au jour, aux astres, aux devants du ciel qui déploient leurs figures animales (les constellations sont les premières figures pariétales, les premiers tracés spontanés, les premières silhouettes après les images des rêves) le long de la première ligne qui s'inscrit littéralement sur la paroi nocturne (l'écliptique).

Le redoublement est à l'origine et enfante. Le retour du même est toujours assourçant.

Du temps où je raclais les cendres du poêle.

Du temps où je lisais à l'aide d'une bougie.

Du temps où j'attisais sans l'aimer ce que j'appelais la cinquième saison.

*

L'amour — la communication intense de deux êtres d'esprit à esprit, de sens à sens, d'organe à organe — communique avec la communication profonde du monde plutôt qu'avec l'histoire qui a recouvert le monde et qui en a modifié le séjour.

La cinquième saison, c'est l'Avent sidérant. Où toute première chose est à la fois la Fascinante et la Perdue.

*

Car qu'est-ce que l'expérience de l'inconsistance de toutes choses sinon l'hivernal ?

Et qu'est-ce que l'expérience de l'hivernal au-delà de la menace de la faim, du froid et de la mort ? C'est le dernier visible.

Et qu'est-ce que le temps qui marque ce dernier regard ? Le terme du premier temps, la fin du printemps.

Et qu'est-ce que la fin du *primus tempus*? C'est la dernière fois. C'est le Nevermore, etc.

Je propose de faire du sentiment d'adieu (au contraire de la méditation romaine qui polarisa l'expérience sexuelle, vitale, annuelle, prédative, entre *fascinatio* et *desideratio*) un *fundamentum*, une relation universelle (et non pas seulement romaine, sanskrite, indienne).

Je renvoie à la façon dont les Chinois la reçurent de l'Inde et l'accueillirent. À la façon dont les Japonais s'en bouleversèrent. À la façon dont Anquetil-Duperron la nota, dont Schopenhauer s'en ressaisit, dont Nietzsche l'attribua étrangement au monde grec.

Curieusement on la retrouve à Rome mais dans ses romanciers (au contraire des romanciers grecs), ses deux penseurs (au contraire de tous les philosophes grecs), ses historiens (Suétone au contraire d'Hérodote, Tacite au contraire de Thucydide), ses fresquistes et ses peintres, son arène cruelle (bien plus ensanglantée que le théâtre tragique des Grecs), enfin dans la religion chrétienne que l'empire finalement adopta : c'est la technique de l'instant qui précède la mort. C'est l'imminent. L'étreinte, la mise à mort, le viol, le sacrifice, le théâtre, l'histoire, la peinture sont leur guette. C'est le revoir dont le vu n'est pas encore là *et ne le sera jamais.* C'est l'instant de l'adieu.

*

La désidération veut vivre, voir, dire, rire, toucher, côcher, jouir. Le désir répugne à la communication engloutissante, à la passion du passé, à la fascination que lui impose l'attache ancienne, à la mort qui exauce toute détumescence.

*

Corollaire. L'amour en tant que sexualité désidérée impose la pénombre (mi-jour mi-nuit), le chuchotement (mi-langage mi-silence), etc. Tous les mi et tous les ambi.

*

VII. Nous n'avons d'autre prise sur les femmes que l'étreinte, à l'instant de l'étreinte. Or, est-ce une prise ou un songe ? Les femmes s'ouvrent mais ce à quoi elles ouvrent nous n'y demeurons pas. Naître nous rejette de leur sexe. Jouir nous en rejette encore. Peut-on dire qu'il est à jamais ouvert, le sexe qui rejette toujours ?

Le mot adieu ou le mot mère sont le même.

*

Le plus profond secret est une porte. Il n'y a qu'une porte d'entrée dans le langage humain : la dépendance insensée de l'enfant à sa mère. Par le coït invisible à son fruit, par la gestation, par l'accouchement.

Il y a trois portes de sortie du langage humain : le sommeil, le silence, la nudité.

(La mort sous cet angle ne fait qu'accomplir le sommeil. La mort n'est pas originaire. Du moins la mort personnelle n'est pas originaire. Je n'évoque pas le *problèma* du cadavre de l'autre homme qui n'a rien à voir avec la mort intérieure, déduite de l'ensommeillement et de l'immobilisation des deux rythmes cardiaque et respiratoire.)

La vie ne s'oppose pas à la mort mais à la sénescence. (La mort n'est qu'une conséquence de la vieillesse.)

Le silence véritable (sans discours intérieur). La nudité véritable (désirante, manifeste et de ce fait désirante pour le sujet, pour la cause ; elle n'est fascinante que pour l'objet, pour l'effet). Le sommeil véritable (rêvant).

La mort n'a pas d'expérience rapportable qui la fasse exister pour les communautés humaines.

Les trois portes sont trois adieux. L'adieu au langage. L'adieu à la métamorphose dans les vêtements, aux tatouages, aux peintures, aux signes, aux modes, à la culture. L'adieu à la lumière.

Avant le langage, c'était l'enfance stricto sensu (l'*infantia*, le non-parlant).

Avant les vêtements, c'était naître. Se dépouiller de la peau de sa mère.

Avant la lumière, c'était avant la naissance.

Le plus profond secret est une prison. Mettre au secret, c'est mettre à l'ombre. C'est emprisonner.

*

Trois possibilités s'offrent à la sexualité humaine.

La sexualité, sauvage, opportuniste, violeuse, errante. C'est le marché noir.

Le mariage. C'est ce qui collabore avec la société. Alors l'Occupant du territoire est le groupe. Alors l'Occupant du corps est le langage.

Enfin l'amour, qui fait figure de résistant ou de rebelle. Attrait involontaire, attache fulgurante, monogame, qui ne ressortit pas au désir zoologique, qui ne ressortit pas davantage au lien social.

*

Le roi des *Mille et Une Nuits* vit la nuit et dort le jour comme le rêve. Comme la lune. C'est un nocturne.

C'est la nuit blanche sous peine de mort.

Il s'agit d'empêcher l'étreinte, d'empêcher le sommeil, d'empêcher la mort.

La narration dure le temps des étoiles et se suspend au lever du soleil. Comme si la narration avait à charge, en ne se terminant pas avec l'aube, de faire revenir la *nuit* qui suit.

*

VIII. Société et sexualité sont inconciliables. Toutes deux sont issues de communications animales nécessaires et incompatibles. Il y a incompatibilité entre la guerre et le coït.

À vrai dire non. Il y a polarisation.

Mais il faut avouer ce qu'est la guerre au regard des sociétés humaines. La guerre est définitoire. La guerre, c'est l'humanité opposée à la bestialité. C'est la chasse dont la proie est l'humain.

C'est l'humanité en proie à son adieu.

La guerre, c'est l'humanité déchaînée. C'est aussi le temps extatique.

*

IX. Ceux qui se suicident désirent non pas mourir mais tomber. Ils se jettent par la fenêtre ou dans l'abîme. Comme le plongeur dans l'eau de l'autre monde sur le dessus de sarcophage dans le musée de Paestum au sud de la baie d'Amalfi. Déjà, avant de mourir, il tombe, déjà il rejoint l'ici de la tombe. Être à quatre pattes désocialise. Tout ce qui tombe est ici.

Le vertige est l'appel de l'ici sans ailleurs.

Les hommes tombés à la guerre, les hommes écrasés dans la rue : ce n'est pas un homme, c'est de l'ici qui s'est écrasé sur lui-même. C'est du ici-gît.

*

Le premier homme peint tombe. (Sur la paroi soustraite deux fois aux regards, au fond du puits, dans la grotte de Lascaux au-dessus de Montignac.)

Le premier homme est en train de tomber devant la bisonne éventrée qui accouche du soleil qu'elle avait avalé durant tout l'hiver. Le premier homme figuré n'est ni debout ni par terre. C'est la première figure pariétale humaine connue, datant de –16 000. L'homme tombant.

Le premier homme de Masaccio a le pied droit pris encore dans la porte de la paroi qui fait la limite de l'Éden. Nous avons le corps pris dans la frontière de toutes les frontières.

C'est-à-dire entre vie et mort.

C'est-à-dire entre langage et silence.

C'est-à-dire dans l'adieu.

*

X. Le moyen que nous n'ayons pas gardé en nous-mêmes le milieu dont nous sommes issus ?

« La composition chimique de nos cellules est un petit morceau de l'océan primitif. »

Le développement de notre corps est une narration qui remonte plus haut que l'histoire humaine elle-même, qui en rend si mal compte.

L'originaire parle en tout un chacun par prétérition.

C'est-à-dire surtout quand il se tait.

*

Quand nous levons les yeux vers le ciel, nous contemplons le passé.

*

Celui qu'on aime est à mi-chemin du fantôme.

Ce n'est pas aux histoires de fantôme qu'il est difficile d'ajouter foi. Il est impossible de croire aux faits divers naturalistes sans un soupçon de sens, sans un gramme d'hypothèse, sans une larme de psychologie, etc.

L'amour, l'inconscient, l'irréfléchi, la folie, le continu, les rêves sont le même.

Dans les bras l'un de l'autre, rêvant l'un de l'autre, il arrive que nous ne soyons plus qu'un même rêve.

Il arrive que nous rêvions à l'intérieur de notre crâne de celle qui respire à nos côtés, et dort, et rêve à celui qui la rêve. On peut croire aux fantômes des amants quand on a vécu leur amour et alors que le destin les sépare. L'amour vit l'autre comme l'endeuillé vit le mort qui ne le quitte pas.

*

XI. La note qui plane, le râle, la macule extatique des contes et des mythes. Le meilleur exemple dans la musique occidentale se trouve selon moi dans un trio de Haydn. Nous l'interprétions en avril 1988 ; je peux le chanter ; c'est un adagio où le piano digresse sans plus pouvoir finir ; au violoncelle et au violon nous ne faisions plus que de longs coups d'archet peu appuyés, sans même chercher à vibrer. Peut-être ne fut-ce que la grâce d'un jour. Cette sensation ne serait-elle que cette circonstance d'une heure plus auspicieuse, que cette sortie de soi n'aurait pas manqué d'être. Cet issir n'en serait pas amoindri. (Le silence vient de la partition dont pourtant on ne le détache pas ; il vibre d'on ne sait où.)

*

Que deviennent les choses après l'adieu ? Les choses deviennent le temps qui passe. Le souvenir de l'amour est lié à l'amour comme son avenir. L'amour et l'adieu sont liés. Ils sont liés dès la naissance puisque c'est la naissance qui dit adieu au monde obscur en poussant un grand cri (surgir comme un corps nu en quittant un corps nu).

Marina Tsvetaeva a écrit : « Était, était, était ! Le passé est tellement plus vivant que ce qui est ! »

*

Corollaire.

Le musicien fait entendre en même temps la main gauche et la main droite, l'harmonie et le chant, le cœur et l'expiration, la synchronie et la diachronie. Le langage fait le contraire entre parole et Avent.

Quand on joue faux, on l'entend aussitôt et on hurle d'insatisfaction ou de douleur.

Quand on parle faux, on n'entend plus rien qui dissonne.

*

Tous ceux qui nous entourent nous tuent, de quelque sexe qu'ils soient. Même les femmes à qui nous confions tout, notre nudité, notre enfance, notre faiblesse, un jour nous tuent. Ce n'est pas à cause des femmes, mais à cause des armes que notre confiance leur a données. Cette confiance absurde constitue la plus belle — si on la contemple au sein du groupe social — et la plus périlleuse — à vivre au fond de l'âme — des actions.

La confidence aussi est un moment extatique.

Notre fascination, notre naissance, notre enfance, notre nudité, notre faiblesse, ce sont les armes qui nous tuent le plus sûrement. Ainsi, quand nous nous rappelons qu'il faut tuer les hommes et les femmes, qu'il faut les prendre de vitesse, les tuer plus vite qu'ils ne tuent, cela s'appelle la vie sociale. (La vie sociale s'oppose à la jungle en ce que cette dernière n'est pas aussi constamment hantée par la mort du congénère : il y a des cris, des proies, des cueillettes, des rires, des fleurs, des somnolences. Il n'y a jamais de guerre généralisée dans la jungle.) Dans la société même les cris sont obsédés par la mort du congénère (les opéras). Dans la société même les fleurs sont obsédées par la mort du congénère (les tombes).

*

L'amour est un adieu au monde.

La désidération et la désocialisation sont liées.

(Argument venant en scolie : Au contraire de ce que souhaita imposer à chaque cité humaine la philosophie, la pensée et la désolidarisation sont liées.)

*

Argument XII. Toutes les choses ont une âme.

Quand ? Quand nous déménageons.

Les déménagements sont des expériences magiques violentes.

Nous découvrons que *nous ne pouvons pas* jeter dans la poubelle cela. (Cela désigne : n'importe quelle horreur qui pourtant y est destinée.)

Quelque chose autre que la chose s'est accroché aux choses.

De vieux contacts, de vieilles forces les peuplent. C'est cela qu'il faut bien appeler une âme. Les souliers de maman étaient animés. Le manteau que mon père avait porté. Les poupées de Luise aux vêtements presque intacts, un peu défraîchis plutôt que pâlis, étaient encore tissées de la voix de ma sœur quand elle les commandait.

Les déménagements d'anciennes maisons sont des homicides.

Vient le jour où ce sont des parricides.

Les chrétiens catholiques disaient à chaque nouveau printemps : Il faut brûler le buis.

(Il faut se garder de jeter à la poubelle le rameau kairophore et coriace servant à passer l'hiver.)

*

Qu'est-ce que le bonheur ? Un émerveillement qui se dit à lui-même adieu.

*

L'inconsistance de tout se fond à l'adieu au centre de chacun d'entre nous et alors naît un doute généralisé et ivre d'une joie étrange, ni malheureuse, ni heureuse, sexuelle et mortelle à la fois.

Je ne suis pas heureux. Pourquoi le serais-je ? Pour suivre le mot d'ordre social ? Je souffre parfois avec une extrême violence. Je jouis parfois avec une intensité qui s'exprime mal. Je suis extrêmement favorisé.

J'aurais dû être peintre ou être myope. Il y a des

hommes qui ont besoin de s'approcher pour mieux voir.

Qui reconnaît son plat national dans le lait maternel ?

Le sujet s'ignore. L'*individu* est sans image, sans territoire, sans langue caractéristique. Un vrai homme ne se reconnaît pas dans son image. Les hommes de l'antiquité non seulement ne se reconnaissaient pas dans leur image mais ne parvenaient même pas à l'imaginer sur les parois de calcite où ils lisaient leurs rêves.

*

Il y a peut-être plus d'autre monde dans l'amour et dans la sensibilité à l'étrangeté de la nudité humaine, dans la lecture, dans la musique, que dans la mort et devant le cadavre inconscient.

*

XIII. Rêves, souvenirs, regrets, images des morts forment le sacré : ce que nous ne pouvons saisir. Ce qui est éloigné qui vient. L'inaccessible, le non-quotidien, le non-profane. Profaner, c'est porter la main. Tout ce qui est intouchable est sacré. Rêves, souvenirs, morts, désirs forment une substance intouchable. La main ne doit pas effleurer la paroi ni la nudité. Ou la main entre dans l'autre monde ou l'amant s'abstient et la nudité est revoilée.

L'autre monde n'est pas de l'ordre de l'effleurable.

L'autre monde est de l'ordre de l'authentique séparation et de l'adieu.

*

Les adultes connaissent une plus grande jouissance que les petits dans la génitalité.

Mais de moins grandes douleurs.

Les âgés connaissent aussi de plus faibles saveurs que les prématurés. Leur plaisir est de reconnaissance. Ils ne découvrent plus.

Corollaire. C'est là que s'enracine l'idée de décadence : la contre-empreinte équilibre l'imprégnation fascinante.

Tous ceux qui ont grandi se révèlent plus élevés que quand ils étaient d'une taille plus petite qu'eux-mêmes.

Admirabilia. Ils disent que le monde va à l'abîme quand ce sont eux qui s'engloutissent dans la mort. La vieillesse n'est pas une usure. La vieillesse est l'ennui qui commence à s'aimer. Celui qui cesse de s'étonner et d'admirer a vieilli. La vieillesse est un désamorçage qu'on doit mépriser jusqu'à l'instant de mourir. Ce désamorçage a lieu bien avant d'être un tarissement. C'est seul ce tarissement qui pourrait être plaint. L'inhibition intéressée, collective, est ce désamorçage anticipé et intériorisé. La vie collective éloigne du naître. La vie sociale intense fait vieillir prématurément.

*

On peut partir à condition de laisser tout dans son désordre et de confier son destin au hasard.

*

XIV. Abba Longin dit que vivre en étranger partout, c'est tenir sa langue partout. C'est se taire. Si personne ne se tait, personne ne sera étranger.

Il faut dominer sa langue.

Si celui qui s'exile parle à tort et à travers, ce n'est plus un étranger, c'est un natif.

Celui qui prétend vivre comme un étranger doit vivre comme à l'étranger : ne rien comprendre, ne pas être compris, se taire là où l'on vit, faire des gestes puis cesser de faire des gestes, sourire puis ne plus sourire. Abba Longin appelait cette aptitude la *xeniteia,* le fait de vivre comme dans l'étrangeté de l'étranger. La *xeniteia* pour le moine, c'est comme partir pour l'étranger pour le laïc. C'est comme naître pour l'enfant (c'est-à-dire avant la langue acquise et avant qu'il commence à se souvenir de tout ce qu'il a fallu oublier afin de l'acquérir).

CHAPITRE L

On appelle meurtrières les fenêtres étroites des églises qui ont été fortifiées autrefois. Mot très cru pour dire l'office que rendent les fenêtres percées dans les parois des maisons et le dessein qu'ont les yeux de certains mammifères quand leurs paupières se soulèvent.

Meurtrière est ce livre sur une part confuse de ma vie.

Certains trouveront sans importance, et négligeable, qu'un homme écrive sur ce qu'il entend par amour. Qu'est-ce qu'un amour si on le compare à une carrière, à un fait d'armes, ou si on l'oppose à une fortune hardiment acquise ? Tellement plus. Qu'un être humain puisse s'ouvrir au corps d'un autre être humain, qu'il parvienne à le toucher, c'est au-delà du destin de son sexe et plus difficile que sa mort elle-même, qui n'est que personnelle et inéluctable. Ce contact avec l'autre monde que soi représente une expérience plus riche qu'une fortune lentement et résolument amoncelée. Ce toucher aboutit à une métamorphose qui malmène plus profondément l'identité personnelle que le rôle qu'un homme a pu jouer dans la société où son travail l'a introduit, où il s'est agenouillé devant un tyran, où il a été payé comme une prostituée, où son cœur s'est contraint.

CHAPITRE LI

La beauté de l'amour

Les plus belles choses du monde : les soies du marcassin, les marrons luisants dans leur bogue crevée, les braises ardentes, les livres de Tchouang-tseu, de Montaigne, de Kenkô, de Musil, les sources des ruisseaux, les yeux des chevaux, l'aube.

Mais rien ne peut rivaliser en beauté avec les deux corps de la femme et de l'homme face à face qui soudain découvrent à leur plus grande surprise qu'ils s'aiment déjà alors qu'ils ne se connaissent ni d'Ève ni d'Adam et qu'ils ignorent jusqu'à leur nom.

C'est un incroyable silence sur leurs traits.

Une suée lumineuse les revêt, une immobilité les attache, leurs regards les insèrent dans une proximité qui est sans rivale. Une matière luisante les recouvre par laquelle ils commencent à irradier comme des astres nocturnes.

*

Le plus profond de la méditation extraordinaire qu'a laissée Stendhal au sujet de l'amour concerne la beauté.

Il dit dès la première phrase de son prodigieux livre sur l'amour qu'il y a une beauté fascinante de la fascination en acte.

Puis il n'en parle plus.

Mais c'est cela qui le pousse à écrire : l'amour est beau. L'amour est plus beau que la concupiscence. Le danger que représente l'amour aux yeux de l'entourage familial puis de la communauté sociale ne résulte pas seulement de l'asocialité exclusive de la relation qui polarise les deux corps qui s'aiment au mépris de tous, elle concerne sa beauté lancée comme un défi à la collectivité tout entière. Les amoureux sont beaux, ils marchent sur un nuage, leur corps regorge de la sève qui les hante, leurs yeux brillent, il y a quelque chose d'ineffablement accordé qui passe d'un corps à l'autre. Il n'y a rien qui rende plus jaloux les hommes et les femmes que ce lien qui sépare de toutes les choses (le réel) et de tous les êtres (la société). Il n'y a rien de plus beau au monde que deux amoureux.

Et il n'y a rien de plus dédaigneux du monde.

*

À l'argument de Stendhal (la beauté inouïe des amoureux comparés à tous les autres membres de la société entendue comme un immense bloc d'envie) il me faut ajouter celui-ci : la splendeur irrésistible des crimes passionnels ; l'attention passionnée que leur narration suscite dans les oreilles humaines ; la jouissance immanquable et presque l'empressement à les raconter, à faire passer la nouvelle sexuelle qui hante le langage, le ragot collectif millénaire qui concerne la reproduction sociale.

I. Comme si la narration implacable du nœud sexuel-mortel exauçait une véritable tension érotique, cognitive, et peut-être même symétrique (la reproduction des membres de l'humanité est sexuelle-mortelle).

II. Comme si le crime passionnel assouvissait une authentique dévoration originaire, antésexuelle.

III. Comme si le rudiment de la narration humaine (proche en cela du déroulement des intrigues dramatiques et des scènes des rêves) tournait autour de ce rabrouement à mort de la jouissance sexuelle qui fonde le social, *c'est-à-dire le langage lui-même* (le langage lui-même se hante dans sa conséquence : l'association des hommes dans le langage).

IV. C'est l'adieu qui fait le fond de la beauté. Si ce fond a une lumière, l'adieu a une lumière. La lumière d'onze heures.

CHAPITRE LII

Defrictis adeo diu pupulis an vigilarem scire quaerebam. Et je restais longtemps à frotter mes paupières, à les ouvrir, à les frotter de nouveau dans le désir de m'assurer que ma vision n'était pas un songe.

CHAPITRE LIII

Les peintres ? Les cartons vert épinard. Les musiciens ? Les boîtes noires et luisantes. Les écrivains ? Les mains vides.

Les mains invisibles.

La nature communique. Le temps communique. Les animaux communiquent. Les êtres humains aussi communiquent entre eux de façon singulière et qui n'est pas celle que leur propose le langage qu'ils parlent et qui les assujettit à l'ordre propre à chaque société, laquelle n'est pas un ordre mais un réflexe aussi fasciné que carnivore (que perpétuellement sanglant).

Les femmes et les hommes ne communiquent pas par les points où ils le croient. Il est possible que notre souffrance ne se confonde jamais tout à fait avec la souffrance de ceux que nous aimons. Nos malheurs ne peuvent toucher entièrement l'autre. Nos douleurs ne peuvent toucher directement l'autre. Nos mains le peuvent. La force traverse la paroi, la pensée la caisse caverneuse de la tête, la volupté le sac de la peau, l'eau les yeux.

Œuvres de Pascal Quignard (suite)

KONG SOUEN-LONG, SUR LE DOIGT QUI MONTRE CELA, Michel Chandeigne, 1990

LA RAISON, Le Promeneur, 1990

PETITS TRAITÉS, tomes I à VIII, Maeght Éditeur, 1990 (Folio 2976 et 2977)

GEORGES DE LA TOUR, Éditions Flohic, 1991

LA FRONTIÈRE, *roman*, Éditions Chandeigne, 1992 (Folio 2572)

LE NOM SUR LE BOUT DE LA LANGUE, P.O.L., 1993 (Folio 2698)

L'OCCUPATION AMÉRICAINE, *roman*, Seuil, 1994 (Point 208)

LES SEPTANTE, Patrice Trigano, 1994

L'AMOUR CONJUGAL, Patrice Trigano, 1994

RHÉTORIQUE SPÉCULATIVE, Calmann-Lévy, 1995 (Folio 3007)

LA HAINE DE LA MUSIQUE, Calmann-Lévy, 1996 (Folio 3008)

Composition Bussière
et impression Bussière Camedan Imprimeries
à Saint-Amand (Cher), le 19 décembre 1997.
Dépôt légal : décembre 1997.
Numéro d'imprimeur : 2321-4/1283.
ISBN 2-07-074879-0./Imprimé en France.